Diálogo de la dignidad del hombre
Razonamientos
Ejercicios

Letras Hispánicas

Fernán Pérez de Oliva

Diálogo de la dignidad del hombre

Razonamientos

Ejercicios

Edición de M.ª Luisa Cerrón Puga

CATEDRA

LETRAS HISPANICAS

Ilustración de cubierta: Leonardo da Vinci,
Retrato de un músico

© Ediciones Cátedra, S. A., 1995
Juan Ignacio Luca de Tena, 15. 28027 Madrid
Depósito legal: M. 32.559-1995
I.S.B.N.: 84-376-1370-1
Printed in Spain
Impreso en Gráficas Rógar, S. A.
Pol. Ind. Cobo Calleja. Fuenlabrada (Madrid)

Índice

Introducción

A mi madre, siempre

Fernán Pérez de Oliva, retrato de un humanista

I. VIDA

La biografía de Pérez de Oliva aparece a nuestros ojos como una brillante carrera universitaria truncada a muy temprana edad; prácticamente todo lo que de él sabemos se refiere a sus estudios o a sus aspiraciones académicas, y casi todo sale del *Razonamiento hecho en la oposición a la cátedra de filosofía moral*[1].

---

[1] La investigación sobre los pocos datos que de la vida de Pérez de Oliva se conocen ha sido la ocupación fundamental de la crítica hasta hace bien poco. Se basa toda ella en las palabras del propio Oliva, en las noticias que da su sobrino Ambrosio de Morales al editar las *Obras* de 1586, y en las pocas líneas de Nicolás Antonio en su *Bibliotheca Nova*, I: 386. El estudio más importante al respecto es el de Atkinson (1927), «Hernán Pérez de Oliva. A biographical and critical study», que sintetiza y renueva las aportaciones de Alonso Cortés (1925), «Datos acerca de varios maestros salmantinos. I. El Maestro Hernán Pérez de Oliva», y de Espinosa Maeso (1926), «El Maestro Fernán Pérez de Oliva, en Salamanca». A estos estudios habían precedido las investigaciones de Rezabal y Ugarte, *Biblioteca de los escritores que han sido individuos de seis Colegios Mayores*, Madrid, Sancha, 1805: 239-248; y de Esperabé Arteaga (1917), *Historia pragmática e interna de la Universidad de Salamanca*, II: 18-20. Menéndez Pelayo, en «Páginas de un libro inédito. Pérez de Oliva. (El Maestro Fernán)» (1875), resume todo lo conocido hasta su momento sobre el autor. Interesantes son los estudios de Henríquez Ureña (1914), «El Renacimiento en España: el maestro Hernán Pérez de Oliva», y (1967) «Hernán Pérez de Oliva», en *Plenitud de España. Estudios de Historia de la cultura*. Los estudios más recientes al res-

Nació hacia 1494 en Córdoba; su padre, que era un hombre culto[2], se ocupó de su enseñanza hasta que tuvo catorce años y le envió a Salamanca a estudiar. En esta universidad estuvo tres años, y pasó luego a la recién estrenada Complutense, en donde permaneció por espacio de un año.

Inmediatamente después, en 1512, se fue a París, a la Sorbona, donde fue discípulo de Martínez Silíceo; tres años más tarde, un tío suyo que estaba al servicio de León X (el papa Médicis), lo llevó consigo a Roma.

La muerte de su tío, acaecida en 1518, le obliga a regresar a España[3], pero muy pronto volvemos a encontrarle en París «do leí tres años diversas leciones entre ellas las *Éticas* de Aristóteles»[4]. Durante este tiempo recibe una pensión del Papa Adriano VI y, desfavorecido otra vez por la fortuna, a la muerte de éste tiene que volver, definitivamente ya, a su patria. Estamos en 1524.

Reside en Córdoba hasta 1526, en que es llamado por la universidad salmantina para ejercer como sustituto del Maestro Margallo y de Martínez Silíceo. En 1529 es elegido Rector y en 1530 aspira a la cátedra de Filosofía Moral, ocasión para la que escribe el citado *Razonamiento*; en la oposición es derrotado por fray Alonso de Córdoba, antiguo profesor suyo. Un mes más tarde gana la cátedra de Durando.

En los últimos años de su vida, le encontramos colaborando estrechamente con los colegios del Arzobispo Fonseca (es colegial fundador y hasta Rector de uno de ellos), y

---

pecto son los prólogos que G. George Peale pone a sus ediciones del *Teatro* (1976) y del *Razonamiento sobre la navegación del Guadalquivir* (1987: 9-24); y el estudio de José Luis Fuertes Herreros: «Pérez de Oliva: reconstrucción biográfica», en la edición conjunta de la *Cosmografía nueva*, (1985: 27-68).

[2] Había escrito una obra geográfica titulada *La imagen del mundo*. «Quod ineditum mansit, forte iam deperditum» (*Apud* N. Antonio, I: 386).

[3] El camino de vuelta lo hace deteniéndose en algunas ciudades italianas: para Pérez de Oliva el viajar era una experiencia intelectual tan necesaria como el estudio. Así lo declara en el citado *Razonamiento*.

[4] *Razonamiento de oposición*, pág. 176. Se trata, no obstante las exageraciones de algunos críticos, de una ayudantía o cargo similar, pues no figura en el *Registrum Nominatorum* de la Sorbona (años 1518-1525). Para más datos sobre la biografía del autor, véanse las notas al texto correspondientes.

tropezamos con el único dato de su vida que escapa a la trayectoria universitaria: por unos pleitos a causa de un testamento del que Pérez de Oliva había sido nombrado albacea, sufre cárcel durante unos días. Muere prematuramente el 3 de agosto de 1531, en Medina del Campo.

Hasta aquí, los datos escuetos de lo que sobre su vida sabemos. Veamos ahora la interpretación de los mismos. En el *Razonamiento* por él leído en marzo de 1530, con motivo de su fallida oposición a la cátedra salmantina de filosofía moral, Pérez de Oliva traza un detallado *curriculum vitae* que, aunque inútil para convencer al tribunal que había de juzgarle, es un excepcional testimonio de la formación y aspiraciones culturales de uno de nuestros más conspicuos humanistas. Su retrato, trazado como quien se mira en el espejo de un filósofo ideal, busca el concierto entre saberes científicos, elocuencia y experiencia de vida virtuosa, devolviéndonos una imagen que, ya en su momento, Ambrosio de Morales y Cristóbal de Villalón[5] no dudaron en caracterizar como la del perfecto *rhetor*. Muy otra es, sin embargo, la interpretación recientemente ofrecida por J. L. Fuertes Herreros y por el grupo de profesores salmantinos que, exhumando unos textos latinos de carácter científico no incluidos por Morales en las *Obras* de su tío, resaltan su condición de filósofo nominalista y de cosmógrafo, minimizando su profesión de letrado. Esta inédita y polémica perspectiva[6] invita tanto a repensar la figura intelectual de Pérez de Oliva como su función pública, pues de ella se concluye que la calificación de humanista se le aplica sólo

---

[5] Morales en su edición de 1586; Villalón en el retrato que del Maestro hace en *El Scholastico*, donde Pérez de Oliva resulta ser encarnación viva de las virtudes morales, intelectuales y académicas.

[6] Según Fuertes Herreros (1985:32), Morales presentaba a Oliva desde un ángulo sesgado: «canónico, muy en consonancia con las polémicas e intereses propios del momento, situándose en una actitud letrada oficial que pretendía del ejercicio de las letras en el entramado administrativo, político y religioso, más beneficios, honra y fama, que el podía provenir del cultivo y desarrollo de la ciencia, dentro de la jerarquía de valores del Imperio».

en virtud de lo que de *científico* hubo en su actividad, o sea, la enseñanza de las materias contenidas en los textos latinos ahora publicados —unos apuntes probablemente empleados en sus sustituciones del Maestro Silíceo entre 1526 y 1527[7]—, y su participación en las tareas de remodelación arquitectónica, estatutaria y académica de la Universidad de Salamanca[8].

La cuestión exige una elucidación o acuerdo previo sobre qué sea un humanista —ese sayo pardo bajo el que crece de todo y todo bueno por definición. Empecemos por estable-

---

[7] De entre los textos destaca la *Cosmografía nueva*, un tratado tolemaico muy interesante pero cuya exagerada iluminación podría desenfocar, agigantándola, la imagen que del Mundo —del Viejo y del Nuevo— tuvo nuestro autor. C. Flórez Miguel (1985:20-22) señala que el punto más importante de la obra es la aceptación del paradigma de esfericidad de la tierra, lo que es novedoso para las fechas que corren (1526 ó 1527), y resalta su modernidad por la importancia que concede a la *experiencia* y la *conjetura*. Sin embargo hay un paso al principio del libro II, «De los descubrimientos de los antiguos y los modernos» que parece contradecirlo pues no queda claro quién le merece más crédito a Oliva, si lo leído o lo visto: «Así pues, aun reconociendo sus propios méritos a unos y otros, en modo alguno confundiremos los hallazgos de la antigüedad con los descubrimientos de los modernos, aunque aquellos nos han sido transmitidos con la precisión del arte, estos, en cambio, sólo por conjetura de la posición (*cum sint illa ex arte tradita, hec tamen modo positionis coniectura*)» (1985:142-143). La *Cosmografía* sería conveniente analizarla a la luz de las «notas» prescritas por F. Rico acerca de la geografía humanista en España: «El nuevo mundo de Nebrija y Colón. Notas sobre la geografía humanística en España y el contexto intelectual del Descubrimiento de América», en *Nebrija y la introducción del Renacimiento en España (III Academia Literaria Renacentista)*, Salamanca, 1983, págs. 157-185; (y su versión italiana de 1984).

[8] *Vid.* al respecto Fuertes Herreros (1985: 50-52). En cuanto a los textos, C. Flórez Miguel y P. García Castillo (1983) editan su *De natura lucis et luminis*; y con J.L. Fuertes Herreros y L. Sandoval Ramón (1985) la *Cosmografía nueva*, que incluye el *De magnete liber unus*. Todos ellos, además de una *Perspectiva* pendiente de publicación, los encuentran en el Ms. e. II. 15 de la Biblioteca del Escorial (Cfr. *infra* la descripción del mismo). Menéndez Pelayo comentado de pasada estos textos en *La Ciencia Española*, en *Obras Completas* 58-60, Madrid, CSIC, 1953 (I: 44, 48, 105, 209; II: 421; III: 65, 89). El *De Magnete* había sido exageradamente loado por Cayetano Alberto de la Barrera en «El Maestro Fernán Pérez de Oliva, sabio cordobés, inició en el primer tercio del siglo XVI el descubrimiento de la Telegrafía electro-magnética», *Rev. de Ciencia, Literatura y Artes*, 5 (1859), páginas 348-350.

cer que, ateniéndome a los ya clásicos estudios de D. Campana y O. P. Kristeller[9], por *humanista* entiendo un profesional de las letras, alguien que, como el propio Pérez de Oliva declara, que, con el cultivo de las letras, *hace en el pueblo fruto de sus disciplinas*:

> Vuestras mercedes han visto si sé hablar romance, que no estimo yo por pequeña parte en el que ha de hazer en el pueblo fruto de sus disciplinas; y también si sé hablar latín para las escuelas do las sciencias se discuten *(Razonamiento de Oposición*, pág. 177).

En estas palabras aflora el problema capital de la lengua: Pérez de Oliva, educado en el ecumenismo latino entre España, Italia y Francia elige, sin embargo, el castellano como cauce de sus obras filosóficas, dramáticas e históricas, dejando el latín para su obra científica[10]. Tal actitud puede reflejar, por qué no, la atávica ignoracia hispánica en materia de lenguas clásicas[11], pero es también síntoma del vigor del castellano: Pérez de Oliva quiere emular en elocuencia a los antiguos y poner al servicio del más amplio público los frutos de su profesión de letrado[12], voluntad que sella —lo vio

---

[9] Augusto Campana, «The Origin of the word *humanist*», *JWI*, 1 (1946), págs. 60-73; y Paul Oskar Kristeller, «Humanism and Scholasticism in the Italian Renaissance», *Byzantion*, 17 (1945-46), págs. 346-375. Ahora en *Studies in Renaissace Thought and Letters*, Storia e Letteratura, Roma, 1956.

[10] Tal diglosía pone de manifiesto una neta separación entre lo uno y lo otro; la Filosofía Moral —la cátedra a la que está opositando— al estar «hecha para todas las facultades» pide el uso del romance. Nótese, además, que Pérez de Oliva cita en su *curriculum* sólo tres de sus obras, latinas todas ellas y de carácter didáctico (*De Opere intellectus, De Lumine & Specie* y *De Magnete*), eludiendo toda mención a las demás, de manera que podemos pensar que él mismo distingue entre su carrera de docente y la de letrado al servicio público.

[11] Deficiencia ampliamente ilustrada por L. Gil Fernández (1981) quien, a propósito de Pérez de Oliva, comenta repetidamente la acusación de gramático formulada contra nuestro autor.

[12] Así le dice a su sobrino Agustín de Oliva, dedicándole su comedia *Anfitrión*: «Hete pues escrito el nascimiento de Hércules, que primero escrivieron griegos, y después Plauto en latín; y helo hecho no solamente a imitación de aquellos auctores, pero a conferencia de su invención y sus lenguas, porque tengo yo en nuestra castellana confiança que no se dexará

muy bien su albacea Morales— la completa madurez del español[13].

Los géneros ensayados por nuestro autor tienen fines marcadamente didácticos, estando ampliamente avalados por la tradición humanista italiana[14]: el *Diálogo de la dignidad del hombre*, que retoma la reflexión cardinal planteada por Manetti y Pico della Mirandola, entre otros; sus traducciones del teatro clásico resueltas en prosa (Plauto, Sófocles, Eurípides), que parecen ir a la zaga —especialmente el *Anfitrión*— de la primera manera ariostesca de interpretar al cómico latino[15]; su famoso *Razonamiento sobre la navegación del*

---

vencer. Léelo con diligencia; porque las comedias antes escritas fueron fuente de la eloqüencia de Marco Tulio, que mucho amó a su familiar Terencio y los otros que en semejante estilo escrivieron.» Ed. de G. G. Peale *(Teatro*, 1976: 4). La elocuencia es indispensable para el filósofo ya que «entre los antiguos ningunos fueron preciados en esta disciplina si no fueron eloqüentes» *(Razonamiento de oposición).*

[13] Cfr. «En cuanto al latín, ya desde la época de Nebrija, se le reserva un papel ancilar, al servicio de ese castellano vulgar que, con imperio o sin imperio, se impone como lengua común en todo tipo de escritos, especialmente en los literarios. Así, se da el caso de que muchos de los erasmistas españoles, por ejemplo, se expresan en vulgar, quedando relegado el latín para temas muy específicos, para usos profesionales. (...) Esto es así porque los renacentistas españoles —humanistas o no, erasmistas o no— tienen muy clara conciencia de que empieza una nueva era, de que ellos van abriendo su propio camino en el medio y en el tiempo que les ha tocado vivir.» Domingo Ynduráin, «La invención de una lengua clásica. (Literatura vulgar y Renacimiento en España)», *Edad de Oro*, I (1982:15); y ahora su *Humanismo y Renacimiento en España*, (1994) *passim.*

[14] Pérez de Oliva llega a Italia en el momento de la crisis filológica, cuando ya no se exportan maestros y obras, sino que se importan alumnos que intentarán emular a los humanistas italianos (*cfr.* Carlo Dionisotti, «Discorso sull'Umanesimo italiano», en *Geografia e storia della letteratura italiana*, Turín, Einaudi, págs. 156-7).

[15] Ariosto inaugura el teatro europeo moderno con las versiones en prosa de las comedias inspiradas en Plauto y Terencio *Cassaria* e *I Suppositi*, representadas en Ferrara en marzo de 1508 y febrero de 1509, respectivamente; la 1ª ed. de ambas (Venecia, Zoppino), es de 1525 y su versión en verso de 1529-30. Pérez de Oliva escribe su *Comedia de Anfitrión* antes del 27-XI-1525 —fecha en que le entrega un ejemplar a Hernando Colón—; y por las mismas fechas debe de escribir la tragedia inspirada en Sófocles *La venganza de Agamenón* (Burgos, 1528 y 1531; Sevilla, 1541), así como la *Hécuba triste* (Córdoba, 1586), primera versión romance —junto a la de G.B. Gelli— de Eurípides. (*Vid. infra* las notas 19-21.)

Guadalquivir (1524) que, podría pensarse, reelabora la ética del llamado —por Garin o Baron[16]— *umanesimo civile* para ponerla al servicio del naciente imperio español; y, por último, su tarea historiográfica, formada por dos obras inéditas hasta fechas muy recientes, la *Historia de la invención de las Yndias*[17]; y la inacabada *Conquista de la Nueva España*[18], donde el relato histórico se transforma en una biografía apologética de Cortés y Colón, modelos de virtud y cristalización del culmen al que ha llegado el Imperio español.

En todas esta obras —y en las otras de las que hablaremos más adelante—, late una urgencia de despuntar, de encontrar un acomodo vital, que poco tiene que ver con la supuesta asepsia del *científico* dibujado por Fuertes Herreros más arriba; mucho lo tiene —por el contrario— con la *actitud letrada oficial* en busca de beneficios, honra, poder, con la que tan bien retratado queda Pérez de Oliva, y no tanto por Morales como por el crítico moderno.

Y es que en este sentido Pérez de Oliva es ejemplar. Ejemplar en cuanto a formación cosmopolita, a apertura de mente, a intereses múltiples; y ejemplar en su transforma-

---

[16] Cfr. Garin, Eugenio, *L'Umanesimo italiano*, Bari, Laterza, 1952; Baron, Hans, *The Crisis of the Early Italian Renaissance*, Princeton University Press, 1966.

[17] Es traducción de la *Década I* de Pedro Mártir de Anglería (1493-1500), y relata el Descubrimiento desde la perspectiva de Colón. Fue escrita entre 1525 y 1528. Ha sido editada por J. J. Arrom (1965), cuyo prólogo es fundamental para centrar a Pérez de Oliva en el ámbito de la historiografía, y para conocer detalladamente los problemas bibliográficos del texto. *Vid.* también Joseph Perez (1981), págs. 477-489; y, en su relación con P. Mártir de Anglería, mi artículo de 1991.

[18] Es una versión libre de la *Segunda Carta de Relación* de Hernán Cortés (1520), en la que se narran los episodios que precedieron a la Noche Triste de Tenochtitlán. Puede haber sido escrita también entre 1525 y 1528, en cualquier caso, no antes de 1524 según señala su editor (1927: 392). Está publicada por Atkinson como apendice a su estudio (1927: 450 ss). El ms. procede de El Escorial (&.II.7) y tiene otra edición paleográfica a cargo de Ramírez Cabañas (México, 1940). Había otro manuscrito de la misma obra, pero distinto, titulado *El principio de la conquista de la Nueva España*. Está perdido. La última noticia de él es que se vendió en Barcelona en 1933.

ción, operada en la universidad salmantina, de filósofo moral y natural a teólogo nominalista.

Detengámonos en el momento en el que Pérez de Oliva vuelve de París, adonde había ido a estudiar *letras*. De Roma, donde tanto porvenir tenía, había salido por amor de aquéllas[19], es decir, que la carrera eclesiástica no parecía ser su vocación. Una vez aquí, le encontramos ejerciendo de orador en Córdoba, aliado con las fuerzas civiles de la ciudad y enfrentado, por tanto, con el Obispado, porque los intereses que defendían quienes querían hacer navegable el Guadalquivir, eran contrarios al cepillo de la catedral[20]. Esta actividad pública, sin embargo, no debió de darle muchos frutos, como tampoco se los dio el poner su pluma al servicio del hijo de Colón o del conquistador Cortés[21], y así apunta de nuevo hacia Salamanca y su universidad. Allí desarrolla una gran actividad en los más variados campos[22]; pero no le da para vivir, y así ha de plegarse al sistema universitario salmantino, y cambiar o canalizar en dirección distinta sus energías.

En efecto, Pérez de Oliva se matricula para licenciarse en Teología en el curso de 1527-28, mientras sustituye a Martí-

---

[19] Sigo, aunque no lo cite expresamente, el texto del *Razonamiento de oposición*; véanse sus notas para mayor claridad.

[20] *Vid. infra* la nota 41, y el texto del *Razonamiento sobre la navegación del río Guadalquivir* con sus notas.

[21] Muy probablemente, a la admiración que Oliva sintiera por ambos personajes vendría a unírsele el interés de un mecenazgo o protección. Pero la fortuna no pareció ayudar en esto a nuestro autor más de lo que lo hizo con sus hipotéticos mecenas: si Hernando Colón no triunfaba en sus pleitos con la Corona, Cortés, tras su viaje a Toledo en 1528 para defenderse de las acusaciones movidas contra él por Velázquez —gobernador de Cuba—, consiguó honores y el título de Marqués del Valle, pero perdió poder efectivo. Paralelamente, la *Historia* de Colón quedó inédita y la de Cortés inacabada.

[22] Cfr. *Razonamiento de oposición*: «unos dizen que soy gramático y otros que soy retórico; y otros que soy geómetra; y otros que soy astrólogo; y uno dixo en un conciliábulo que me avía hallado otra tacha más: que sabía arquitectura» (pág. 180), Sobre su actividad como arquitecto *vid*. Luis Cortés Vázquez, *Ad summu caeli. El programa alegórico humanista de la escalera de la Universidad de Salamanca*, Salamanca, Universidad, 1984; y M. Sendín Calabuig, *El Colegio Mayor del Arzobispo Fonseca en Salamanca*, Salamanca, Universidad, 1977.

Autógrafo de Pérez de Oliva, fol. 147 del manuscrito 8.II.15 de la Biblioteca de El Escorial, perteneciente al *Triunfo de Jesucristo en Jerusalén*.

nez Silíceo en la cátedra de filosofía moral, y desde ese momento parece depositar todas sus esperanzas en la Universidad de Salamanca, de la que llegará a ser Rector entre mayo y noviembre de 1529[23]. Puesto bajo la protección del arzobispo Fonseca, el futuro que se le abre a nuestro humanista es el eclesiástico, y los primeros pasos empieza a darlos como miembro fundador —en 1528— y luego Rector —en 1530— del Colegio Fonseca[24]. Y así llegamos a su famosa oposición a la cátedra de filosofía moral en 1529, la que tan sonada y previsiblemente pierde frente a un viejo profesor suyo. Por el *Razonamiento* que para tal ocasión escribe, sabemos no sólo cuán alta estima tenía de sí, sino cuánto despreciaba las enseñanzas nominalistas[25]. El discurso leído (con el que seguramente se sentirán identificados muchos jóvenes aspirantes a cátedra hoy en día), nos devuelve la imagen del Pérez de Oliva que quiso ser pero que no fue, ya que, cruel ironía, la cátedra de que será dotado sólo un mes más tarde, en mayo, será una de teología, la de Durando o Gregorio Arímini.

Acostumbrado —como finamente nota Atkinson[26]— a una vida de estudiante en la que tenía la libertad de ir don-

---

[23] Además de Rector, fue miembro de la comisión encargada de elaborar los nuevos *Estatutos*, labor que Cristóbal de Villalón refleja, indirectamente, en su obra *El Scholástico*. Una de sus mayores preocupaciones fue la introducir el estudio de la gramática castellana. J.L. Fuertes Herreros ha editado (1984) dichos *Estatutos*, y junto con I. Sebastián ha estudiado los programas: *Simbolismo de los programas humanísticos de la Universidad de Salamanca*, Salamanca, Universaidad, 1973.

[24] Oliva participa como arquitecto en la construcción del famoso Colegio así como en la de la portada de la propia Universidad y en el diseño de su escalera. Brillantes carreras eclesiásticas llevaron los Zapata y Juan de Fonseca, cofundadores del Colegio.

[25] Cfr. el texto y sus notas.

[26] Atkinson (1927: 339-354) relata pormenorizadamente esta última fase de la vida de Pérez de Oliva, toda pleitos, oposiciones y disgustos; a él —y a su delicioso *humour*— me atengo en lo que se sigue. Tales eventos, por cierto, han desaparecido misteriosamente de la biografía de *científico moderno* Pérez de Oliva trazada por Fuertes Herreros en la *Cosmografía*; en ella, las imágenes se detienen en Oliva como brillante Rector de la Universidad y del Colegio Mayor del Arzobispo Fonseca, nombrado preceptor del príncipe Felipe. Si Fuertes Herreros reprocha a Morales el haber presentado una imagen distorsionada de su tío, esta omisión de las andanzas

de le interesaba, no donde debía, se dejó ver poco por su cátedra; por el *Libro de cuentas* de la universidad sabemos que en 1529-30, de 96 lecciones dio sólo 26[27]; en 1530-31 «fue multado el dicho maestro oliva en veynte e seys leçiones de media a multa» y «en çinco leçiones de *nulus legit* porque hentrava tarde e salía tenplano»[28]. A lo que se ve, la poca elegancia de los autores que le había tocado en suerte explicar le quitaba las ganas de ir a clase[29]; pero además había otros asuntos legales que le absorbían hasta el punto de pedir y tomarse permisos que no le correspondían para irse a pleitear a la Cancillería de Valladolid.

Y es que en los tres últimos años de su vida Pérez de Oliva se mete a leguleyo, cayendo en un avispero que le lleva incluso a la cárcel[30]. Amigo de Cristóbal de Santo Domin-

---

del maestro no me parece contribuya mucho a poner las cosas en su sitio, a no ser que el tal lugar sea un altar en una Universidad de Salamanca científica, artística, moderna e inmaculada.

[27] Las cifras cantan: «ganó en esta cátreda el dicho hernand pérez de oliva noventa e seys liçiones, en que montan al dicho preçio [150 maravedís por lección] quatorze mill e quatroçientos maravedís, *de las quales fue multado en setenta liçiones de media multa*, en que montan al dicho preçio diez mill e quinientos maravedís, de que viene la mitad a la arca, que son çinco mill e dusyentos e çinquenta maravedís, *otro tanto al que las leyó*, de los quales se le han de descontar los días questuvo preso.» Espinosa Maeso (1926: 578). De esta prisión se habla en seguida.

[28] Espinosa Maeso (1926:466)

[29] El nombre de la cátedra corresponde al autor que ha de explicarse (en este caso el poco amado Gregorio de Rímini), y se multa a quienes disertan sobre otros autores o exponen la propia teoría. Sobre lo duro que resulta explicar lo que nada interesa, qué mejor testimonio que el de fray Luis por boca de Marcelo al abrir el segundo libro de *De los Nombres de Cristo*: «que es género de maldad occuparse uno tanto y en tal tiempo [el verano] en la escuela, y de aquí veréys quán malvada es la vida que assí nos obliga. Assí que bien podéys proseguir, Sabino, sin miedo, que demás de que este lugar es mejor que la cáthedra, lo que aquí tratamos agora es sin comparción muy más dulce que lo que leemos allí, y assí, con ello mismo se alivia el trabajo.» (1977:318). Incomparablemente mejor es la situación de los profesores universitarios actuales, qué duda cabe ¿será por eso por lo que ya no se sabe escribir como fray Luis o Pérez de Oliva?

[30] Sabemos con certeza que en junio de 1530 pasó unos días en prisión, pues con fecha del día 27 un notario pide le suelten: «por ende a V. a. pido e suplico que pues el dicho *mi parte* quiere cumplir la dicha executoria e sentarse a cuenta con el dicho *parte contraria*, V. a. mande al dicho corregi-

go, un indiano enriquecido que, a su vuelta de las Américas, había decidido adoptar el apellido Maldonado de su verdadero padre, ya que era hijo adulterino, es nombrado su albacea testamentario. A la muerte de aquél, acaecida en 1528, Pérez de Oliva entra en una vorágine de pleitos con la viuda y el suegro por un lado; y con los Santo Domingo, herederos por parte del padre putativo, por el otro: la hermana de Cristóbal, un sobrino y el tío de éste. Las cosas se le escapan de las manos, y las consecuencias son desastrosas pues no sólo da con sus huesos en la cárcel, como hemos visto, sino que además pierde una suma total de 30.000 maravedís, o sea, su salario de profesor de todo un año si, en vez de correr a Valladolid a procurar, hubiera asistido a clase.[31]

Fernán Pérez de Oliva muere el 3 de agosto de 1531, en Medina del Campo[32]; no tenía aún cuarenta años. Su cátedra se declara vacante cinco días más tarde, y sus papeles pasan a manos de su sobrino Ambrosio de Morales. De allí

---

dor e su justicia que le suelten de la cárcel donde está preso e hasta entonces no se haga la dicha execución, pues el dicho *mi parte* es persona tan honrada, catredático en el dicho estudio e persona bien abonada para pagar todo lo que paresciere ques obligado» (N. Alonso Cortés, 1924: 782). El 4 de julio ya esta libre, pero volvió a ella, sospecha Atkinson (1927: 348), porque el Claustro se reune el 27 de agosto y manda un representante a Valladolid pidiendo «que se alce la cessacyón *a divinis* remitiendo el preso a su juez i que le manden guardar los privillegios del studyo», privilegios que, a lo que se desume de las actas del Claustro, Oliva rechazaba (Espinosa Maeso, 1926: 464-5).

[31] Como señala Atkinson (1927: 354), la retribución que correspondía a la cátedra de Teología Moral había aumentado —en junio de 1529 y por un pleito movido por fray Alonso— a 40.000 maravedís; Oliva, como Rector, había sancionado tal incremento. Al ganar él la cátedra, sin embargo, se vuelve al sueldo inferior de 30.000; a su muerte se decide que «la cátreda que vacó por muerte del maestro Oliva que se ponga en veynte mill maravedís de salario para el que la levare» (Espinosa Maeso, 1926: 466).

[32] «En unos datos de un cuaderno de cuentas del Colegio Mayor del Arzobispo, en el Archivo Universitario, fechados en Ávila a 25 de Septiembre de 1531, se lee: "Rescibió el Maestro Oliva, rector que fue del dicho colegio [lo era aún], dozientas e diez e siete mil e çiento e treynta e dos maravedís dende siete días de Noviembre de MDXXXI años fasta tres de agosto del presente año de MDCCCCI que murió"». Esperabé Arteaga (1914: II 932).

irán a parar en parte a la imprenta, en parte a los fondos de la Biblioteca del Monasterio del Escorial.

II. OBRA

Razonamientos y ejercicios. Otras obras.

La actividad literaria de Pérez de Oliva refleja en su variedad las líneas de su formación intelectual. Dejó escritas pocas obras cumplidas, y un discreto número de textos fragmentarios o incompletos. Estos últimos son apuntes para sus lecciones de filosofía moral y natural, o bien ejercicios requeridos para obtener un grado académico. De todo esto, su sobrino y heredero Morales dio a la imprenta, en 1586, lo que le pareció más acabado o más significativo (todo lo que tuviera *gravedad* la parecía digno de ser publicado), y con el trasiego de las prensas se perdieron los autógrafos[33]; lo demás quedó olvidado hasta el presente siglo, que ha visto la publicación de su obra americana, de parte de su obra científica y, en la presente edición, de un sermón y de un par de ejercicios más. No serán piezas maestras —no lo son— pero, tomadas en su conjunto, nos revelan la trama sobre la que se borda el escrito más significativo de nuestro autor, el *Diálogo de la dignidad del hombre*.

Quedan fuera de nuestro campo de trabajo sus obras científicas y, en esta ocasión, sus esbozos historiográficos, que son de primer orden ya que nos dicen de la prontitud con la que Pérez de Oliva comprendió la trascendencia del Descubrimiento de América (de hecho, fue el primero en dar noticia de ello en lengua romance)[34]. Tampoco nos ocuparemos de sus piezas dramáticas, interesantísimas porque —como se esbozó un poco más arriba— suponen la entrada del teatro clásico en España y casi en Europa[35].

---

[33] Todos menos el del *Discurso de las potencias del alma*, cfr. *infra* la nota 42.

[34] *Vid. supra* las notas 17 y 18.

[35] Sobre el teatro de Pérez de Oliva, *vid.* las ediciones de Atkinson (1927: 521-659), y de Peale (1976). *Vid.* también A. Hermenegildo *La tra-*

A Pérez de Oliva se deben las adaptaciones de dos tragedias griegas y de una comedia latina: *La vengança de Agamenón*[36]; la *Hécuba triste*[37]; y la *Muestra de la Lengua Castellana en
el nacimiento de Hércules* o *Comedia de Anfitrión*[38]. Las tres piezas son traducciones libres —hay en ellas nuevos personajes y nuevos parlamentos de los mismos—; en el caso de las
dos primeras, no se sabe si Oliva tradujo directamente del
griego, o si lo hizo a través de versiones latinas. Se diferen-
cian del original formalmente, pues el verso se hace prosa y
la división en actos desaparece; y también en cuanto al sentido, ya que la religiosidad pagana es sustituida por un ambiente moral netamente cristiano. Oliva escribe su obra dra-
mática dentro de los presupuestos del *teatro humanista* o *de*

gedia en el Renacimiento español, Barcelona, Planeta, 1973, págs.70-89; Henríquez Ureña (1967); Menéndez Pelayo (1875); y el *Discurso histórico sobre
los orígenes del teatro español*, de Leandro Fernández de Moratín (*Obras*,
B.AA.EE. II, Madrid, M. Rivadeneyra, 1850, págs. 191-192). Peale, en la
edición citada, hace un estudio de conjunto cuya tesis central estaba ya formulada por Atkinson al decir que Pérez de Oliva no escribía retórica sino
que la practicaba (1927: 425). Desde este punto de vista, el conjunto de sus
obras dramáticas resulta ser una auténtica preceptiva retórica, una antolo-
gización de recursos. Ambos remiten a la actitud demostrada por el personaje Pérez de Oliva en el *Scholastico* de Villalón (personaje central del diálogo, como se sabe).
[36] *La vengança de Agamenón. Tragedia que hizo Hernán Pérez de Oliva,
Maestro, cuyo argumento es de Sophocles poeta griego* es el título que le da Morales en su edición de 1586. Antes se había editado en Burgos en 1528
y 1531 por Juan de la Junta; y en Sevilla, en 1541, por Juan Cromberger.
Fue plagiada por García de la Huerta en 1785, y traducida al alemán y al
portugués. López de Sedano la incluye en el *Parnaso español* VI (Madrid,
Sancha, 1771).
[37] No se conoce ninguna edición anterior a la de 1586, donde llevaba
el título de *Hécuba triste. Tragedia que escriuió en griego el poeta Eurípides*. Fue
incluida en el tomo VI del *Parnaso español* (Madrid, Sancha, 1771); y modernamente ha sido reimpresa en el tomo *Tragedias de Eurípides*, México,
1821. (*Vid. supra* la nota 15.)
[38] Titulada por Morales en 1586 *Muestra de la Lengua Castellana en el nacimiento de Hércules* o *Comedia de Anfitrión*. Ésta es la obra que Pérez de Oliva le da a Fernando Colón, quien lo anota en el *Registrum B* de su biblioteca con las palabras: «Es en 4.º y diomelo el mesmo autor en Sevilla, a 27 de
Noviembre de 1525.» (*Apud* Huntington, *Catalogue*, nº 4148). La comedia
está reimpresa, en una edición crítica que coteja la de ¿1525? y la de 1586,
por Karl von Reinhardstoettner, Múnich, 1886. (*Vid. supra* la nota 15.)

escuela, pensado para pequeños grupos de espectadores entre los que hay que contar los propios estudiantes salmantinos —obligados por Estatuto a representar una comedia al año—, para cuya formación moral y lingüística considera eficacísimo el género clásico *reinventado* por los humanistas[39].

De Pérez de Oliva como escritor se admira fundamentalmente su prosa elegante, mesurada, cuya mejor realización se plasma en el *Diálogo de la dignidad del hombre*; pero también hace gala de la misma en otros escritos, por ejemplo los que he agrupado bajo los rótulos de *Razonamientos* y *Ejercicios* atendiendo a su grado de perfección formal, es decir a su ser o no ser textos acabados y corregidos. Por estos empiezo el comentario, dejando el *Diálogo* para el final.

He llamado *Razonamientos*, aprovechándome de la denominación acuñada por Morales, a dos piezas oratorias compuestas para ocasiones bien distintas: su oposición a la cátedra de filosofía moral en 1529, y su intervención ante el Cabildo cordobés en 1524.

He colocado el *Razonamiento hecho para la oposición a la cátedra de filosofía moral* en primer lugar, contradiciendo la cronología, porque el texto me parece la llave para comprender a nuestro autor. Es una *lección* ejemplar, en la que

---

[39] «Si exemplo de tan grande fuerça no te mueve, la razón también te lo mostrará, porque el estilo de dezir en comedia es tan diverso como son los movimientos de los hombres. A vezes va tibio, y a vezes con hervor; unas con odio, y otras con amor; grave algunas vezes, y otras vezes gracioso; unas vezes como historia, otras como razonamiento, y otras vezes es habla familiar. Assí que de todas maneras exercita la lengua con tanta suavidad que es cosa muy dañosa y digna de gran reprehensión enxerir vileza en ello. Vileza llamo representación de alguna cosa, que en pensalla con plazer se corrompa la pura limpieza del ánimo. Aquesto digo contra algunos que no piensan deleytar si no dizen suziedades. Las quales yo te viedo no solamente a la lengua mas también a los oydos. Porque sólo el pensamiento conmueve los miembros del cuerpo y los incita al deleyte que consigo trae. (...) Agora te provoco con estas lecturas al amor de las letras. Quando de este amor bien preso te tuviere te daré cosas que sean de mayor severidad». Dedicatoria-prólogo a Agustín Oliva (*Anfitrión*, en *Teatro*, 1976: 4). Y véase ahora Luis Gil, «Terencio en España: del Medievo a la Ilustración», en *Estudios de humanismo y tradición clásica*, Madrid, Universidad Complutense, 1984, págs. 95-125, especialmente la 104.

el filósofo se presenta como un *moderno*, embebido en la doctrina aristotélica de la virtud y en otros saberes adquiridos con la diligencia y la experiencia, mientras recita su vida con una sintaxis latinizante —a veces ampulosa—, aprendida en el venero de los autores *elegantes*. Entre estos autores se cuentan tanto los clásicos greco-latinos, como los de los libros sapienciales de la *Biblia*[40] que, junto con San Pablo y los evangelistas, encontramos a cada paso en la obra de Oliva.

Tanto este *Razonamiento*, como el de la *navegación del río Guadalquivir*, siguen la estructura canónica y utilizan los recursos retóricos de las piezas oratorias. Este segundo *Razonamiento*[41], del que hemos tenido ocasión de hablar ya a propósito de lo que —creo— podría equipararse al *umanesimo civile* en Italia (más concretamente en Florencia), es un documento inapreciable para conocer la situación económica y social de Córdoba en 1524, y para jalonar la vida de nuestro Pérez de Oliva, quien abandonaría estas actividades en torno a la *res publica* (hablo en plural pensando en el fallido patronazgo buscado en Hernando Colón y Hernán Cortés), para darse a la vida universitaria. De todo punto extraordinaria es, en el texto, la formulación escueta y certera de lo que ha supuesto el Descubrimiento de las Indias occidentales para la imagen del *universo mundo*: hay que moverse, desterrar el ocio, modificar las formas de producción, porque la revolución del comercio con las tierras recién descubiertas cambiará todo, y traerá riquezas a quienes se pongan a ello. Nada será como antes «porque antes ocupábamos el fin del mundo, y agora estamos en el medio, con mudança de fortuna cual nunca otra se vido» (pág. 195).

La llamada a una nueva clase que Pérez de Oliva habría

---

[40] Cfr. el *Razonamiento de oposición,* pág. 184 donde cita como *ilocuentes* a Aristóteles, Sócrates, y «Salomón, y los otros sabios de la vieja ley, y los doctores de la Iglesia y otros morales excelentes».

[41] Morales lo incluye en el volumen de 1586. Fue reimpreso por Sancha en 1801-1821, en la *Biblioteca económico-política* de Sempere y Guarinos (pero no íntegramente), y de nuevo en Barcelona, en 1881, en un tomo para uso de los Colegios de la Compañía de Jesús *(Colección de autores clásicos españoles para uso...,* págs. 458-469).

visto prosperar en las ciudades italianas y francesas, no surtió efecto: ni el río se drenó, ni se llevaron a cabo las obras de ingeniería que ilustraba el orador, entusiasta de tantos proyectos hidráulicos como se llevaban a cabo en Francia, Italia y los Países Bajos. De manera que vemos a nuestro orador volver a los fueros académicos, donde también tenía mucho que decir.

En el apartado de *Ejercicios*, he comenzado por incluir el *Discurso de las potencias del alma y del buen uso dellas*[42]. Forma parte de un grupo de escritos que seguramente eran apuntes para sus lecciones de filosofía moral, y pudo empezar a pergeñarlas estando de *lector* en la Sorbona; según Morales había dejado inconclusos otros trataditos de la misma disciplina, hoy perdidos, que muy probablemente no fueran más que simples apuntes: *De opere intellectus*, *De la castidad*, y *De las riquezas*. El *Discurso* está compuesto a base de oraciones distributivas, siguiendo un hilo discursivo que se balancea entre lo uno y lo contrario; es un texto para convencer, no para persuadir; hecho de razonamientos y sin concesiones a la función apelativa. Optimista como el mejor Antonio del *Diálogo*, señala en la tristeza la madre de todos los vicios.

Como *Ejercicios* incluyo asimismo tres textos hasta hoy inéditos, que se conservan autógrafos en el códice &.II.15 de la Biblioteca de El Escorial. Sólo el primero de ellos, que llamo *Triunfo de Jesucristo en Jerusalén*, tiene una cierta entidad. Los otros dos son esbozos de un sermón por un lado (*Apuntes para un sermón*); y de un capítulo o tratado sobre la gracia divina (*De la sabiduría de Dios dada*). Este último es interesante por la combinación de filosofía aristotélica con la doctrina cristiana, y parece el natural resultado de la actividad intelectual de quien, sin ánimo de entrar en polémicas, podríamos bautizar como *humanista cristiano*: para Pérez de Oliva, como para no sé si todos pero sí casi todos los pen-

---

[42] Es el único texto de Pérez de Oliva del que poseemos la doble fuente manuscrita (códice &.II.15 de El Escorial) e impresa (Córdoba, 1586). Puede leerse además en las modernas ediciones de la C.I.A.P. y Pándora. Véase el texto con sus notas.

sadores de su tiempo, el conocimiento no existe sin la inspiración de la fe[43].

Los dos textos restantes son unos apuntes que debieron de servir para la preparación de los ejercicios que obligatoriamente tenían que hacer los estudiantes de teología[44]. Dado que Pérez de Oliva se había matriculado en el curso de 1526-27 para obtener tal licenciatura, podemos presumir que ambos hayan sido escritos en este período.

El *Triunfo* está prácticamente terminado aunque, como se ve por el manuscrito, con alguna dificultad; de hecho falta la corrección final que lime las suturas existentes entre los tres momentos de su escritura, tal y como señalo en las notas al texto[45]. Ofrece el indudable interés de aplicar un modelo pagano, el triunfo, a un paso del Nuevo Testamento: la entrada de Jesucristo en Jerusalén el día que la Iglesia conmemora como el domingo de ramos, fiesta en la que el aspirante a teólogo tendría que predicar su sermón. El *Triunfo* es, por tanto, una pieza de oratoria sagrada que emplea todos los recursos retóricos propios del *estilo sublime*. Dicho

---

[43] De todo punto imprescindible resulta aquí el lúcido y batallero análisis de Domingo Ynduráin sobre el humanismo español (1994), obra cuya enjundia y mole textual exigiría un comentario para el que no me siento preparada.

[44] Cfr. Melquiades Andrés: «El programa de la formación medieval se cerraba con uno o varios sermones que el graduado debía predicar. Ellos constituían una parte de la tarea universitaria. (...) Según los Estatutos de Bolonia, el bachiller formado debía tener un sermón en la catedral. En Oxford, los doctores y bacaláureos sentenciarios predicaban todos los domingos en las iglesias prefijadas. Se les debía avisar con determinados días de antelación. Lo mismo acaece en Tolosa, en otras muchas universidades europeas y en las tres principales españolas de Salamanca, Valladolid y Alcalá.» (*La teología española en el siglo XVI*, Madrid, B.A.A.C.C., 1976:53)

[45] En ocasiones, el autor, visiblemente insatisfecho y acuciado por el deseo de acabar cuanto antes, pasa a otros asuntos de mayor interés para su persona, como es el hacer borradores para solicitar beneficios y permutas (véase *infra* la descripción del códice); o bien se deja escapar, aprovechando la profesión de modestia de la salida del sermón, un desahogo autobiográfico que nos regala la nítida expresión de las ansias y aspiraciones más íntimas del escritor. Cfr. la página 230 en la que, tras renegar de la gloria mundana concluye: «¡O, quien me diera en este paso la lengua de Tulio y la sabiduría de Salomón, para decir esto según el ímpetu me traxo! Pero sea ésta agora la simiente de lo que algún día nascido veréis».

Al Lector.

Y A he dicho atras del intento que el Maestro Oliua mi Señor tuuo, de escreuir algunos dialogos en Castellano de cosas Morales a imitacion de Platon y de Marco Tulio. Ahora digo como tambien tuuo proposito de hazer lo mismo en algunos discursos que no fuessen dialogos. Assi halle entre sus papeles memorias para esto, y algunos principios poco prosseguidos, y solo auia este discurso que parece estar acabado. Porque el lo tomo, como es notorio del libro sexto delas Eticas de Aristoteles en los postreros capitulos, y alli acabado esto, comiença luego nueua materia.

DISCVRSO DE LAS
Potencias del alma, y del buen vso dellas.

B Ien consideraron los antiguos para entero conocimiento de la naturaleza humana, y para acertar mejor en las leyes de la vida, dos partes en el hombre: la vna de mezcla de elementos variable y mortal, y la otra soberana a Dios semejante, senzilla y perdurable. Assi

co

estilo es el habitual en Pérez de Oliva, pero, si nos atenemos a la distinción que hace fray Luis de Granada, aquí nuestro autor predica, mientras en su *Diálogo*, o en los *Razonamientos*, es un orador:

> El predicador añade sobre el orador los afectos (...) pues aunque sea regla del retórico ir sembrando afectos por todo el cuerpo de la causa (...) singularmente toca esto al predicador, cuyo principal oficio no tanto consiste en instruir, cuanto en mover los ánimos de los oyentes[46].

Y de hecho, la hipotiposis es recurrente a lo largo de todo el sermón, que parece ir siguiendo el lento discurrir de la procesión de los ramos mientras muestra a los fieles las imágenes de los pasos.

Entre los *Ejercicios* he incluido también una cosilla de juventud: el *Dialogus inter Siliceum, Arithmeticam et Famam*, escrito en loor de Martínez Silíceo y publicado en París, en los preliminares de su *Ars Arithmetica*. Se trata de un minúsculo ensayo lingüístico que, so pretexto de demostrar la igualdad de rango del latín y del castellano, proclama con observantísima admiración de discípulo aventajado las excelencias intelectuales del maestro. Así se estrena Oliva en las luces de Lutecia. Es un ejercicio escolar, lleno de antítesis encadenadas, y escrito en una lengua hispano-latina que a Morales mucho admiraba, pero que escandalizaba al gran lingüista Rufino José Cuervo[47]. En latín compuso, asimis-

---

[46] *Los seis libros de la retórica eclesiástica*, en *Obras III* (Madrid, B.A.A.EE., 1945: pág. 520b).

[47] Cfr. «Cuando comenzaron a cultivarse con esmero las humanidades en España, fue para muchos punto de honor, en emulación con el italiano, mostrar la excelencia de la lengua castellana por 'la gran similitud que tiene con la latina, tan estimada y celebrada por muy excelente entre todos los lenguajes del mundo'; como decía Ambrosio de Morales hablando del ensayo que hizo el maestro Pérez de Oliva de escribir un diálogo que lo mismo podía leerse en castellano que en latín (*uno y otro abominables, por cierto*)». «Disquisiciones sobre antigua ortografía y pronunciación castellana» *RHi*, 5 (1918:290). (La cursiva es mía.)

mo, los *Títulos de los Generales de las Escuelas de Salamanca*, inscripciones que para la Universidad salmantina redactó en 1529[48].

Menos afortunada, pero de cierto interés, es su poesía: unos *enigmas*, una *canción* y una *Lamentación por el saco de Roma*[49]. La *canción* es una copla aislada sobre el suspiro, y está escrita en verso de arte menor (Morales no desperdicia nada de lo que escribiera su admirado tío, aunque le deje perplejo la poca *gravedad* del tal verso). Para la *Lamentación* emplea también versos de arte menor, demostrando por un lado su voluntad castellanizante, puesto que usa el pie quebrado y el tono manriqueños, mas por otro, con su combinación de dísticos pareados y encadenados, nos lleva al ámbito de la poesía latina, que es el verdadero modelo al que aspira Pérez de Oliva, a quien nada importan las novedades italianas en vulgar que triunfarían más tarde[50]. Los enigmas, escritos en arte mayor, aúnan al *fiero tatántan* —como decía don Marcelino— del verso, lo *hórrido* de las descripciones desaforas de animales minúsculos, con un efecto ridículo premeditado. Es una poesía seria, docta y edificante: la que habría suscrito cualquier humanista del período, erasmista o no erasmista.

---

[48] Los *Títulos* figuran sólo en la edición de 1586; han de considerarse en relación con sus intereses no sólo de latinista, sino también de aficionado a la arquitectura (recuérdese la importancia dada a las inscripciones en los edificios romanos que, por las fechas en las que Oliva estaba en la *Caput mundi*, estaban en plena fase de redescubrimiento y restauración).

[49] Véase el texto con sus notas. Fueron publicadas por Morales en 1586; en el *Parnaso* de López de Sedano; en los tomos VII, VIII y IX de la *RABM* (pero algunas son de su sobrino Agustín de Oliva); y en la ed. Peale del *Teatro* (1978: 125-131).

[50] Cfr. López de Sedano en el *Parnaso español* VI: «pues aunque son pocas, sueltas, y no contienen grandes pensamientos, ni aquel gusto y estilo que se havía ya empezado a introducir en nuestra Poesía, y pudo nuestro Autor haver traído de Italia, y que en esto mismo se conoce que fue uno de los acérrimos opositores a la introducción de la rima Italiana, como si en rigor no huviera sido más antigua en España; sin embargo de todo esto tienen el mérito de la pureza del lenguaje, y son una calificación del gusto y la elocuencia de este ilustre escritor.» (Madrid, Sancha, 1772: xxi-xxii.)

El *Diálogo de la dignidad del hombre* es, en opinión casi unánime de los críticos, la obra más relevante de Pérez de Oliva[51]. Su título es ya clara enunciación de su contenido y de la forma elegida para convertirlo en materia literaria. Ambas cosas parecen situarnos sin mayores problemas en el contexto cultural en el que se movió el autor, el humanismo; pero tanto la forma como el tema, no son resultado único y exclusivo del esplendor renacentista[52] sino que son la consecuencia de una síntesis histórica en la que el ocaso del pensamiento medieval está latente aún, ya que el tema de la dignidad humana es, también, tema de reflexión de siglos anteriores[53], y la forma diálogo, en Pérez de Oliva, debe emparentarse con Cicerón, pero también puede asociarse a las disputas o debates tan del gusto medieval.

El *Diálogo de la dignidad del hombre* es una discusión literaria acerca de la condición humana entablada entre dos amigos, Aurelio y Antonio, en la que el primero la denigra y el segundo la enaltece. Un tercer personaje, Dinarco, interviene al final para juzgar de quién es la razón.

Este breve argumento nos sitúa, de plano, en la consideración del género literario del *Diálogo*. Si partimos de la base de que el género, en el siglo XVI, está «meticulosamente codificado en la teoría y en la práctica»[54] nos encontraremos ante la necesidad de observar cuidadosamente, desde este punto de vista, cómo se mueve cada pieza de la construcción formal de nuestro *Diálogo*, para lograr así su plena comprensión.

---

[51] Para Henríquez Ureña, sin embargo, «El esplendor de la prosa de Oliva no se encuentra en el famoso *Diálogo* obra en que descansa su reputación, sino en sus ya olvidadas imitaciones del teatro clásico». (1967: 69.)

[52] J. L. Abellán esgrime justamente esta obra para demostrar la existencia del Renacimiento en España «en la línea más discutida del mismo, la de Burckhardt, la que considera una exaltación antimedieval del individuo y de la naturaleza». (1967: 31.)

[53] Cfr. Francisco Rico, *El pequeño mundo del hombre,* especialmente el apartado *De Hominis dignitate* (1988³).

[54] *Apud* C. Cuevas, prólogo a su edición de *De los nombres de Cristo* (1977: 48).

El diálogo, en este primer tercio del siglo XVI, está recogiendo una vasta y rica tradición clásica que le da un prestigio como forma en sí, y que, al mismo tiempo, obliga a que ciertos asuntos sean tratados bajo su cobertura si se quiere que tengan la dignidad suficiente como para ser leídos por el público culto de la época. Si Pérez de Oliva opera con estos materiales, es bajo estas premisas, y no hace con ello nada especial: la floración de los diálogos en el XVI es abundantísima[55].

En Pérez de Oliva, además, esta forma remite a las traducciones del teatro clásico a que antes aludíamos. Si el teatro renacentista es una sucesión de cuadros dialogados, si lo que más importa son los coloquios, porque apenas hay escenario o movimiento, no nos extrañará que el autor quiera elegir, para hablar de la dignidad del hombre, una forma dotada de dramatismo por lo menos desde Platón. Aunque, en verdad, no puede decirse que este diálogo sepa explotar esos recursos dramáticos tan sugerentes en los diálogos platónicos; aquí apenas si hay acción, los personajes están mucho más descritos por lo que hablan que por lo que hacen o por cómo lo hacen. De hecho, encontramos apenas tres párrafos en los que haya movimiento: la descripción del *locus amoenus* inicial, y un par de ocasiones más en las que los personajes hasta pueden hacer un gesto deíctico[56]:

---

[55] No es coincidencia, es lo natural, que cuando Villalón quiera teorizar sobre las virtudes del buen escolástico, trabaje también la forma del diálogo. Por lo que es ilustrativo *El Scholástico,* es porque elige a Pérez de Oliva como personaje central, hecho con el que demuestra hasta qué punto estaba imbuida la vida real (cotidiana) de estos intelectuales de las formas culturales: un ser de carne y hueso (Oliva) pasa a engrosar las filas de los personajes de ficción con el fin de exponer teoría, y esto dentro del marco definitorio del diálogo. Para un buen panorama del mismo, véase el trabajo de Jesús Gómez, *El diálogo en el Renacimiento español*, Madrid, Cátedra, 1988.

[56] Esta parquedad no es fruto de incapacidad, sino de elección de estilo, porque Oliva sabe mover muy bien, cuando quiere, el ánimo de sus oyentes con recursos dramáticos; léase el *Triunfo*, por ejemplo. Tampoco fray Luis de León es mucho más dramático en el diálogo *De los nombres de Cristo* (cfr. *infra* las notas al texto del *Diálogo de la dignidad del hombre*).

ANTONIO.—(...) Mira este valle cuán deleitable paresce; mira esos prados floridos y estas aguas claras que por medio corren; verás esas arboledas llenas de ruiseñores y otras aves que con su vuelo entre las ramas y su canto nos deleitan, y entenderás por qué suelo venir a este lugar tantas vezes (pág. 115).

(...) Ya nosotros estamos cerca de nuestro asiento, allí mostrarás cuánto puedes. Pero gente veo entre los árboles, temo que nos estorven.

AURELIO.—Dinarco es el que está cabe la fuente, y los otros que con él están, son los hombres buenos amadores de saber que lo siguen siempre (...) Lleguemos a él, que visto nos ha.

DINARCO.—(...) Tú, Aurelio, dirás primero, y después te responderá Antonio (...).

AURELIO.—Pues vosotros os sentad en esos céspedes, y yo en este tronco sentado os diré lo que me paresce (pág. 120).

Esta reducción del juego dramático, estaba ya en Cicerón[57], que es el clásico que sirve de modelo a Pérez de Oliva. Como él, deja tres personajes, Aurelio, Antonio y Dinarco; y como él, hace que estos desarrollen largos e ininterrumpidos discursos en los que la inquisición mayéutica ha desaparecido porque lo que interesa, fundamentalmente, es convencer con una argumentación docta, en la que la sobriedad prima[58].

---

[57] Lo advierten ya López de Sedano, *Parnaso español* VI (1771: XXI), y Atkinson (1927: 382): «Aristotle and the Bible in the order of ideas, Cicero in the question of style, these are the outstanding sources of the *Diálogo*; y *cfr* las págs. 441-442. En cuanto al modelo ciceroniano, Petrarca ejerce, como suele, la función de puente entre el mundo clásico y el moderno: «Semejante forma de escribir la he aprendido, por supuesto, de mi entrañable Cicerón: él la había aprendido antes de Platón.» *Secreto mío* (ed. F. Rico, 1978: 44).

[58] En comparación con el uso hecho en los *sermones* y en los *razonamientos*, las fórmulas retóricas de la oratoria se reducen en el *Diálogo* a lo indispensable: «Oíd pues, señores, atentos, y hablaros he en esto que mandáis» o «Considerando, señores, la composición del hombre, de quien oy he de dezir...» No obstante, para Menéndez Pelayo el *Coloquio de la dignidad del hombre* «no es tal coloquio, sino tres disertaciones *escolásticas*, pronunciadas una tras otra por tres personajes fríos e inanimados que no se distinguen entre sí más que por los nombres». *Historia de los heterodoxos españoles* (Santander, Aldus, 1946: IV, 2). Pero tanto él como Capmany,

Los propios personajes tienen conciencia de estar siguiendo una convención fácilmente identificable con el modelo propuesto, y así cada uno desarrollará su parte de acusador y defensor:

> DINARCO.—Porque no se confundan vuestras razones, me paresce que cada uno diga por sí su parescer entero. Tú, Aurelio, dirás primero, y después te responderá Antonio; y así guardaréis la forma de los antiguos oradores, en cuyas contiendas el acusador era el primero que dezía y después el defensor (pág. 120).

El tercer personaje, Dinarco, que según el modelo ciceroniano debería de ser el *dialogante maestro*, no juzga, apenas si actúa; se limitará a dar al final, con una parquedad sorprendente, la razón a Antonio. Éstas son sus palabras:

> Yo no tengo más que juzgar de tenerte, Antonio, por bien agradescido en conocer y representar lo que Dios ha hecho por el hombre; y preciar también muncho tu ingenio, Aurelio, pues en causa tan manifiesta hallaste con tu agudeza tantas razones para defenderla. Y vámonos, que ya la noche se acerca sin darnos lugar a que lleguemos a la cibdad antes que del todo se acabe el día[59] (pág. 165).

Si Dinarco, que es el sabio[60], resuelve de una manera tan vaga, y en tan pocas líneas, una disputa que ha ocupado toda la obra y que ha agotado todo tipo de argumentos, habrá que preguntarse si su juicio es, verdaderamente, una síntesis de la disputa, o si, por el contrario, es un colofón con-

---

quien acusa al *Diálogo* de ser una disputa *pesada* e *insípida* entre tres interlocutores *(Teatro histórico-crítico de la elocuencia española*, Madrid, 1786: II, 17) parecen hablar del *Diálogo* editado por Cervantes de Salazar, quien añadió al texto su aportación personal (hablaremos de ello más adelante); eso es lo que explicaría la dureza de los juicios, pues el añadido es farragoso, sobre todo en contraste con la ligereza de la prosa de Pérez de Oliva.

[59] El desarrollo del *Diálogo* en un día (como unidad de tiempo) es uno de los recursos dramáticos del diálogo más convencionalizados desde los orígenes del género.

[60] Cfr. «Antonio.—Ésta es fuente de agua clara, y tú eres fuente de clara sabiduría».

vencional que se sitúa en la línea bienpensante, pero sólo en apariencia, dejando un poso de ambigüedad en todo lector atento[61].

Dinarco, como personaje, es el resultado de la preceptiva. Está ahí porque, para que el diálogo funcione como debe, tiene que estar; pero, francamente, apenas si cuenta. A Pérez de Oliva se le va la mano, y tira mucho más de la disputa; tanto, que apenas si tiene tiempo de dejar entrar y salir a Dinarco (y a la invisible y silenciosa comparsa de sus amigos), ni de dejarle opinar. Los verdaderos personajes son Aurelio y Antonio, que exponen ordenadamente sus argumentos; a la intervención de Aurelio sigue la de Antonio, que va oponiéndose, punto por punto, a lo expresado por su amigo (...). Dice Aurelio:

> (...) sino que bien veo que está Antonio considerando cómo yo he mostrado las miserias del cuerpo, a las cuales él después querrá oponer los bienes que suelen dezir del alma. Agora pues, Antonio, porque ninguna parte del hombre quede, do yo no te haya anticipado (...) (págs. 127-128).

Los dos razonamientos discurren paralelos, porque cada uno parte de una concepción del hombre distinta a la del otro[62]; mientras en Aurelio priman el pesimismo, el desarraigo de la naturaleza y la soledad como fundamentos de la existencia humana, en Antonio el hombre es un microcosmos: una creación perfecta en sí misma por sí misma y por ser reflejo de la divinidad, su autora; es una concepción trascendentalista y confiada[63].

---

[61] Henríquez Ureña, por ejemplo, no acepta el juicio simplista de Dinarco (1967: 60). El resto de la crítica lo suele aceptar sin problemas, dando por sentado que el discurso de Aurelio no es convincente.

[62] En este sentido puede hablarse de un ejercicio escolástico. La escolástica había adoptado el coloquio de corte ciceroniano como instrumento apologético para materias exegéticas, teológicas y morales.

[63] Se corresponde bastante fielmente con la feliz fórmula acuñada por Francisco Rico: «Puesto a reducir a síntesis provisional los principales puntos de coincidencia entre las apologías de la dignidad humana y las apologías de la cultura que se alimentan en las *litterae humaniores*, yo propondría un 'arquetipo' similar al siguiente. *El hombre es superior a los animales por obra*

Del juicio final de Dinarco, así como de la propia disposición del orden de los oradores, se concluye que el vencedor es Antonio. Dinarco alaba el *ingenio* y la *agudeza* de Aurelio, mientras agradece que Antonio haya *conocido y representado lo que Dios ha hecho por el hombre*, y tanta parquedad encierra un juicio de valor innegable, que hace que la balanza se desequilibre a favor del optimista y cristiano Antonio. Así, triunfa su condena de los presupuestos materialistas, aprendidos en los autores gentiles, que han informado el discurso de Aurelio, incapaz de conocer porque es incapaz de creer. Desde el interior de la polémica no hay constancia de que el uno haya convencido con argumentos racionales al otro, pero con la fuerza de la *auctoritas* de la doctrina católica, que está de parte de Antonio, la cosa no ofrece duda alguna: la dignidad humana se alimenta de la gracia, y la perfección de cuerpo y alma le será dada en el Más Allá, tras la resurrección de los muertos, a quien sepa beneficiarse de ella. Los argumentos de disolución y olvido que proponía Aurelio, claramente acusado de epicúreo por Antonio, quedan invalidados gracias a la Redención del hombre por Cristo; la que triunfa, en última instancia, es la letra divina contra las de los gentiles, por eso habría que hablar, de nuevo, de *humanismo cristiano* en Pérez de Oliva[64].

Y sin embargo, desde dentro la disputa no queda resuelta porque ambos contendientes han sido más que capaces

---

de la razón, *cuyo instrumento esencial es la palabra. Con la palabra se adquieren las letras y las* bonae artes, *que no constituyen un factor adjetivo, sino la sustancia misma de la* humanitas. *La* humanitas, *por tanto, mejor que cualidad recibida pasivamente, es una* doctrina *que ha de conquistarse. No sólo eso: la auténtica libertad humana se ejerce a través del lenguaje, a través de las disciplinas, ya en la vida civil, ya en la contemplación. Porque con esas herramientas puede el hombre dominar la tierra, edificar la sociedad, obtener todo conocimiento y ser, así, todas las cosas (un microcosmos), realizar verdaderamente las posibilidades divinas que le promete el haber sido creado a semejanza de Dios.»* (1993:171.)

[64] Y volver a recordar el trabajo de Domingo Ynduráin, con todos los problemas que plantea. No es tan fácil reducir la contradicción *humanismo* (estudio de las letras como creación humana) y *cristiano* (cuyas letras son reveladas). El propio Villalón, en su retrato de Oliva, nos lo pinta como amante de las letras antiguas (*El Scholastico*, cap. VIII, especialmente las págs. 146 y 151), pero el Oliva escritor se encarga luego de desbaratar el dibujo, y no sólo en esta ocasión: señalo más en las notas al texto.

de exponer sus razones y, puestos a ello, podrían repetirla trastocando los papeles[65], como literalmente se dice en la continuación de Cervantes de Salazar[66]. Quizá para evitarlo, y desde luego para dejar bien claro a quien hay que darle la palma del triunfo en cualquiera de los casos, emprende Francisco Cervantes de Salazar su continuación del texto diciendo que después de haberlo leído, y de haberse maravillado de él, le parece incompleto[67] porque Dinarco no ha cumplido con su papel de juez:

> (...) viendo que respondía a mi desseo y propósito de escrevir lo mismo. Tuve por mejor proseguirlo (pues el Maestro Oliua no lo avía acabado) que emprender la obra de nuevo, demudando el estilo me pudiera aprovechar de todo lo que él travajó. (...) mas antes acabando la postrera plática de Antonio, que no avía dado fin en contar las marvillas del hombre: en persona de Dinarco, que avía de ser juez, torné a tratar lo mesmo, que Aurelio y Antonio dixeron, por tal manera que parece averles faltado de dezir, lo que yo aquí escrivo...[68]

Cervantes se da cuenta de que Dinarco «que avía de ser juez», no ha cumplido con su papel y, consecuentemente, hace que lo sea. El método es muy sencillo: una vez que el

---

[65] En realidad, ambas concepciones pueden convivir pues, como recuerda Francisco Rico, «en la cultura cristiana (como en tantas otras tradiciones) la "dignitas hominis" y la "miseria hominis" no son conceptos que se excluyan mutuamente. O por lo menos no se excluían —pese a las simplificaciones a uso— en la Edad Media (...) Ni se excluían en el Renacimiento» (1988[3]: 128.)

[66] Cfr. la nota 78 al texto del *Diálogo*.

[67] No es la única vez que un texto de Oliva, a ojos de sus lectores, está incompleto porque el personaje a quien corresponde no hace juicios explícitos. En la *Hécuba triste*, Agamenón cumple un papel muy parecido al de Dinarco, lo que hace exclamar a Ambrosio de Morales: «parece que falta aquí algo, pues Agamenón en un hecho tan grande, devía dezir y proveer más. Assí me pareció sería bien poner aquí una sentencia que hizo Gerónimo de Morales, mi hermano, por pensar esto mismo...» (*Teatro*, ed. Peale, 1976: 107.)

[68] Dedicatoria de la edición de 1543 a Hernán Cortés. Cervantes, además, añade un argumento que el original no tenía, y que está construido a base de engarzar párrafos del mismo Oliva.

38

Dialogo dela dignidad

pertenesce/para ser moradas/donde biuan las almas/a quien baze dios aposento de su gloria. Alli
se veran los buenos libres del profundo del infierno/do esta la multitud delos espiritus dañados: alli
se veran en los cielos ensaçaldos/y acompañados
delos angeles/manteniendo el entendimiento en
la diuinal sabiduria/bartando su voluntad con amor de la gran bondad de dios/apascentado los
ojos corporales en aquella carne bumana/con que
dios nos quiso parecer/y veremos en su cuerpo las
señales de las beridas/que sufrio: que fueron las lla
ues con que nos abrio el reyno/donde entôces esta
remos: y a la fin alli ensalçados sobre la luna y el sol
y las otras estrellas/veremos quanto vieremos to
do para crecimiéto de nuestra gloria/que dios nos
dara/como padre liberal a bijes muy amados. Este
es el fin al bombre constituydo no la fama / ni otra
vanidad alguna/como tu Aurelio dezias.

☞ Hasta aqui ☞ Aunque la fama tambien es de tanto
llego el maestro precio entre los mortales que con razon no
Oliua, lo que ade se puede aborrecer: pues es medio seguro/
láte hasta el fin se para emprender grádes becbos de virtud.
sigue cópuso Cer Si esta quitassemos de en medio / pocos/o
uantes de Salazar· ninguno acometerian grandes cosas. ni
aun seguirian la virtud: porque como el ca
Trata de mino p̃ ella sea dificultoso y aspero/si de auerle biê
la fama y caminado no q̃dasse alguna fama / sin duda todos
de sus p̃ se p̃riã por el ancho y apazible/ques el delos vicios.
becbos. Esta en las cosas sagradas va le tanto/que por me
dio suyo se bazen todas mas perfectas/y con mas
presteza/y voluntad. Que aunque los buenos del

Final del texto de Pérez de Oliva y principio del añadido de Cervantes de
Salazar. Edición *princeps* de Alcalá de Henares, 1546.

Antonio de Pérez de Oliva ha terminado de hablar (1546, f. LXXXI), Cervantes hace que Dinarco intervenga utilizando, en principio, las mismas palabras que las del original, pero haciéndolas cambiar de rumbo:

> No podría dezir con palabras Antonio, el plazer que en averos oydo, he rescebido: que cierto diera yo por bien empleado perder la cena porque vosotros tan presto, no acabáredes la disputa, en la qual el uno, y el otro avéys mostrado, cuánto alcança el ingenio de los hombres. Tu Aurelio de tal manera sepultaste, y hiziste casi nada al hombre, que por poco me dexaras con pesar de aver nacido: y en tanto más he tenido la agudeza de tu ingenio, quanto más es dificultoso, vituperar cosa tan loada, abatir cosa tan estimada, y hazer nada lo que todos tienen en tanto. Cierto bien has mostrado, que si no fueras hombre y tan agudo, no uvieras contra el hombre hablado ansí (1546, f. LXXVv).

A partir de aquí, el *Diálogo* vuelve a empezar, y cuando ha conseguido demostrarnos, por medio de la autoridad de Dinarco, que los argumentos de Aurelio no servían más que para reforzar, por contraste, las opiniones de Antonio, lo acaba con unas palabras que recuerdan a las del *Diálogo* original, pero que ya tienen muy poco que ver con éste, sobre todo en la recomendación final que da Dinarco[69]:

> Antonio.—Has dicho como en todo lo demás muy bien, y pues en esto como en todo recibimos merced de ti, la aceptamos para su tiempo. Con tanto quede Dios contigo, Dinarco, que para nuestra casa es por esta parte del camino.
> Dinarco.—Él os guíe de manera que todo lo que emprendiéredes, acabéys dichosamente (1546: f. LXXXr).

En Cervantes de Salazar la victoria de Antonio sobre Aurelio no deja resquicio alguno de duda: el hombre para ser digno de tal nombre, ha de tener a Dios como guía.

En otro orden de cosas, pasemos ahora a considerar un aspecto del *Diálogo* de Pérez de Oliva que ha sido unánime-

---

[69] El estilo es diferente. Francisco Rico opina del añadido cervantino: «Como literatura, el texto es bien poquita cosa» (1988³: 137).

mente alabado por la crítica, o sea, el uso del español, lengua vulgar, para una materia *grave*, filosófica, y el grado de perfección y madurez estilística alcanzado con ella. Sin duda, el impulsor de esta alabanza fue su sobrino Morales, obsesionado con superar el latín, pero el caso es que ha llegado hasta la crítica más reciente, y hasta parece que, para algunos, éste sea el único valor que posee[70]. En cualquier caso, parece evidente que el *Diálogo* es, en cuanto a pureza de estilo y lengua, uno de los ejemplos más dignos de imitación de toda nuestra literatura.

Esta consideración nos sirve para enfocar a nuestro autor desde el ángulo ideológico del erasmismo, o por lo menos de las corrientes afines que se respiraban en el primer tercio de siglo. Oliva participa plenamente de ellas, pues escribe literatura grave, científica, doctrinal, y lo hace para un público vasto, ya que prefiere el castellano al latín. No es mi intención decir que sea un erasmista[71], pero no quiero dejar de apuntar algunos aspectos que le acercan al espíritu erasmista, como su predilección por San Pablo y por los Evangelios; su crítica nada velada al ocio de la nobleza en el *Razonamiento de navegación del Guadalquivir*; su pérfido ataque contra la vanagloria del fraile que oposistaba con él a la cátedra de filosofía moral; y, por fin, por lo locuaz que lo pinta Villalón en alguna ocasión en que habla de ceremo-

---

[70] Ya Ambrosio de Morales lo proponía como ejemplo de prosa en castellano. Cfr. su *Discurso sobre la lengua castellana* (1586), donde de entre los prosistas españoles tan sólo le merecen estima Hernando del Pulgar, Pedro Mexía, Florián de Ocampo, el Boscán traductor del *Cortesano*, fray Luis de Granada, el traductor de Boecio y Cervantes de Salazar (ed. Valeria Scorpioni, *Studi Ispanici*, 1977: 177-194). Morales evita aquí alabar a Juan Luis Vives, que le merecía idéntica estima en la edición de su *Discurso* de 1546; evidentemente, los tiempos habían cambiado. Marcial Solana insiste sobre esto con contundencia, negando todo valor filosófico al texto (1941:63); Abellán, en su introducción a la ed. del *Diálogo* de 1967, reprocha a Solana tanta dureza de juicio; en las páginas de Solana, sin embargo está la justa apreciación del filósofo que se expresa en lengua vulgar.

[71] Arrom considera que Pérez de Oliva es erasmista (1965: 33), y lo justifica con tres aforismos que aduce para demostrarlo (sobre la fortuna, la traición y la perseverancia en los grandes propósitos); no parecen suficiente prueba como para afirmarlo. Atkinson, por el contrario, se sorprende, precisamente, de que no lo fuera, y Bataillon no lo considera como tal.

nias litúrgicas aunque, ya se sabe, Villalón retrata como le parece[72].

Vistas las cosas desde este ángulo, en el que me interesa sobre todo una cierta espiritualidad que, de todas maneras, no está más que esbozada, se comprenderá por qué he anotado tantas veces con pasos del *De los nombres de Cristo* luisiano el texto del *Diálogo* en el que interviene Antonio. No son solamente los italianos sus fuentes[73] (Pico, Ficino, Manetti, eclécticamente manejados), sino, fundamentalmente, los libros sapienciales de la Biblia: ahí encuentro el lazo con fray Luis, bien a sabiendas de que lo que para el uno (Oliva) era familiaridad textual y nada conflictiva, para el otro (fray Luis) se convierte en casi aliento vital, y con unas derivaciones desdichadas que en la mente de todos están. He recogido también algún paso del medievalizante Bovelles, al que pudo conocer en París, y resulta interesante la comparación entre ambos textos para comprobar, a favor de Pérez de Oliva, la eficacia del dramatismo del género del diálogo. Por el lado de Aurelio, casi me he detenido en la fuente principal, que es Plinio, asomándome apenas a Lucrecio y Marco Aurelio. Otra serie de referencias es la hecha a autores españoles como Mexía o Vitoria: el uno por obvias afinidades, y el otro, colega suyo, por evidentes contrastes. En las notas al texto encontrará el lector interesado las dilucidaciones al respecto que he considerado pertinentes.

---

[72] El personaje Oliva (que puede llegar a ser incluso lenguaraz), arremete contra quienes hipócritamente guardan las fiestas aprovechándose, por otro lado, para pecar: «y aun sufríase más que el día del domingo, o de pasqua quedássemos sin misa, ni entrar en el templo, con tal que no concertássemos para aquel día juego donde se ofende mucho más dios con blasfemias, yras, y pérdida de tiempo: y sin aplazar los adulterios, banquetes, y abominables confabulaçiones, como si gentiles ofresciessemos aquellos días a Bacho» (1977:154-155, y cfr. también 229).

[73] Para las fuentes de ambas concepciones *vid.* Atkinson, que cita a Aristóteles, Manrique y Manetti (1927: 376-383). La crítica ha venido aceptando tradicionalmente la influencia directa de Pico della Mirandola y su *Oración acerca de la dignidad del hombre en el discurso de Antonio*. Abellán, y Atkinson, por ejemplo, la defienden, mientras Henríquez Ureña la niega (1967: 66-67); F. Rico (1988[3]: 135) la descubre en el añadido de Cervantes de Salazar, pero deja en suspenso que pesara sobre Pérez de Oliva. Cfr. ahora la nota 39 del *Diálogo*.

La accidentada difusión de las obras de Pérez de Oliva

I. EDICIONES, AMPLIACIONES Y TRADUCCIONES

El *Diálogo de la dignidad del hombre*, por una azarosa y no muy favorable suerte, no ha tenido la difusión debida a un texto de su categoría. La causa fundamental de este hecho ha sido, sin duda, la expurgación ordenada en el *Index* de 1632, y no levantada hasta 1789; es decir, los casi dos siglos de obligado silencio que sobre él pesan.

Con la censura inquisitorial de por medio, era muy difícil dar de nuevo a la luz un texto que había sido retirado de la circulación por estar pendiente de calificación, y del que en ningún momento se sabe cuál o cuáles son las proposiciones erróneas o heréticas.

Si las dos primeras ediciones son del siglo XVI, las siguientes serán de finales del siglo XVIII, y se deberán al admirable tesón de impresores y filólogos empeñados en rescatar de las sombras a ciertos autores perseguidos, aun a costa de largos memoriales al Santo Tribunal. Luego habrá más ediciones, hasta seis entre el siglo pasado y el presente; todas ellas de divulgación, pero todas ellas (menos la de la B.A.E.) rigurosamente fuera de comercio. Pérez de Oliva sigue estando al margen.

En otro orden de cosas, el *Diálogo* nunca fue publicado por su autor, y quienes se encargaron de hacerlo, quince y cincuenta y cinco años después de su muerte —respectivamente— fijaron dos textos diferentes, sobre todo en lo que se refiere a su conclusión. El primero, Francisco Cervantes de Salazar, se permitió alargar el *Diálogo* original, transformándole por completo su fisonomía y, aunque Ambrosio de Morales, sobrino de Pérez de Oliva[1], intervino en esta edición, parece que en 1586 cambió de opinión sobre su licitud, y decidió establecer un texto en el que no constase la adición de Cervantes de Salazar.

De la primera versión, con sus añadidos, existe una reimpresión de Sancha, en 1772, y las traducciones al italiano y al francés, ambas del siglo XVI. De la segunda, la reimpresión de Cano, en 1787, y las seis ediciones modernas. Veámoslas detenidamente.

Alcalá de Henares, Juan de Brocar, 1546

La edición príncipe, preparada por Cervantes de Salazar, está incluida en un volumen que contiene además del *Diálogo*, otros dos tomos: uno de Luis Mexía, el *Apólogo de la ociosidad y el trabajo intitulado Labricio Portundo*, y otro de Juan Luis Vives, la *Introducción y camino para la sabiduría*[2]. La

---

[1] Para la biografía de Morales, *vid.* Cobo Sampedro, *Ambrosio de Morales. Apuntes biográficos*, Córdoba, El Diario, 1879; y E. Redel y Aguilar, *Ambrosio de Morales. Estudios biográficos*, Córdoba, El Diario, 1909; puede consultarse, además, la *Hispaniae Illustratae*, II, 2. Las páginas dedicadas por Ramírez de Arellano en su *Ensayo de un catálogo biográfico de escritores de la provincia y diócesis de Córdoba*, Madrid, Tip. Archivos, Bibliotecas y Museos, 1921, I: 349 ss., ofrecen una síntesis de estas obras con adición de otros datos procedentes de diversas fuentes, entre ellas *Los Casos raros de Córdoba*, (lib. 2.°, cap.. XXI, f. 213v), y el *Viaje de Ambrosio de Morales a los reinos de León y Galicia*, del Padre Flórez. Risco, continuador de este último en la tarea de la *España Sagrada*, también se ocupa de Morales (t. XXXIV, Madrid, Imp. de don Pedro Marín, 1784:58 ss).

[2] Cfr. Palau, núm. 54065: «Los tres tratados tienen portada propia y están muy bien impresos, de suerte que pueden encuadernarse por separado. Juntos no siempre llevan el mismo orden.» Y más adelante, núm. 197406: «El orden de los tratados pese a los cambios de cada portada, queda fijado por los tres colofones (los particulares y uno común) en la forma en que hemos descrito nosotros ahora.» (Es decir, Mexía, Oliva y Vives). Véase *infra* la descripción bibliográfica correspondiente.

impresión corrió a cargo de Juan de Brocar, y tuvo lugar en Alcalá de Henares en 1546. Es una edición cuidada, en la que utilizan aún los tipos góticos procedentes de la imprenta alemana. Tiene un prólogo de Ambrosio de Morales al lector, el mismo que años más tarde, corregido y puesto al frente de las Obras de su tío, se llamará *Discurso de la Lengua Castellana*[3]. La edición, además de contar con la segunda parte de Cervantes de Salazar, incluye un argumento y glosas al margen de los temas y opiniones que se van declarando, adiciones ambas del editor.

Salamanca-Córdoba, Gabriel Ramos Bejarano, 1586

Aunque la edición de 1546 pareció ser del agrado de Morales[4], éste, en 1586, sacó a la luz una nueva impresión del *Diálogo* al publicar las *Obras* de su tío. En esta ocasión mantuvo su extensión original.

Junto con los escritos de Pérez de Oliva, Morales edita en este volumen el mencionado *Discurso de la Lengua Castellana*[5], otros *Quince discursos* más, *La Devisa para el Señor don Juan de Austria*, y la traducción de la *Tabla de Cebes*[6]; algunas

---

[3] Sobre este *Discurso*, y su importancia en la historia de la lengua española, *vid*. J. F. Pastor, *Las apologías de la Lengua Castellana en el Siglo de Oro*, Madrid, 1929 (Col. Clásicos olvidados, VIII.); y más recientemente la edición de V. Scorpioni en *Studi Ispanici*, 1977.

[4] Dice Morales: «He holgado mucho que aya caído este diálogo en manos de Francisco Cervantes de Salazar, no sólo porque se publique, y gozen todos dél, sino porque se publicará y gozará dél con tan buena compañía como él le dio en lo añadido. En lo qual es grande el abundancia de las cosas que coje y ayunta, y no es menos agradable la propiedad y copia en el lenguaje» (1546: 17).

[5] La variación entre este *Discurso* y el *Prólogo* que escribió para 1586 es cuestión en buena parte formal, pues añade una serie de toques eruditos (por ejemplo, las glosas); pero hay también alguna omisión que sirve de testimonio de lo revueltos que andaban los tiempos, pues evita alusiones personales que en la anterior edición le interesaban y en ésta ya no, o viceversa, y entre estas omisiones está, precisamente, la de Juan Luis Vives. También el final es distinto, dedicada en aquel caso a alabar una edición ajena, y a presentar sus criterios filológicos en éste (*vid. infra* la nota 38).

[6] Obra que, junto con el *Enchiridion* de Erasmo, está incluida como apéndice en el *Tratado de Ortografía Kastellana* de Correas en virtud de ser traducciones del griego al castellano. Beardsley (*Hispano-Classical Transla-*

poesías de su sobrino Agustín de Oliva, y un *Discurso sobre el temor de la muerte y el amor y desseo de la vida y representación de la gloria del cielo,* de Pedro Vallés, completan el tomo[7].

El aspecto más curioso de esta edición, es que hay un traslado de la impresión, después de iniciada, desde Salamanca a Córdoba, según advierte el impresor en el colofón:

> Al lector. Gabriel Ramos Bejarano. Este libro se comenzó a imprimir en Salamanca, y después fue necessario passarlo a Córdoua, auiéndose impresso allá no más que hasta el argumento del diálogo de la dignidad del hombre en quatro pliegos. Todo lo demás se acabó en Córdoua. Mas porque en Salamanca no se imprimieron mas de quinientos, se imprimieron otros mil enteros en Córdoua. Por eso tendrán vnos libros differentes principios de otros, y podríase pensar que fuessen dos impressiones, y no es sino toda vna misma, como por lo dicho se entiende.

Mucho ha llamado la atención a críticos y bibliógrafos el hecho, y el que por toda explicación se den estas palabras. J. J. Arrom supone que ese *fue necessario* equivale a *serios contratiempos* que impidieron que la obra saliera a su debido tiempo, y que saliera completa[8]. Pero, a mi entender, ese *fue necessario* es, simplemente un efecto más, sin mayor trascendencia, del proceso de consolidación definitiva de la imprenta en España. Es Morales el promotor del traslado, y si lo lleva a cabo no es por capricho, sino porque las circuns-

---

tions, 1970: 57, núm. 57), habla de esta traducción al tiempo que señala, equivocadamente, que el *Discurso de las potencias* es traducción del libro VI de la *Ética a Nicómaco* de Aristóteles hecha por Morales, cuando es de Oliva (*vid. infra* la nota al texto).

[7] Véase *infra* la descripción bibliográfica correspondiente.

[8] Cfr. «Esa fecha, 1583, debe ser el año en que se sacó la copia [de *La inuención de las Yndias...*] viene a corroborarla, además, la coincidencia de que precisamente por ese tiempo estuviera preparando la edición de las *Obras* de Oliva su sobrino, Ambrosio de Morales (1513-1591), quien las publicó en 1586. Es más, teniendo en cuenta dicha circunstancia, no es aventurado sugerir que haya sido Morales quien mandó sacar la copia, con el propósito de incluir ambas narraciones históricas en las obras de su tío, lo cual luego no hizo, tal vez debido a los serios contratiempos que tuvo la publicación.» (1965:19).

LAS OBRAS
DEL MAESTRO FER

NAN PEREZ DE OLIVA NATVRAL DE
Cordoua: Rector que fue de la Vniuerlidad de Salamanca, y Cathedratico de Theologia en ella.

*Con otras cofas que van añadidas, como fe dara razon luego
al principio.*

Dirigidas Al Illuftrissimo Señor el Cardenal de
Toledo don Gafpar de Quiroga.

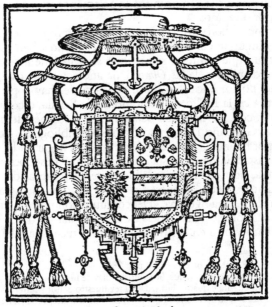

Con priuilegio.
En Cordoua por Gabriel Ramos Bejarano.
Año. 1586.

Portada de la edición de Córdoba, 1586, de las *Obras* de Pérez de Oliva.

tancias cambian a la mitad de la impresión, y lo que antes no podía ser impreso en Córdoba, ahora puede serlo.

Morales se había retirado a vivir a su ciudad en 1581; era cronista de Felipe II desde la muerte de Florián de Ocampo en 1563 y, en su retiro cordobés, se había dedicado a continuar la obra de su antecesor, acabando hacia 1583 la última parte de su *Crónica*. Por esas fechas, también termina con la preparación de las obras de su tío: «ya en Marzo de 1582 las tendría dispuestas para la estampa, y escribió [...] la dedicación de ellas al Cardenal Quiroga, su protector»[9]. Entonces, viviendo aún en Córdoba, se embarca en la edición de su tío, que empieza a imprimirse en Salamanca, con privilegio real por diez años[10].

Como el libro no da ninguna pista, y tampoco conocemos ningún documento referido al hecho, no sabemos con exactitud qué impresor salmantino se ocupó de los cuatro primeros pliegos de las *Obras*. Una anotación de los apuntes del doctor Vaca de Alfaro, de los cuales hay copia manuscrita en la Biblioteca Colombina de Sevilla, dice al respecto: «con privilegio en Salamanca por los herederos de Matías Gast Año 1584», y son varios los bibliógrafos que lo dan por bueno[11]. Sin pretender afirmar ni negar nada, quede constancia de que esta que parece una descripción de portada, no tiene mayor realidad que las palabras de Vaca de Alfaro[12] quien, además, dice haber visto un ejemplar en el que la misma figuraba. «Del conjunto con portada en Salamanca sólo se tiene noticia de un ejemplar visto por Vaca de Alfaro y otro en el British Museum», dice Palau. El pro-

---

[9] *Apud* Redel, *op. cit.* en nota 1, pág. 284.

[10] El privilegio reza: «a los diez y nueue días de Iunio del año mil y quinientos y ochenta y quatro. Firmada del rey nuestro Señor y refrendada de Antonio Eraso, su secretario». (1586: 4v) La cédula se despacha en San Lorenzo de El Escorial (estamos en el año en que se finalizan las obras del Monasterio, para cuya biblioteca tanto trabajara Morales).

[11] Palau, núm. 221827; Ramírez de Arellano, núm. 1484 y Valdenebro, 1900: xvi.

[12] Autor de una *Proposición chirúrgica* impresa en 1618 por Gabriel Ramos Bejarano (el impresor de las *Obras* en Córdoba) cuando éste había trasladado sus prensas a Sevilla. Su afirmación, por lo tanto, puede estar hecha con conocimiento de causa.

blema es que este ejemplar no ha sido visto por nadie más que por el doctor. En cuanto al del British, es inexistente: los dos ejemplares que hay allí de la edición de 1586 tienen portada de Córdoba[13]. La única diferencia entre ambas es que, donde una dice *Obras*, la otra dice *Obas*, errata de la que hablamos más adelante.

No existiendo, pues, esa portada, deberemos dejar un tanto en entredicho, o por lo menos no tomar como dato irrefutable que fueran los Gast quienes se ocuparan primeramente de las Obras de Pérez de Oliva[14].

Impresos ya, donde quiera que fuere, los primeros pliegos, sucede que en febrero del año siguiente, 1585, Morales vende a Francisco Roberte el privilegio real, según consta en el documento de la Carta de Impresión citado por Ramírez de Arellano:

> que por cuanto el dicho Francisco Roberte tiene comprado al señor Ambrosio de Morales, coronísta de su Magestad los privilegios y licencia [...] para imprimir la tercera parte de la *Corónica General de España* que el dicho Coronísta ha compuesto y otro libro que se intitula las *Obras* del Maestro Fernán Pérez de Oliva, natural de Córdoba, para que el dicho Francisco Roberte y sus herederos y sucesores a quien él quisiere y no otra persona alguna pueda imprimir los dichos libros y los vender por el tiempo que se contuviere en los dichos privilegios (1921: 375).

Con esta venta, la impresión de las *Obras* se pasa a Córdoba. El hecho del traslado no tiene nada de particular: Morales podía, haciendo uso del privilegio en su poder, encargar o interrumpir la impresión, siempre y cuando lo hi-

---

[13] Palau, núm. 221827. *British Museum. General Catalogue*, vol. 19, página 819, núm. 814.

[14] Comparando los cuatro pliegos salmantinos con uno de los ejemplares impresos por los herederos de Mathías Gast en la cercana fecha de 1585, el *De los nombres de Cristo* de Fray Luis de León (ej. R/4096 de la B. N. de Madrid), no he sacado mayores conclusiones: misma letra redonda, una sola capital de motivos vegetales, como tantas otras de tantos otros impresores... el trabajo puede ser de cualquiera de ellos. Sólo cambia el papel, de mejor calidad que el de Ramos Bejarano.

ciese dentro del mismo reino. Y parece lógico que prefiriera llevarla a Córdoba, para ocuparse mejor de ella. Además, quería publicar, ya lo hemos visto, su *Crónica*, iniciada también en otro lugar (Alcalá de Henares) y por otro impresor (Juan Íñiguez de Lequerica) en 1574; ¿qué mejor que hacer ambas ediciones a un tiempo? Podría surgir en este punto la pregunta de por qué no las empezó a imprimir desde un principio en Córdoba, y la respuesta es muy sencilla: en Córdoba no había imprenta.

Algún impresor había pasado por la ciudad, pero sin éxito (la cercanía de Sevilla lo dificultaba). El último pie de imprenta anterior al momento que nos ocupa es de 1577. Hasta 1585, fecha en que Morales vende el privilegio de las *Obras* a Roberte, «quien se comprometió a imprimirlas en Córdoba, fundando la primera imprenta permanente y seria que hubo en esta ciudad, para lo cual hizo venir de Sevilla a Gabriel Ramos Bejarano»[15], no vuelve a funcionar una prensa en la ciudad. Ramos Bejarano venía de Sevilla[16], y allí volvió en 1609[17]. Sus primeros trabajos en Córdoba fueron estos encargos de Francisco Roberte, quien tuvo que imprimir aceptando las condiciones que le fueron impuestas, entre ellas la de «proseguir en cuanto como está comenzado en letra y demás que hubieren comenzado»[18]. Condiciones que cumplió al pie de la letra.

---

[15] Así lo testifican las palabras: «Los dichos dos libros se han de imprimir en Córdoba, y para esto [...] Gabriel Ramos Bejarano ha de traer la prensa a esta ciudad» *Ibidem*. De la falta de la imprenta en Córdoba se quejaba ya Pérez de Oliva en 1524: cfr. la nota 16 del *Razonamiento sobre la navigación del Guadalquivir*. A este respecto es interesante notar que nuestro humanista consideraba necesario que el Colegio Fonseca tuviera su propia imprenta, como se ve en una anotación del fol. 150r del ms. §. II. 15 de El Escorial *(vid. infra* la descripción bibliográfica).

[16] Sin embargo, «algunos han supuesto procedía de Salamanca, aunque no se conoce ninguna impresión hecha por él en esta ciudad». *Apud* Valdenebro, 1900: xvi-xvii. La suposición parte del colofón de las *Obras* que no especifica quién fue el impresor salmantino. También Hazañas y la Rúa alude a esta hipótesis (*La imprenta en Sevilla*, Sevilla, Imprenta de la Revista de Tribunales, 1792: 91).

[17] Allí se instala en la calle Génova. Debe de morir hacia 1624, año en que aparecen los primeros libros impresos por su viuda.

[18] *Apud* Ramírez de Arellano, 1921: 374.

De este cambio de lugar de impresión, cuyas razones parece que quedan bastante claras[19], hay consecuencias para la edición:

> Mas porque en Salamanca no se imprimieron mas de quinientos, se imprimieron otros mil en Cordoua. Por esto tendran vnos libros differentes principios a otros, y podríase pensar que fuessen dos impressiones, y no es sino toda vna misma, como por lo dicho se entiende (Colofón).

Efectivamente, entre los quinientos ejemplares impresos entre Salamanca y Córdoba, y los mil exclusivamente cordobeses, la única diferencia es que el principio del texto (desde los *Títulos* latinos hasta el «Argumento» del *Diálogo de la dignidad del hombre*), ([1r-22v] de la impresión salmantina), está impreso en letra distinta, más pequeña, en la salmantino-cordobesa, y con una paginación distinta: 1-12.

Los preliminares[20] y la portada[21] son los mismos, y en los dos casos, al verso de la hoja en el que finaliza el *Discurso* de

---

[19] Por si se piensa que pudo haber razones de mayor fuerza y de menor inocencia, sobre todo al relacionar el traslado con la posterior expurgación, señalaremos tres cosas: primera que la Inquisición no solía (aunque sí podía) intervenir en la impresión de un libro; pero en nuestro caso hay que tener en cuenta que las *Obras* están dedicadas al Inquisidor General Quiroga (responsable del *Index et Catalogus Librorum Prohibitorum,* de 1583, y del *Index Librorum Expurgatorum,* de 1584), y lo siguen estando en la fecha de su publicación, es decir, después del supuesto problema; segunda, Morales era el Cronista de Felipe II, cargo garante, por sí solo, de una cierta coincidencia ideológica con los organismos estatales; y tercera, si hubiera habido algún problema de este tipo, ir de Salamanca a Córdoba, lugares bajo la jurisdicción del mismo Inquisidor, tampoco era ninguna solución.

[20] Los preliminares, que faltan o están incompletos en muchos ejemplares, han perdido, sistemáticamente, la fe de erratas y la tasa (si es que llegaron a tenerlas, que la mayoría no lo parece). De los dieciséis ejemplares revisados, sólo uno las tiene. Los repertorios se repiten señalando su ausencia.

[21] En algunos ejemplares se lee *Obas* en vez de *Obras*. Es la primera impresión de la portada, que se encuentra tanto en los ejemplares salmantino-cordobeses como en en los sólo cordobeses (cfr. *infra* la descripción bibliográfica).

Morales se puede leer el argumento del *Diálogo*[22]. Después se siguen 283 folios exactamente iguales, que rematan en un único colofón. La diferencia más apreciable es la de la calidad del papel, peor en Córdoba. Las *Obras* terminaron de imprimirse en diciembre de 1585, pero su mismo impresor les pone la fecha de 1586[23].

Madrid, Sancha, 1772

La siguiente edición del *Diálogo de la dignidad del hombre* no saldrá a la luz hasta el último tercio del siglo XVIII, en 1772. El encargado de llevarla a cabo será don Francisco Cerdá y Rico, y don Antonio de Sancha la imprimirá. La empresa está justificada (en palabras del primero)

> porque causa lástima que cada día se exerciten las prensas en producir nuevos partos, i echen en olvido los trabajos de aquellos excelentes varones, que por su erudición, eloquencia y buen juicio merecieron ser llamados los maestros de la nación. (*Advertencia al lector*.)

La edición es una reimpresión del volumen que preparó Cervantes de Salazar en 1546; reproduce, por tanto, el *Diálogo* en la versión aumentada, que a Cerdá le parece *no menos estimable*, por la erudición de que hace gala el autoreditor[24].

Cerdá tiene el cuidado de cotejar los textos de 1546 y 1586, y de anotar las escasas variantes que encuentra (aunque no señala todas). También marca en letra cursiva todas las citas que aparecen en el texto, anotando a pie de página su lo-

---

[22] Los pliegos salmantinos no llevaban argumento; les fue añadido en Córdoba; pero aun así, en algunos ejemplares no llegaron a imprimirlo.

[23] A pesar de ello, algunos repertorios dan 1585. Por ejemplo Nicolás Antonio.

[24] Y aún más: «Yo extraño que el Maestro MORALES no huviesse incluido entre las *Obras* de OLIVA esta apreciable continuación de SALAZAR, siquiera en recompensa de aver publicado este *Diálogo* de su tío.» *Ibidem*, pág. VII.

calización, y pone nota a los diversos argumentos desarrollados por Cervantes de Salazar, señalándoles las fuentes[25]. Estos cuidados del editor, hacen que sea esta la edición filológicamente más apreciable de cuantas existen con posterioridad al siglo XVI.

Madrid, Benito Cano, 1787

Benito Cano es el impresor de cuya oficina sale, por fin, la reimpresión de las *Obras* de Pérez de Oliva (que hace la cuarta del *Diálogo*). Tras algunas dificultades —las veremos más despacio en el apartado dedicado al problema con la Inquisición—, y la retención temporal de la edición, que estaba acabada desde 1787, se pone finalmente en circulación con todos los permisos en 1789.

El *Diálogo* no está cotejado en esta ocasión con la otra versión, ni utiliza la erudición vertida por Cerdá y Rico en 1772, excepción hecha de las citas bíblicas, que pone en letra cursiva, cuando en 1586 no las señala de ninguna manera[26].

Ediciones modernas

A partir de 1787, las ediciones del *Diálogo de la dignidad del hombre* son escuetas y siguen el texto en su extensión ori-

---

[25] Esto lo hace, al margen de la erudición en sí misma, con la clarísima intención de evitar al lector cualquier duda sobre la ortodoxia del susodicho, demostrando que los argumentos más sospechosos eran hijos espirituales de los gentiles, a los cuales, en última instancia, Cervantes de Salazar combatía, pero que era necesario poner para que el diálogo siguiera adelante. No era ésta una precaución innecesaria, por los problemas existentes entre la Inquisición y las *Obras* de Pérez de Oliva. Lo veremos un poco más adelante.

[26] Es evidente que copia de Sancha; además, olvida dar las citas a pie de página a pesar de que dice: «y en quanto á los textos de la Sagrada Escritura se han añadido á los capítulos los números de los versículos en que se hallan, para que sin necesidad de recorrer todo el capítulo se encuentren inmediatamente» (4r-v). Yo no he visto ni capítulos ni versículos, ni siquiera la enunciación de los libros.

ginal. La edición de Rivadeneyra, en el tomo de la B.A.E. dedicado a las *Obras escogidas de filósofos* (1873), es la base de las tres ediciones que menciono a continuación.

La primera, hecha por la C.I.A.P., alcanzó por lo menos tres reediciones, sin que se sepan a ciencia cierta sus fechas pues no constan. En esta ocasión, y por vez primera, el título del volumen es el del *Diálogo* (a pesar de que incluye la *Comedia de Anfitrión* y el *Discurso de las potencias del alma*). Los mismos textos, en el mismo orden y sin añadir ni quitar nada, aparecen bajo el mismo título en otra colección popular: la Pandora; la edición sale en Buenos Aires, en 1943. Otra edición, también de divulgación y agotada hace años, fue preparada por J. L. Abellán en 1967.

Posteriormente, el *Diálogo* ha sido publicado dos veces en la Editora Nacional, la primera formando parte de una *Antología de humanistas españoles*, y la segunda en la edición por mí preparada en 1982. Pero la Editora Nacional, ya se sabe, fue desmantelada, y Pérez de Oliva volvió a su parece que natural destino de empolvarse en un rincón.

Traducciones

Fuera de España le fue siempre mejor a Pérez de Oliva. Y de hecho, el *Diálogo de la dignidad del hombre* mereció dos traducciones en su época, una al italiano (reimpresa dos veces), y otra al francés; ambas sobre la edición príncipe de 1546.

El español Alfonso de Ulloa, bien conocido por sus escritos, traducciones, plagios y otras lides literarias en el panorama hispano-italiano del siglo XVI[27], traduce el *Diálogo*, y lo

---

[27] Alfonso de Ulloa, afincado en Venecia, fue un activísimo traductor y editor de obras españolas, que hacía suyas cuando podía (por ejemplo, edita como anónimas, pero con gran dedicatoria por él firmada, el *Processo de cartas de amores* y la *Quexa y aviso contra amor* de Juan de Segura, y los *Diálogos de mujeres* de Castillejo, que circulaban ya con el nombre de sus autores y sus propias dedicatorias). Su nombre va ligado, además, al de Pérez de Oliva, por la confusión que se hizo entre la *Historia de la invención de las Yndias* y la *Vida del Almirante don Cristóbal Colón,* escrita por Hernan-

edita en Venecia, en 1563, sin tomarse la molestia de indicar quién fuera su autor; es más, se atribuye tranquilamente la autoría tanto de la obra de Pérez de Oliva, como de los añadidos de Cervantes de Salazar. Así imprime la portada:

DIALOGO / DELLA DEGNITÀ / DELL HVOMO [...]
DAL S. ALFONSO VLLOA

Al año siguiente, 1564, satisfecho con el éxito de *su* diálogo, decide hacerlo más suyo aún, y le añade una nueva parte:

> Avendo io veduto, che questa mia opera della degnità dell'huomo, che l'anno passato mandai in luce, vi è stata cosi grata, amici, lettori, che in breve tempo ha avuto buona speditione, e che l'avete raccolta benignamente [...] mi è paruto hora in questa seconda impressione aggiungervi la seconda parte [5r].

Con este nuevo añadido volverá a imprimirse en 1642, lo que parece demostrar una buena acogida por parte de los lectores. Pero claro, para entonces el genuino *Diálogo* que-

---

do Colón y traducida por Ulloa, antes de encontrar el manuscrito de Oliva (cfr. la ed. de Arrom, 1965: 9-10). Tuvo una vida políticamente aventurosa y un final desdichado. Caído en desgracia en 1552, acusado de espiar para Francia, el asunto estuvo a punto de costarle la horca; de ésta se libró, pero perdió su empleo de escribiente del embajador don Juan de Mendoza, y tuvo que capear el temporal escribiendo, traduciendo, editando y plagiando lo indecible. Encarcelado años después, en 1568, por la misma causa que la dicha —aunque interesante, esta vez, a la Señoría de Venecia—, y condenado igualmente al patíbulo, logró salvar la cabeza gracias a una oportuna delación, pero las duras condiciones de la prisión de Valier pronto le quebrantaron la salud, y murió el 16 de junio de 1570 mientras esperaba ansiosamente una carta de Felipe II que, firmada ya, le habría liberado de su prisión y que llegó, por azares de la burocracia filipina, en febrero de 1571. De sus penalidades queda huella en la dedicatoria del *Dialogo della dignità dell'huomo*, según puede verse en la descripción de la edición de 1563. *Vid.* Anna Maria Gallina, «Un intermediario fra la cultura italiana e spagnola nel secolo XVI», *Quaderni Ibero-americani*, 17 (1955); A. Rumeu de Armas, *Alfonso de Ulloa, introductor de la cultura española en Italia*, Madrid, Gredos, (1973: 110-135) y Toda y Güell *Bibliografía espanyola*, págs. 201-211.

daba un tanto diluido entre el fárrago de erudiciones y anécdotas de sus continuadores.

De la primera versión de Ulloa fue traducido al francés por Hièrosme d'Avost[28], y se editó el año de 1586 en París, en casa de Robert Colombel[29]; de esta edición, que se daba por perdida, he conseguido dar con un ejemplar de la biblioteca de Mazarino en París.

Para Barbier, «l'auteur de ce dialogue est Perez mexia, que nous appelons MESSIE. Ulloa n'a été que le traducteur italien» No sabemos de dónde procede este dato, pero en cualquier caso, es una apreciación muy fina y con una cierta lógica. Veámoslo.

Ulloa traduce los *Coloquios* o *Diálogos* de Pedro Mexía[30]; Du Verdier, por su parte, tomando la *Silva de varia lección* de Mexía, traducida al francés por Claude Goujet, le añade unas cuantas *lecciones* de su invención[31].

---

[28] Traductor y comentarista de Petrarca (y petrarquista), puso en francés a fray Luis de Granada, y el volumen IV de las *Cartas* de Guevara. La noticia de la traducción la da Du Verdier al hablar de D'Avost en su *Bibliotèque* (Lyon, par Berthelemy Honorat, 1585; reimpresa en la *Bibliothèque française de Lacroix de Maine et de Du Verdier*, Rigoley de Juvigny, París, 1772-1773, 6 vols.).

[29] Du Verdier dice que en casa de Pierre Chevillot, a quien se le da el privilegio (*vid.* la descripción bibliográfica). Barbier *(Dictionnaire des ouvrages anonymes*, G. P. Maisonneuve & Larose ed., París, 1964, I: 942) y Blanc *(Bibliographie italico-française universelle(...)1475-1885*, Milán, 1886, II: 1493), en sus repertorios dan bien la noticia, es decir, han visto algún ejemplar de esta rarísima edición.

[30] Véanse los *Dialogui di Pietro Messia tradotti rinovamente di spagnolo in volgare da Alfonso d'Vlloa*, Venetia, per Plinio Pietrasanta, 1557, y su traducción de los *Ragionamenti* (Venecia, A. Renoldo, 1565), que incorporan a la traducción italiana los nuevos libros que habían ido engrosando las sucesivas ediciones españolas. Cfr. la descripción de la edición veneciana de 1564.

[31] *Les diverses leçons d'Antoine du Verdier, suivants celles de Pierre Messie mises de Castillian en Français par Claude Gouget Parisien*; con reediciones que van acrecentando la obra: Lyon, 1580, 1584, 1604, y Tournon, 1616. La obra se traduce al alemán. A su vez, Goujet se había tomado ciertas libertades con el texto: «On trouverà que j'ay esclarey des choses obscures, & corrigé plusieurs textes faux, & s'il est permis de le confesser, j'y ay donné quelque peu de mien en des passages, qui selon mon iugement, le requeroient» *Les diverses leçons de Pierre Messie mises de Castillian en François par Claude Goujet*, 4ème. èd. (Rouen, chez Jean Berthelin, 1633 hs. 2v-3r).

Estas traducciones no tienen nada de sorprendente, dada la popularidad de la *Silva*[32]. Pues bien, si conectamos las traducciones de Ulloa y de Du Verdier, y nos fijamos en que D'Avost le escribe uno de los sonetos laudatorios a la *Bibliothèque* de Du Verdier (obra frecuentemente tachada de mentirosa) y, dando un segundo paso comparamos el estilo de Mexía, su técnica de miscelánea, con el de Cervantes de Salazar (que, no lo olvidemos, ocupa en el *Diálogo* una extensión bastante mayor que la disfrutada por Pérez de Oliva), verdadero bordado de erudiciones, adagios e historietas, es decir, muy análogo al de Mexía, habremos dado, seguramente, con la causa de la sospecha. Por otra parte, el estilo del *Diálogo* y el de Mexía han sido comparados en alguna ocasión, y es indudable que cierta afinidad existe, en cuanto frutos de la literatura científica; en las notas al texto me he aprovechado de tal semejanza, incorporando algunos pasos de la *Silva* de Mexía.

II. La condena del Santo Oficio

La historia de las vicisitudes editoriales de la obra de Pérez de Oliva no estaría completa si no tratásemos con un poco más de atención el asunto de la expurgación que le afectó.

A pesar de que tanto el *Diálogo* editado por Cervantes de Salazar, como las *Obras* publicadas por Morales, hubieran salido con las aprobaciones necesarias; y no obstante que sus editores, y el autor mismo, parecieran ofrecer ciertas garantías de no incurrir en ningún error o herejía, en 1632[33],

---

[32] Cfr. G. Ticknor: «It was long very popular, and there are many editions of it, beside translations into Italian, German, French, Flemish and English»; en *Spanish Library and the portuguese books*, Boston, G. K. Hall & Co., 1879: 226. Y véase ahora la edición de A. Castro, que cito en las notas al texto.

[33] Consultados los *Índices* y *Catálogos* anteriores a 1632: el *Index Librorum Prohibitorum* de 1597, el *Index Expurgatorius Librorum* de 1609 y el *Index Librorum Prohibitorum et Expurgatorum* de 1612, nada he encontrado referente a Pérez de Oliva. Tampoco en éstos, ni en los que sí citan a Pérez

sin saber a ciencia cierta por qué causa ni por qué medios[34], Pérez de Oliva entra en el *Index Vniversalis. Tam plenioris Catalogi*, f. 398. 1ª col.[35], con la lacónica indicación de:

Fernán Pérez de la Oliva
hasta que se enmiende

Pérez de Oliva está incluido en la *Secunda classis in qua libris certorum Autorum, expurgati aut prohibiti, et caetera*, pero, a diferencia de las de otros autores de este mismo grupo, no se indica qué haya que expurgarle, ni tampoco a qué edición se refiere el *Index*, si a la de Morales o a la de Cervantes de Salazar. Unido esto al desconocimiento de quién, o quiénes, le denunciaron al Santo Oficio, tenemos que es muy difícil saber con certeza qué era lo que de sospechoso o reprobable había en su obra[36]. Por otra parte, como la citada anotación inquisitorial se mantiene idéntica e imperturbable en los *Índices* sucesivos a lo largo de casi dos siglos[37], hasta que no llegamos a 1789, fecha en que se califican, por fin, las *Obras* editadas por Morales, no alcanzamos a conocer razón alguna. La causa de la censura, se sostiene

───────

de Oliva, ni en los anteriores a 1597 (Valdés, 1552 y 1559; Quiroga, 1583-1584; 1569-1570, el tridentino de 1597; el Quiroga belga, 1609; Reusch) he encontrado nada referente a alguna obra suelta de Oliva, o a la edición de Cervantes, ni a sus traducciones.

[34] En los papeles de Inquisición referentes a la preparación del *Catálogo* de 1632 (A.H.N., leg. 4435) no he encontrado ningún expediente referente a Pérez de Oliva. Tampoco Paz y Meliá en sus *Papeles de Inquisición*, dice nada sobre las causas de la expurgación. Cita, únicamente el legajo referente a su resolución final, que veremos un poco más adelante.

[35] El *Index*, iniciado en 1629 bajo las órdenes del jesuita Pineda, aunque va fechado en 1632 es de 1631; así lo anota Rodríguez Marín en el dorso de la pasta del ejemplar U/8570 de la B. N. de Madrid. A. Márquez (*Literatura e Inquisición en España 1478/1834*, Madrid, Taurus, 1980:169) pasa por alto la presencia de Oliva en este *Index*, y registra su presencia sólo en 1640, y además entre los prohibidos.

[36] Ya lo señalaba Menéndez Pelayo: «Las obras del Maestro Oliva sufrieron, *no sabemos por qué* las persecuciones inquisitoriales.» (*Bibl. de Traductores*, IV, 1953:71; el subrayado es mío.)

[37] Estos *Catálogos* son, a saber: 1640, f. 424, 2ª col.; 1667, f. 424, 2ª col.; 1707, fol. 438, 2ª col., y 1747, f. 456, 2ª col.

en dicha calificación, no hay que buscarla en los escritos de Pérez de Oliva, sino en los de Morales. Como se verá, las cosas se han complicado un poco. Tratemos de aclararlas.

El primer problema radica en saber a qué edición se refería el *Index*[38], ya que, al ser una censura de la *segunda clase*, obligatoriamente había de referirse a un libro y no a una persona[39]. El único testimonio de la época que tenemos al respecto es el de Vaca de Alfaro, quien llega a conocer su inclusión en el *Index* de 1640, y da la primera noticia de la actividad inquisitorial contra Pérez de Oliva apuntando a la edición de las *Obras* de 1586[40]. Más de un siglo después será

---

[38] No es una duda ociosa, ya que las *Obras* (las que luego serán calificadas y expurgadas) van muy arropadamente dirigidas al Inquisidor General Quiroga, firmatario de unos monumentales índices expurgatorio y prohibitorio de 1583-1584; mientras el *Diálogo*, en su versión complutense, va peligrosamente acompañado por Juan Luis Vives (a quien Morales cancelaba de su *Discurso*, cfr. *supra* la nota 5), y por el protonotario don Luis Mexía, traductor de Erasmo (cfr. Bataillon, 1966, entrada bibliográfica núm. 471).

[39] Cfr. la «Advertencia acerca de las *Clases* de este Índice», en el *Index* de 1612: «*A la segunda se reduzen no los autores, sino los libros* que se prohíben, o no se han expurgado.» Tal división se opera a partir de éste *Index*, a la zaga de los tridentinos; cfr. el *Index* romano de 1596: «*In secundam clasem non auctores, sed libri sunt relati*, qui propter doctrinam, quam continent, non sanam, aut suspectam, aut quae offensionem etiam in moribus tantum, fidelibus affere potest, reiiciuntur, etiam si auctores, à quibus prodiere, ab Ecclesia nunquam desciverunt» (7v).

[40] *Apud* Ramírez de Arellano, núm. 1485. Vaca de Alfaro, además, podía hasta haber tenido un ejemplar las *Obras* ya que, si el libro sólo necesitaba expurgación, y no constaba como prohibido, sus poseedores podían seguir disfrutando de su posesión, según se deduce del edicto del Cardenal Zapata para anunciar este Catálogo de 1632: «y declaramos, que no es nuestra intención comprehender en las dichas censuras (procesamiento y excomunión) a los que tuvieren, o leyeren en los libros de la Segunda clase, que no estuvieren del todo prohibidos sino sólo los que en el Índice y Expurgatorio se pone solamente explicación, o caución, conforme al dicho Expurgatorio. Con lo qual avran cumplido, y sin ser necessario hazer otra diligencia.» *Edicto del Cardenal Zapata* para anunciar el Catálogo de 1532. Ciudad de México, 9, Henero, 1534. A.H.N., leg. 4435, núm. 6 (Inq.). Esto ayuda a entender cómo un obra prohibida estaba en bibliotecas como la del Colegio Imperial, la del Convento de la Encarnación de Madrid, la del Fiscal Supremo de Castilla o, en manos de la Compañía de Jesús (en un ejemplar que tacha fecha y colofón, cfr. la descripción bibliográfica de 1586.

el Padre Flórez quien, ocupándose de Ambrosio de Morales, observe que son las *Obras* las recogidas[41], dato confirmado por la existencia de un ejemplar conservado entre los libros prohibidos en la Biblioteca Real[42]; y sin embargo, esto no soluciona el problema, pues por los *Índices* no sabemos qué se censuraba exactamente.

Harán que lo saben años más tarde, en 1790, cuando, sin razón aparente, se modifique la formulación censoria en:

> Expediente de calificación de las obras del /Mtro. Fernán Pérez de Oliva, /y Discursos /de Ambrosio de Morales, su sobrino, incluidos en el Expurgatorio de 1747,/ fol. 456 *hasta que se enmienden.*[43]

Nótese que ese plural no figura en ningún *Index*, ni siquiera en el expresamente citado de 1747 en el que se lee, sí, *hasta que se enmienden*, pero referido a las *Obras*[44]. ¿Por qué ha entrado Morales así, de repente en el *Índice*? Quizá los buenos oficios del Padre Flórez reclamando la libre circulación de sus escritos le hayan, irónicamente, perjudicado, porque lo cierto es que, a partir de aquí, será él el *culpable* de la censura.

Se llega a calificar las *Obras* de Pérez de Oliva después que Sancha y Benito Cano hubieran reeditado las ediciones complutense y cordobesa respectivamente. La primera edición de 1772, la de Sancha, no encuentra particulares problemas; pero la de Cano, de 1787, se da de bruces con el Tribunal. Todo nace de querer exportar la edición a las Filipi-

---

[41] Dice en sus *Noticias para la Vida de Morales*: «Hoi no goza el público de estas *Obras* por estar impresas en el libro de su tío, que la Inquisición tiene recogido, hasta que se enmienden: y no ha llegado el día de quien logre la enmienda» (*Apud* Salvá, núm. 1354).

[42] Así consta en el *Expediente de calificación* de 1787: «En la Biblioteca Real está entre los libros prohibidos en un tomo en 8º mayor. Cordoua 1585 (*sic*)». Un ejemplar de la edición salmantino-cordobesa de 1586, procedente de dicha Biblioteca, se conserva en la Nacional: el R/26950.

[43] *Expediente de Calificación*, A.H.N., leg. 4500, núm. 13 (Inq.); de ahora en adelante, todos los datos tomados de aquí irán sin más explicación.

[44] *Bibliotheca Librorum Prohibitorum*, Anno MDCCIX, anotaciones manuscritas para su preparación. A.H.N. libro núm. 1318 (Inq).

nas[45]: con los permisos, llegan las pesquisas; y con éstas se llega a la censura pendiente; y de ahí no queda más remedio que poner en tela de juicio la propia edición de Sancha, a ver cómo y por qué había sido permitida. Sabemos de todo esto por el *Expediente de calificación*, documento que retrata a la perfección el atrofiado funcionamiento de la burocracia censoria. El calificador encargado de escudriñar la edición de Cano es don Joaquín Castellón, quien anota las prohibiciones de 1667 y 1707 (no se molesta en mirar ningún *Index* anterior), y emprende el cotejo de los dos volúmenes de Cano con el ejemplar prohibido de las *Obras* en la Biblioteca Real que citaba más arriba. El primero (las obras de Pérez de Oliva) no lo lee «por tener la cabeza delicada» y por estar ocupado en la iglesia; y el segundo (las obras de Morales) dice haberlo leído, pero «nada he hallado en ello represible», confiesa. Quizá por aligerarse del trabajo, se pone a buscar un expediente anterior, y da con los permisos solicitados por Sancha quien, a la chita callando, había publicado también su poesía y dos piezas teatrales en el *Parnaso español* de López de Sedano[46]. De la lectura del

---

[45] En agosto de 1787, al concluirse la impresión de Cano, los directores de la Real Compañía de Filipinas quieren exportar la susodicha edición, que está en manos de los libreros Antonio del Castillo y Valentín Francés. Por lo visto ninguno había caído en la cuenta de la existencia del *Index* (o no habían querido caer), animados por el cercano ejemplo de Sancha. De una manera u otra, la Inquisición toparon y, los volúmenes, acabados ya, tuvieron que esperar dos años para poder circular libremente. En el ínterin, hasta la familia del oficial impresor tuvo tiempo de pasar hambre, según se deduce de la carta suplicatoria que envió a los Señores del Consejo el 1 de septiembre de 1787. Carta muy poco efectiva, a lo que se ve.

[46] En casa de Sancha se imprimirá también el *Razonamiento sobre la navegación del Guadalquivir*, en la Biblioteca Española Económico-política de Sempere y Guarinos, con un prólogo laudatorio que es todo un documento de época, fiel reflejo de la incomprensión oficial con la que chocaban los hombres cultos de nuestro siglo XVIII. Dice Guarinos hablando de las estancias en el extranjero de Pérez de Oliva: «Por aquel tiempo, y más de cuatro siglos antes, era muy frecuente salir los españoles a estudiar, o perfeccionarse en las ciencias, fuera de España, y particularmente en las dos Universidades de París y Bolonia. *No se tenía por indecoroso, ni por injuria a nuestra nación el aprender de los extranjeros*» (pág. iii. La cursiva es mía).

expediente anterior, Castellón saca en limpio dos expurgaciones hechas a los *Discursos* de Morales en la edición de 1586[47], expurgaciones que en nada habían afectado a la edición preparada por Cerdá y Rico para Sancha, ya que no se incluía la obra de Morales; aun así, Cerdá las recogía confusamente en sus «Advertencias sobre esta nueva edición» diciendo que los excesos de Morales ya habían sido corregidos por Cervantes de Salazar, pero echando al tiempo la culpa de los desaguisados doctrinales a este último[48]. Como se verá, todos andaban dando palos ciego y, para mayor seguridad, a Cerdá le toca solicitar nueva censura[49].

Así volvemos a nuestro censor Castellón quien, leído el *Diálogo*, insiste en «que nada tienen que corregir»[50]. De Morales es la paternidad de las proposiciones sospechosas que obligan a secuestrar la edición de Cano, y así se ratifica dos años después, en 1789, cuando el 1 de mayo, por fin, don Enrique Guerrero Ximénez Villena Poveda y Quevedo, *declara corrientes* las *Obras* con esta explicación y salvedad[51]:

---

[47] Las expurgaciones, aceptadas el 8 de julio de 1772 por Fidel de Alcabón, calificador, son: «Fol. 186v. *Una consideración por donde se puede bien entender como algunas veces las estrellas tienen poderío sobre todo el hombre*, se pondrá (...)» «De la excelencia del Alma racional sobre las Almas de los brutos, y su grande diferencia. Al fol 193 b[to] donde dice *acà el alma es del cuerpo, allá será el cuerpo del alma*, se pondrá: acá informa al cuerpo el alma; allá, le glorifica.»

[48] «La precaución de MORALES, que notamos más arriba, para los que han de leer esta obra, es mui portuna, por lo que toca a la continuación de nuestro CERVANTES, porque como su discurso está entretegido de las sentencias que avía leído en los escritores profanos en orden a la miseria de los hombres desde su generación hasta su muerte, trae algunas dellas faltas de verdad y solidez christiana.» (1772: vii), y cfr. las págs. viii-ix.

[49] «Adjunta instancia autógrafa del doctor don Francisco Cerdá y Rico para que se remitan dichas obras a nueva censura. 1787». *Apud* Paz y Meliá, *Papeles de Inquisición*, pág. 71, núm. 229.

[50] «He registrado con cuidado el libro de don Fco. Cerdá y Rico, en que imprimió varias obras curiosas de Autores españoles, y entre ellas el *Diálogo de la dignidad del hombre, del Mtro. Fernán Pérez de Oliva (que nada tienen que corregir)*». Joaquín Castellón a Juan Antonio Zavala, 4-IX-1787. Las dos lecturas y declaraciones de inocencia de Castellón habían tenido lugar el 1 y el 5 de septiembre, respectivamente.

[51] La acordada se publica nueve días más tarde y surtirá efecto a partir del *Índice* de 1790.

Por averse notado, especialmente en los Discursos de Ambrosio de Morales, muchas proposiciones que por malicia, o por ignorancia, o quizá por considerarlas separadas del contexto del Capítulo, o del Tratado, se admitían en mal sentido, [...] muy ageno de la vana intención del Autor [...] examinadas después con la reflexión y el cuidado que piden estas materias, se ve que el mismo Autor sabiamente y con admirable claridad se inculca en la verdadera doctrina [...] por lo que se declaran corrientes estas obras, con tal que se borre o quite la nota siguiente puesta en el discurso 8.° al margen del fol. 180 buelto de la impresion detenida y en qualquier otra que se halle: Dice Sto. Agustín que no juzga él agora si esos hicieron bien o mal sino que cuenta solamente lo que passó: por ser equívoca y de algún modo contraria...

De este modo se saldaban las cuentas entre Pérez de Oliva y la Inquisición. Una hoja de la edición de Cano, la que contenía el desfortunado paso de San Agustín[52] fue arrancada[53], y las *Obras* de Oliva pudieron, por fin, ver reconocida su inocencia.

La condena del pobre Morales[54] no resuelve, sin embar-

---

[52] Se trata del Discurso VIII: *El gran daño que es el juez proceder con ímpetu y con yra* (1586:176-183v). Hablando Morales del sueño de Salomón, pide sabiduría de juicio y trae a cuento a San Agustín en el lib. I *de sermone domine in monte*, «el qual yo pondré por sus mismas palabras» (180r); y anota Morales al margen del f. 180v: «Dize aquí Santo Agustín que no juzga él agora si éstos hizieron bien o mal, sino que cuenta solamente lo que pasó». Esto es lo que censuran los censores, para algo estaba la frase bien a la vista, como glosa que era.

[53] «Pérez de Oliva (Mtro. Fernán). Sus *Obras* quedan corrientes, quitando en el Discurso 8 de Ambrosio de Morales, la Nota, Dice S. Agustín, &c. Edicto de Mayo de 1789. En la impres. de Madrid, de 1787 se quitó el fol. donde estaba dicha Nota, y se reimprimió sin ella.» *Índice último de los libros prohibidos* (Rubín de Cevallos, Inquisidor), 1790: 209, col. 2.

[54] No habría sobrellevado bien la censura Morales, de haberla conocido, cfr. la *Protestación del autor* con que abre *Los cinco libros postreros de la Corónica General de España* (Córdoba, G. Ramos Bejarano, 1586): «El Consejo Real mandó ver esta tercera parte de mi Corónica de España, y en la censura se aprouó toda ella por muy cathólica y muy conforme a la fe christiana, y prouechosa para las buenas costumbres. Mas todavía yo como fiel christiano y obediente hijo de la sante madre iglesia Romana protesto, que si alguna cosa uviere en todo lo que aquí he escrito, que en alguna manera contradiga a la Santa fe Cathólica, o perjudique a las buenas tradiciones y costumbres de la iglesia: *que desde agora lo doy por no dicho, y por mal dicho.*» (h. 1v.)

go, la raíz del problema, que sigue siendo *por qué* entra Pérez de Oliva en el *Index* de 1632, el de Zapata. Una hipótesis, que propongo porque me parece plausible, puede ser la del error. Error aunado a la ignorancia o, si se prefiere, a la pereza del censor que no mira lo que está dentro de los libros, porque le basta la cubierta para olerse que lo de dentro no puede ser bueno.

De toda la producción de Pérez de Oliva, no cabe duda, es el *Diálogo de la dignidad del hombre* la obra más reconocida, ya que, entre 1546 y 1586, sale a la luz dos veces en español, dos en italiano y una en francés. Su título es casi igual al del conocidísimo *De dignitate et excellentia hominis* de Giannozzo Manetti[55], escrito por encargo de Alfonso de Aragón en 1452. Pues bien, se da el caso de que el libro de Manetti entra en el *Index* español de Quiroga, primero en el de los prohibidos de 1583, y luego en el de los expurgados de 1584:

Ianocius de Manectis, Florentinus, de dignitate, & excellentia hominis: nisi repurgetur (1583, f. 37r).

Janocius de Manectis. Ex Ianocij de Manectis libri de dignitate, & excellentia hominis. *Lib. 2. pág. 64 ex impressione Basileae anno Domini 1532, apud Andream Cratandrum, vbi inquit,* Quorum nos veneranda ac sacrosancta vestigia, *expurgantur* veneranda ac sacrosancta. *Lib. 4. pag. 206. deleantur ab illis verb.* Lev illi sententiae, *usque ad illa pag. 208* commutatasq. converterit. (1984, fol. 149r)[56].

<hr>

[55] El título del diálogo de Oliva, si ha de ponerse en la cuenta de alguien, habrá de serlo en la de Manetti, no en la de Pico della Mirandola que llamaba *Oratio* a lo que sólo desde la edición de Basilea de 1557 se llamará *De hominis dignitate.*

[56] Del *Index librorum prohibitorum* de 1583 he visto el ejemplar de la Vaticana Barberini 7-XIV 106 (anotado por el Inquisidor Sandoval, preparador del *Index* de 1612). Del *Index librorum expurgatorum* de 1584 el R.I.IV.1010 de la misma biblioteca. En Madrid están en la Real Academia de la Lengua (sig. 24-VIII-26), y son descritos por Bujanda en el tomo VI de su *Index de l'Inquisition espagnole* (Univ. Sherbrooks-Librairie Droz, 1983: 382, 839). Bujanda da noticia de un ejemplar de la B.N. de Madrid mutilado de las tres páginas incriminadas, expurgación llevada a cabo el 5-III-1585. Sobre el *Index* de Quiroga *vid.* también Reusch (1883: I, 449-497). No extraña mucho la censura de Quiroga, dado que el propio Manetti se

Del *Index* de Quiroga[57], donde está en compañía de otros italianos[58], salta a los índices romanos de 1590, 1593 y 1596, con la fórmula *donec emendetur*[59], formula que, aun no siendo más que eso, es justamente la que encontramos aplicada a las *Obras* de Pérez de Oliva. Lo que me hace pensar en la posibilidad que haya habido un *error* o confusión entre el libro de Manetti, y el diálogo de Oliva, es la *regla XIV* de las del *Índice* de Quiroga, donde se extiende la prohibición de un libro a sus traducciones:

> Y porque en este Catálogo se prohíben libros en diversas lenguas, y se podría dudar si los prohibidos en una deven tener por prohibidos en otra, por evitar escusas e inconvenientes, se declara, que los libros que se prohíben en una lengua, se entiende ser prohibidos en otra qualquier vul-

---

prepara para futuras críticas desde la introducción de su libro, en la que anuncia llevará la contraria al Papa Inocencio III y su *De miseria humanae conditionis.*

[57] A Quiroga, protector de fray Luis, había dedicado Morales, precisamente, las *Obras* de su tío. Su *Index*, con su modélica división en libros prohibidos y libros expurgados, es el de la síntesis (cfr. Virgilio Pinto, que lo estudia pormenorizadamente en *Inquisición y control ideológico en la España del siglo XVI*, Madrid, Taurus, 1983: 70 ss.); en él, según Antonio Márquez *(op. cit.,* pág. 132) interviene decisivamente el P. Mariana. La distinción entre libros prohibidos y libros expurgados, nace con la experiencia flamenca en la materia de Arias Montano, y es permitida por la Regla Tridentina VIII, que permite la circulación de ciertos libros buenos *eliminando los errores.*

[58] Está con las novelas de Boccaccio, que tanto éxito tienen siempre entre los censores; con el Petrarca de los *Triunfos,* de las epístolas latinas, y de los sonetos de Aviñón (los 106-108 y 92 de la edición de Lión, 1558, bien emborronados, ellos y su comentario del Bembo, como puede apreciarse en el ej. 3/52523 de la B.N. de Madrid); con la *satira V* de Ariosto, que acaba con la *facecia* 132 de Poggio Bracciolini, pero con alevosía; con la *Circe* de Gelli, diálogo de transformaciones que cito en las notas al *Diálogo* ya que trata de la dignidad del hombre; con el Berna, Pulci, todo Maquiavelo, etc.

[59] En el *Index* de Sixto V, 1590 se condena «donec ex superioribus regulis emendetur» *(Apud* Reusch 1886:493, ej. de la Vaticana bl.I.E.1; y cfr. 1883: I, 510). En el *Index* de 1593, fol. 25r, entre «Certorum Auctorum libri prohibiti» se condena «donec emendetur» (ej. de la Vaticana, Racc. I.IV.1649). En el *Index* de 1596, f. 26v se repite la fórmula (ej. G.H.10.35 de la Biblioteca Universitaria de Pisa).

gar: no se declarando en este dicho Catálogo otra cosa, o aviendo para ello expressa licencia in scriptis de los Inquisidores (1583: 6r-v).

En mi opinión, es muy posible que algún celante censor, visto el título del *Diálogo* de Pérez de Oliva (además un diálogo, género tan amado de erasmistas y otros compañeros de viaje), y leído en el *Index* de Quiroga, o en los catálogos tridentinos[60], la anotación contra el *De dignitate et excellentia hominis* de Manetti, haya confundido el *Diálogo* con una traducción y, por ende, lo haya hecho incluir en el *Index* de 1632 *hasta que se enmiende*. Lástima que la enmienda llegara tarde, mal, y en las costillas de Ambrosio de Morales, que acertaba a pasar —con tan mala suerte— por allí.

---

[60] Encuentro la prohibición de Manetti en un legajo del A.H.N. (Inq. 4426/31, h. 2r), en una lista conjunta de índices romanos, españoles y flamencos; es posterior a 1595, y forma parte de los papeles preparatorios de Catálogos sucesivos.

Nuestra edición

I. Descripción de las fuentes

1. *Fuentes manuscritas*

1.1. Biblioteca de El Escorial, Ms. &.II.15 *(E)*

Códice de papel, letra del siglo XVI, de 328 ff. (los 4 últimos impresos), 318x122 mm. Encuadernación de El Escorial. Los ff. 141r-163v contienen apuntes quirógrafos de Fernán Pérez de Oliva *(Apud* Zarco Cuevas, I, 271, núm. 4), fechables entre 1520 y 1530.

22 h. dispuestas en tres cuadernos: 14 h. con filigrana A[1], numeradas 141-153 (la última h. ha sido parcialmente arrancada antes de foliar el códice); 2 h. sueltas, sin filigrana, numeradas 154-155; y 8 h. numeradas 156-163, con filigrana B. La escritura es de una sola mano experta, la de Pérez de Oliva, con *ductus* diferentes según se trate de simples apuntes o no, y con unas pocas correcciones de Ambrosio

---

[1] Para mayor comodidad he distinguido las filigranas en A, B, C y D, correspondientes, aproximadamente, a los núms. 11.166, 10.793, 10.795 y 11.217 del Briquet, *Les filigranes. Dictionnaire Historique des Marques du papier III*, Hildesheim-Zúrich-Nueva York, Gerorg Olms Verlag, 1884 (ed. facsímil). Todas las filigranas son de una mano con flor, un papel seguramente genovés o piamontés (*ibid.*, pág. 545).

de Morales y de, presumiblemente, el impresor de *C*. El espejo de escritura es irregular (175 x 255 mm. de media) y el número de líneas oscila entre 26 y 28.

141r Sin título. (Una mano moderna, a lápiz rojo anota como encabezamiento: «de Hernán Pérez de Oliva»). *Incipit:* «No me parescio R. S. estando enesta noble cibdad cuias orejas acostumbradas...». Texto del que he llamado *Triunfo de Jesucristo en Jerusalén*. 146r Se interrumpe el texto con un apunte de carta: «M. R. y M. mag. S. quien demanda con munchas palabras muestra desconfiança con que ofende a quien aparejado está a hazer mercedes y pues la virgen soberana a cualquier justo ruego se inclina demandándole gracia que para dezir y oír avemos menester bien será con pocas palabras mostrarle confiança y serán aquellas que el ángel le dixo así: ave maría etc.» Al pie de la hoja dibuja unas figuras geométricas. 146v Sigue el texto del *Triunfo*, cambia el *ductus*. 149r Interrumpe de nuevo el *Triunfo* con una carta: «Muy Rdo y muy Magnífico señor/ Supe en esta ciudad que vuestra merced quiere permutar su arcidianazgo desta iglesia con persona de algunas condiciones por las cuales yo pienso que no seré excluido/ yo señor tengo en (*tachado*: córdova) en obispado de córdova la prestamera de montemayor y la de belmonte y en el cañaveral otra y en chillón un beneficio y en sancta marina de córdova otro y en este obispado uno muy bueno en las cabeças si vuestra merced es servido que con este aparejo yo entienda en la permutación merced me hará que siempre seré obligado a servir que de la comisión dello a alguna persona aquí en sevilla con quien ambas voluntades se aberigüen/yo fuera allá a besar las manos de vuestra merced y que me conosciera por su servidor y a hablar en esto (*tacha*: pero temí de llegar tarde) porque confiara que la memoria de mi padre (*tachado*: el bachiller oliva) tan servidor de vuestra merced valiera algo pero temí de llegar tarde. 149v Cuentas y números 150r Tachado: «el colegio devría tener la impresión» seguido de rótulo central: «De nombres sensibilibiq̄.». Siguen unos apuntes en latín «sex est sensus exteriores/duosque organosque ad unam reduci...» 150v «de habitibq̄.» Siguen unos apuntes en latín:

«An distinguatur a potentiis...» 151r Tachado: «hércules. la edad y entendimiento que me hatraído y a cuidado de escoger manera alguna de bivir y cosa paresce difícil bien hazerlo porque)/ hércules/ La vida de los hombres en cuyo principio me tiene la edad veo tan ondosa y perturbada que miedo me viene de entrar en ella querría verdadera mente que alguno bien sabido me mostrase navegar por estas tempestades grandes que veo (*tachado:* y me apartase de los peligros aunque yo por cosa difícil tengo) aunque yo por cosa difícil tengo hallar camino seguro entre tantos peligros pues se ha de tomar (*tacha:* entonces cuando es la edad en los principios de la edad) entonces cuando (*tacha:* delas) tenemos esperientia y más *(tacha:* rezios mo)* perturbaciones digo en la mocedad que la fuerça de naturaleza desconcierta lo que ordena la razón así que cuando más consejo avemos menester, tenemos menos guerra. 151v en blanco. 152r Con letra picuda y rápida, y tinta más oscura, el texto que he llamado *Apuntes para un sermón.* Sin título. «En el primer stado del mundo cuando los primeros padres del género humano eran limpios de pecado y a dios agradables...». 153r Deja un doble espacio y, con la misma letra, escribe: «Si mi suficiencia para dezir en púlpito muy Rdos y muy magníficos señores fuera tanta commo es el deseo que tengo de cumplir este vuestro mandado» 153v tacha dos líneas: «tenemos pues muy Rdos señores que dezir oy de dezir en la fiesta de sanct»; falta el resto, que ha sido arrancado antes de que se numerara el códice. 154r dibuja un mapa de Europa y África a lápiz rojo, grande como todo el folio. 154v Cuentas, el dibujo de una cara y triángulos. 155r En blanco. 155v Figuras geométricas y cuentas. 156r «de las potencias del alma, y buen uso dellas», con correcciones de autor y algunos retoques de Morales y del impresor [debe de ser éste el único ms. que ha sobrevivido a su impresión]. 160r *Explicit:* «el trabajo del combate por el plazer de la victoria». 161v Fray Juan Peralta hace un cróquis de la colocación de los retratos en El Escorial: «Nombres de los retratos que están en esta librería manuscripta según el orden con que agora están puestos». 161r-163v En blanco.

1.2. Otros manuscritos de El Escorial.[2]

&.II.7

Códice de papel, del siglo XVI, ff. 331r-342v. Apuntes autógrafos con título puesto —parece— por Morales: «Algunas cosas de Hernán Cortés y México». Un cuaderno de 12 h. con filigrana A. Anepígrafo (el texto puede tener una parte anterior perdida), empieza tachando la 1ª línea y luego «La gran fama de la prouincia de culua encendia el coraçõ de (*tachado*: del capitan) hernan cortes en (*tachado*: ardiente) voluntad de cosas maiores». Texto de la *Conquista de Nueva España* dividido en cuatro capítulos, escrito en varias tiempos, con correcciones de autor y de Morales; hay alguna glosa al margen y subrayados. El f. 342 había sido usado previamente, en su v., escritas de abajo a arrriba, hay una lista: «ubi...in reflexione / ubi in refrattione/ quod est in aq̄. videtur maius...» (Pérez Bayer, ms. H.I.11, f. 222v; Zarco Cuevas, I, 259, núm. 58). Editado modernamente por Atkinson (1927: 450-475).

&.III.8

Códice de papel, del s. XVI, de 535 ff., 225x150 mm (Antolín, II, 385), ff. 297r-300v. Un cuaderno al que faltan las 4 h. centrales pues lleva numeración propia 193-194, 199-200, con la filigrana cortada (pero de la misma familia de las citadas). Autógrafo, a dos columnas, con correcciones de autor. 297r *Incipit*: «In spherico magnete». Texto del *De Magnete*. 298v *Explicit*: «mobile aliud caelum». 299rv-300r en blanco. 300v notas y apuntes: «nesco /impossibiliter /—/ possibiliter nõn /possibiliter /—/ Non possibiliter nõn/ impossibiliter nõ» *etc*. Está entre unos papeles de Ambrosio

---

[2] Según Zarco (II, 242, núm. 2 y 3), en el códice latino L.I.27 del Escorial hay otros dos fragmentos de Pérez de Oliva: una oración (f. 56r), y de una carta amatoria (f. 81). Examinado el códice, ni la letra, ni el tipo de papel, que tiene filigrana distinta, permiten pensar que sean de mano de nuestro autor.

de Morales[3]. Editado modernamente por Atkinson (1927: 446-449); y, con traducción, por P. García Castillo en la *Cosmografía nueva* (1985: 156-165).

d.II.5

Códice de papel, del siglo XVI, de 363 ff., 315x220 mm (Antolín, I, 415), ff. 72r-123r. 29 h. numeradas 72-100 con filigrana B; 5 h. numeradas equivocadamente 101, 105, 103, 104, 104, con filigrana D; 12 h. numeradas 107-118, con filigrana B; 4 h. numeradas 119-122 con filigrana B; 1 h. numerada 123 con filigrana B. Contenido del mss[4]: 72r-97v *Cosmografía nueva* con inclusión, en los ff. 80v-81v, del tratado *De Magnete, liber unus*, con correcciones de Morales. 98-111v *Perspectiva*; Contiene el *De lumine et specie*. 112r-v *De operatione intellectus*. 113r-123r apuntes varios. Los ff. 72-97 han sido modernamente editados por García Castillo y Sandoval como *Cosmografía nueva* (1985: 72-157) y *De Magnete* (*Ibid*: 152-164), quien anuncia la próxima aparición de la *Perspectiva*.

e.II.5

Códice de papel, del siglo XVI, de 146 ff., 308x210 mm (Antolín, II, 56[5]), ff. 57r-72v. Cuaderno de 16 h. con filigra-

---

[3] El códice contiene además «Joannis Maldonati de motu Hispaniae libri VII; Petri Frago scholia in carmen ad Isabella Valesiam; scholia in apothegma Francisci gallorum regis; Ambrosio Morales opuscula varia; Josephi Glusi et Julii Clari de amore problemata; Politiani carmina ad B.V. Mariam; martyrium S. Ursulae et sociarum; S. Valerri opuscula» (Antolín, II, 385).

[4] Antolín cataloga sólo los ff. 80v-81v bajo «Varii tractatus Geometriae», sin citar el nombre de Pérez de Oliva sino el de Morales, corrector; García Castillo considera autógrafos hasta el f.112v, pero deja de lado los ff. 113-123 que me parecen también autógrafos, aunque los he podido examinar sólo sumariamente (desespero del microfilm hace ya más de un año).

[5] Otros textos del códice según enumera Antolín: «Boetii Eponis Ecclesiasticae Belgarum Teutonumque per inferiores regiones parentium historiae commentarii; Joannis Petrei Toletani opuscula varia; Joanni Mendoci; ad Joannem Pretreium; Thomae Mamerani instructio et ratio chartarum Lucemburgi et Theumvillae».

na C. Autógrafo en los ff. 59r-64v. 57r *Incipit*: «Usque adeo varia affecti sunt semina coeli». Unos versos y anotaciones sobre las estrellas en latín; pruebas de pluma. 57v en blanco. 58r «Naturalis Philosophia prius sunt determinanda principii» 6 renglones de epígrafe que parecen presentar lo que viene. 59r «AN LUX A LUMINE DIFFERAT / Lux qualitas est luminosi...». Texto de *De natura lucis et luminis*. 61v se interrumpe el texto en «hoc loco disputatio habenda est de coloribus». 62r-63v en blanco. 64r Continua el texto hasta el *explicit*: «lumini adeunti non minus q̄ color». 65r-72r en blanco. 72v la misma mano de los ff. 57r-58r hace anotaciones. Editado modernamente por C. Flórez Miguel y P. García Castillo (1983: 129-140).

2. Fuentes impresas

2.1. Alcalá de Henares, 1546 *(A)*

OBRAS Q̄ FRANCISCO / *Ceruantes de Salazar ha hecho / glosado y traduzido./ La primera es el Appologo de la ociosi/dad y el trabajo, intitulado Labricio Por-/tundo donde se trata con marauillo-so estilo / delos grandes males dela ociosidad, y por / el contrario de los prouechos y bienes del / trabajo, compuesto por el Protonotario / Luys Mexia, glosado y moralizado por / francisco Ceruantes de Salazar./ La segunda es un diálogo dela dignidad / del hõbre, y por el cõtrario de sus trabajos / y miserias, comẽcado por el maestro Oliua,/ y acabado por Frãcisco Ceruãtes de Salazar./ La terce-ra es la introduccion y camino pa-/ra la sabiduría dõde se declara que cosa sea / y se ponen grandes auisos para la vida hu-/mana compuesta en latin por el excelẽte va/ron Luys viues buelta en Castellano, con / muchas adiciones que al proposito hazian / por francisco Ceruantes de Salazar / Con priuilegio.*

En 4ª·[14], 80 h. Sig. a⁴b¹⁰, a-k⁸. Letra gótica.

[1r] Portada. [2r] «Epistola / Al muy illustre señor dõ / Hernando Cortes Marques del Valle / descubridor y conquistador de la / nueua España Francisco / Ceruãtes de Salazar. S./ y perpetua felicidad». [6v] «Ambrosio de Morales

/ sobrino del Maestro Oliua / al lector. [14v] «Argumento del Dialogo, por Fran-/cisco Ceruantes de Salazar». 1r. *Dialogo de la dignidad del hombre*. 22v Una nota al margen con una mano que señala: «Hasta aqui llego el maestro Oliua, lo que adelãte hasta el fin se sigue cõpuso Ceruantes de Salazar» El texto continúa; «Aunque la fama tambien es de tanto precio entre los mortales que con razon no se puede aborrecer...» 80r. Colofón: «Laus Deo / Esta presente obra y Dia/logo de la dignidad del hombre el qual començo en / alto estilo y muy profundamẽte, el maestro Oliua, / y lo prosiguio con grande eloquẽcia, summa eru-/dicion y mucha doctrina, francisco Ceruantes de / Salazar, todo para reconocer los dones y benefi-/cios q̄ de dios receuimos, para emẽdar nr̃as faltas / y poq̄dades para doctrina y enseñamiento de nr̃as vidas: fue impresso en Alcala de henares, en casa de / Juã de Brocar, a xxv de Mayo del año, Mdxlvj.» 80v Grabado con leyenda: *legitime certanti*.

Es el segundo tomo de un volumen de tres (la portada se repite en cada uno de ellos):

Tomo I: En 4ª. [12], 69, [1] h. Sig. a^{12}, A^8-H^8, I^6. Letra gótica.

[1r] Portada. [2r] Dedicatoria: «+/ Al Illustrissimo y re-/verendissimo Señor don Juan Martinez Siliceo, Arçobispo de Toledo, pri-/mado de las Españas y Maestro / y confessor del principe nues-/tro señor francisco Cer-/uantes de Salazar./ S.D.». [4r] «Argumento y moralidad de / la obra por Francisco Ceruan-/tes de Salazar». [7r]. «Prólogo al lector./ El maestro Alexio de Venegas / al benigno y pio lector» 1r. *Appologo dela ociosidad / y el trabajo, Intitulado Labricio*. 69v. Colofón: «A gloria y alabança de Dios (...) todo muy sabiamẽte anotado, y decla-/rado por Francisco Ceruantes de Salazar./ Imprimiasse en Alcala de Henares / en casa de Juã de Brocar, en el / año de nr̃a saluaciõ de mil / y quiniẽtos, y quaren- / ta y seys años / en el mes de Mayo.» [50r] Grabado con leyenda: *legitime certanti*.

Tomo III: En 4ª. 53, [1] h. Sig. A^4, B^8-F^8, G^{10}. Letra gótica.

1r Portada. 2r Dedicatoria: «A la serenissima señora doña / Maria. Infanta de Castilla, Fco Ceruantes de S. Salud / y eterna felicidad». 3r *Introducción y camino pa-/ra la sabiduría, donde se declara que cosa / sea y se ponen grandes avisos para / la vida humana, cõpuesta en latin / por el excelente varon Luys / Viues, y buelta en castella-/no cõ muchas adiciones / q̃ al proposito haziã / por F. Cer/uantes de Sa-/lazar.* 53v «Laus Deo». [54r] Juan de Brocar al lector: «(...) y en la empression se tuvo miramiento q lo /que es de Luys Viues se pone de letra algo mas crecida, y lo añadido va de letra y renglones algo menores (...). Esta / obra como todas las demas se publica para gloria de nr̄o / Señor y para general prouecho de la Christiana republica / imprimiase en esta casa de Alcala a xviij de Junio año de / nuestra salvacion de MDxlvi». [54v] Grabado alegórico de caballero que coje por el pelo a una dama —la fortuna—, y dos ángeles con banda y leyenda: *legitime certanti*.

El ejemplar visto es el de signatura R/14922 de la Biblioteca Nacional de Madrid; con *ex libris* del Gabinete de Historia Natural de Madrid, de la Biblioteca de Izquierdo, y de la Biblioteca Nacional (uno de ellos pisado por un sello que dice «Inutilizado»; pergamino, bien conservado. El número de ejemplares que hay en la citada Biblioteca de esta edición es de siete, el descrito y los que tienen las signaturas R/3970, R/3930, R/ 41710, R/5535, R-I/125 y U/10699. El orden de encuadernación de los tomos no siempre es el mismo: en el ej. R/3930, por ejemplo, se cambia el orden en I, III, II; y en el Barberini O.XII.33 de la Biblioteca Vaticana en II, I, III (ej. con el escudo de los Barberini y un sello de 1837). En el British Museum hay otro ejemplar: c. 63 h. 13.

(Palau; Ramírez de Arellano; Salvá; Ticknor; *British Museum General Catalogue;* Gallardo; Simón Díaz.)

2.2. Salamanca-Córdoba, 1586 (C)

LAS OBRAS / DEL MAESTRO FER/NÁN PÉREZ DE OLIVA NATVRAL DE / Cordoua: Rector que fue de la Vniuersidad de Sala-/manca, y Cathedratico de Theologia en ella./ *Con otras cosas que van añadidas, como se dara razon luego / al principio./* Dirigidas Al Illustrissimo Señor el Cardenal de / Toledo don Gaspar de Quiroga. / (Marca del impresor enmarcada en un capelo cardenalicio) / *Con priuilegio./ En Cordoua por Gabriel Ramos Bejarano./ Año. 1586.*

2.2.a. Impresión salmantino-cordobesa

En 4ª. [22], 283 h. Sig. ❧⁴, ❧❧-❧❧❧⁸, ❧❧❧❧², A-Z⁸, Aa-Mm⁸, Nn³. Errores de numeración: 63 por 64, 81 por 86. Letra redonda

[1r] Portada. [2r] «HINC PRINCIPIVM,/HVC /REFER EXITVM./ [Crismón]/A TE PRINCIPIVM, TIBI/ DESINET./DVLCE MIHI NIHIL /ESSE PRECOR, SI NO-/MEN IESV /DVLCE ABSIT, CVM SIT /HOC SINE DVLCE NIHIL» [2r] LO QVE EN /este libro se contiene/ Los titulos de los generales de las Escuelas de Salamanca/ Dialogo en Latin y en Castellano / Vna carta toda en Latin y Castellano / Vn largo discurso sobre la lengua Castellana / El Dialogo de la dignidad del hombre / Vn discurso sobre las potencias del alma / La comedia de Amphitrion / La tragedia de la vengança e Agamenon / La tragedia: Hecvba triste / Razonamiento sobre la nauegacion del rio / Guadalquibir / Razonamiento en vna opposicion / Algunas poesias / *Obras de Ambrosio de Morales / sobrino del Maestro Oliua.* / Quinze discursos sobre diuersas materias / Discurso sobre una devisa para el serenissimo / señor don Iuan de Austria / La tabla de Cebes trasladada de griego en castellano con vna breue declaracion / Vn discurso sobre el temor de la muerte, y el amor a la vida, del Licenciado Pedro de / Valles natural de Cordoua. [3v] Dedicatoria: «AL ILLVSTRISSIMO Y REVE/rendissimo señor el Cardenal Gaspar de /Quiroga Arçobispo de Toledo, Primado de /las Españas, Chanciller mayor de Castilla, Inquisidor general en todos los reynos y se-/ñorios del Rey Nuestro Señor, y de su Conse-/jo de esta-do: Ambrosio de Morales Coronis-/ta del Rey nuestro señor besando humilde-/mẽte sus illustrissimas manos, le offrece las o-/bras del Maestro Oliua su tio...» Morales le agradece le haya dado una vicaría en Puente del Arzobispo [4r] Fin de la dedicatoria: « Por todo esto, assi como yo tuve muy grande la obligación de imprimir estas obras de mi tio

por el deudo, por la criança y doctrina q̄. del tuve, y por aver sido su heredero, y porq̄. no pereciesse la memoria de un hombre tã excellente, assi la tuve tãbien de ofrecerlas a V. S. (...) De Cordoua, y de Março. M.D.L.xxxij». [4v] Privilegio: «Esta concedido priuilegio por el Rey nuestro /señor para este libro por diez años./para que na-/die lo imprima so las penas acostumbradas, co-/mo en la cedula Real cumplidamente se con-/tiene. Fue despachada en el Real Monasterio de San Lorenço del Escurial, a los diez y nueve /dias de Iunio del año de mil y quinientos y /ochenta y quatro. Firmada del Rey /nuestro señor, y referendada /de Antonio de Eraso su /secretario». [5r] «Los Titulos de los Generales de Salamanca» [6r] «Pudiera tãbien poner aqui lo que el Maestro Oliua escriuio en Latin de la piedra yman, en la qual hallo cierto grandes secretos. Mas todo era muy poco, y estaua todo imperfecto...» [6v] «DIALOGVS IN/*TER SI-LICEVM ARITHMETI-/CAM & FAMAN* [9R] «EPISTOLA/SERENISSIMA EXCELENCIA dedicatoria. [9v] «El Maestro Oliua, mi señor, fue el primero que assi tento esta prueua de la lengua Castellana» [10r] «AL LECTOR: Agora despues desto para començar a poner las obras del author, no faltaua sino tratar aqui antes del grãde amor q̄. tuuo a nuestra lẽgua Castellana, con desseo de mucho ennoblecerla y ensalçarla (...) Mas porq̄. de ambas cosas dixe todo lo q̄. conuenia en vn prologo y largo discurso sobre la lẽgua Castellana, que puse treynta y seys años ha al dialogo de la dignidad del hombre, que se imprimio entonces con las obras de Francisco Ceruantes de Salazar: lo boluere a poner aqui, con auerle mudado y añadido algunas cosas necesarias.» [10v] Al lector. V. «Discurso sobre la Lengua/ Castellana / *Ambrosio de Morales sobrino del Maestro /Oliua al lector*». [22v] «Fin del Discurso». 1r «DIÁLOGO DE /LA DIGNIDAD DEL HOMBRE». Texto. [30v] «FIN DEL DIÁLOGO/de la dignidad del hombre» (motivo floral). 31r «Al lector» presentación del «DISCVRSO DE LAS /*potencias del alma, y del buen vso dellas*». Texto. 37r Fin del texto (motivo floral). «Al lector»: presentación del texto siguiente. 38r «MUESTRA DE LA LENGVA CASTE/llana o el nacimiento de Hercules, o Come/dia de Amphitrion hecha por el Maestro /Fernán Pérez de Oliua natural de Cor/doua, tomando el argumento de la /Latina de Plauto»/ «*El Maestro Fernan Perez de Oliua a su sobrino Agustin de Oliua*». 40r Argumento. 41r «Personas de la comedia». Texto. 74v «FINIS /Hispania Plaude» (motivo floral). 75r «L AVENGAN/ÇA DE AGAMENON /Tragedia que hizo el Maestro Hernan Perez /de Oliua natural de Cordoua, cuyo /argumento es de Sophocles / poeta griego». 76r Argumento. 76v Personas. Texto. 100r «FIN» (motivo floral). 100v «HECVBA /TRISTE /Tragedia que escriuió en griego el poeta Eu/ripides, y el Maestro Hernan Perez de /Oliua natural de Cordoua toman/do el argumento, y mudando /muchas cosas, la escrivio en /Castellano». Argumento. 102r Personas. Texto. 129r «FIN». 129v «Al lector» presentación del texto siguiente. 130v «*RAZONAMIENTO /QVE HIZO /EL MAESTRO FERNAN PE/rez de Oliua* en el Ayuntamiento de la ciudad /de Cordoua sobre la nauegacion /del Rio Guadalquiuir». Texto. 139v Acaba el texto. 140r «AL LECTOR» presentación del siguiente texto. 140v «*RAZONAMIENTO /QVE HIZO /EL MAESTRO FERNAN PE/rez de Oliua* natural de Cordoua en Salaman/ca el dia de la licion de Oposicion de la Cathedra de Philosophia Moral». Texto. 150v Acaba el texto. 151r «AL LECTOR» presentación del texto siguiente. 151v Poesías. 157v «Fin de las obras del Maestro Fernan Perez /de Oliua» (motivo floral) 154r «EL DOCTOR AGUSTÍN DE OLIUA SU SOBRINO AÑADIO ESTAS COPLAS» 158r «Ambrosio de Morales al lector» presentación de los textos siguientes, suyos y de Vallés. 158v «QVINZE DIS/CVRSOS DE AMBROSIO /de Morales Coronista del Catolico Rey /nuestro señor Don Philipe Segundo/ deste nombre, sobrino del / Maestro Oliua». Textos. 219v «Fin de los quinze discursos de Ambro-/sio de Morales» (motivo floral). 220r «LA DEVISA /PARA EL SEÑOR DON /Juan de Austria, y el discurso so/bre ella de Ambrosio /de Morales». Texto. 227v Acaba el texto. «Serenissimo señor. /Besa humildemente las manos /de vuestra alteza /Su menor criado y Capellan /Ambrosio de Morales. 228r «DISCVRSO DEL /LICENCIADO PEDRO DE /Valles natural de Cordoua, sobre el temor /de la muerte y el amor y desseo de la /vida, y representacion de la /gloria del cielo». 253r Acaba el texto. 253v «Yo traslade, siendo moço, la Tabla de Cebes de griego en Castellano... 254r «TABLA DE

/CEBES PHILOSOPHO THE-/bano discipulo de Socrates, trasladada del Grie/go en Castellano por Ambrosio de Mora/les natural de Cordoua Coronista del /Catholico Rey nuestro Señor / don Philipe segundo deste nombre». 283r «Fin». 283 v. Colofón: «Acabose de imprimir este li/bro de las obras del Maestro Fernan Perez de /Oliua y lo demas, en la muy noble ciudad de /Cordoua, en casa de Gabriel Ramos Bejarano /impressor de libros. A costa de Francisco Ro/berto mercader de libros. En el mes /de Deziembre del año de / M.D.L.XXXV./ Al lector, Gabriel Ramos /Bejarano. /*Este libro se começo a imprimir en Salamanca, y des/pues fue necessario passarlo a Cordoua, auiendose im/presso alla no mas que hasta el argumento del dialogo /de la dignidad del hombre en quatro pliegos. Todo lo /demas se acabo en Cordoua. Mas porque en Salamanca /no se imprimieron mas de quinientos, se imprimieron /otros mil enteros en Cordoua. Por esto tendran vnos /libros differentes principios de otros, y podriase pensar /que fuessen dos impressiones, y no es sino toda /vna misma, como por lo dicho se /entiende.*»

Son cinco los ejemplares de esta impresión con los que cuenta la B.N. de Madrid: el R/4441, con borrones de impresión en [2-3], encuadernado en pasta y con *ex libris* de la Biblioteca Real; el R/26950, en pasta holandesa, restaurado, con el escudo franquista de España en el timbre de la B.N.; el R/2766, con la portada restaurada, el papel apolillado, encuadernación moderna R/25187; y por último el R/2683, falto de portada y colofón, con índices mss. de las obras de Oliva y Morales y 3 hojas añadidas al final; encuadernado en pergamino y muy bien conservado; con *ex libris* de los jesuitas. Todos llevan la portada de *Obras*.

En la Biblioteca de la Facultad de Filosofía y Letras de Madrid hay otro ejemplar, muy bien conservado, que perteneció a la condesa del Campo de Alange, cedido en 1891; su signatura es 86/P O 453f / -o. He visto también el ejemplar de la Vaticana Barberini KKK.IV.16, con *ex libris* de la biblioteca Barberini y las fechas de 1837 y 1832; y el PQ 6420/P4/1586 de la Brown University, falto de las hs. 17 y 170-175. Hay otros ejemplares en las bibliotecas particulares de los marqueses de Jerez de los Caballeros y de la Fuensanta del Valle; y en la de los herederos del señor Jacobo María Parga y Puga. Fuera de España hay casi tantos como dentro: dos en la Biblioteca Nacional de París (Z/5982 y Z/1813), dos en el British Museum (6. 10222 y 248 g 14), uno en la Cambridge University y otros dos en la Hispanic Society, además de los siete repartidos entre diferentes universidades norteamericanas (la signatura, común, es SC5/P$_4$ 157/5860). Los ejemplares no vistos parecen, por las descripciones, impresos en Salamanca y Córdoba.

2.2. b. Impresión cordobesa

En 4ª. [4], 12, 283 h. Sig. Ç^4, A-C^4, A-Z^8, Aa-Mm^8, Nn^3. Errores de numeración: 60 por 80, 81 por 86. Letra redonda.

[1-4] iguales a las de la edición de Salamanca-Córdoba anteriormente descrita. 1r. Los Títulos 2v. Sobre la piedra imán. 2v presentación del *Dialogus*. 3r «DIALOGVS INTER / SILICEVM ARITHME-/*ticam et Famam*» 4r «El Maestro Oliua, mi señor, fue el primero que assi tento esta prueua de la lengua Castellana...» 4v «Serenissima excelencia: Si de paterno exemplo (o ynclita potencia de Austria) te incitares, de Cesareo animo te armas...»». 5r Presentación del *Discurso sobre la Lengua Castellana* de Morales. 5v (Sin título) «Ambrosio de Morales sobrino del Maestro Oliua al lector» Texto. 12r «Fin» del *Discurso*. «Argumento del Dialogo de la dignidad del hombre». El resto de la edición es idéntica a la anteriormente descrita.

Describo por el ejemplar U/5961 de la Biblioteca Nacional de Madrid, encuadernado en pergamino, no muy bien conservado; con *ex libris* de Usoz y del Colegio Imperial (uno de éstos, recortado). He visto también los ejemplares R/19666 que, falto de preliminares copia a mano la portada, y con *ex libris* del Convento de la Encarnación y de la Librería de la Victoria de Madrid; el R/4477, en pergamino, algo deteriorado por la humedad y con un sello: «Ex libris D. A. Mosti»; el R/2713, en pasta holandesa, bien conservado, con *ex libris* «Biblioteca de los Caros /Valencia» (escudo nobiliario), con tachones en la portada que tapan el año; y R/8139, en pergamino, de encuadernación preciosa, con el papel algo dañado por la humedad, lleva *ex libris*: «Ex Bibl^ca D. Ferdin Josephi á Velasco, In Aula Criminali Sup^mi Castellae Senatus, Fiscalis» (escudo nobiliario).

2. 2. c. Impresión salmantino-cordobesa
    y cordobesa conjuntamente

LAS OBRAS [sic] / DEL MAESTRO FER/NÁN PÉREZ DE OLIVA NATVRAL DE / Cordoua: Rector que fue de la Vniuersidad de Sala-/manca, y Cathedratico de Theologia en ella./ *Con otras cosas que van añadidas, como se dara razon luego / al principio.*/ Dirigidas Al Illustrissimo Señor el Cardenal de / Toledo don Gaspar de Quiroga. / (Marca del impresor enmarcada en un capelo cardenalicio) / *Con priuilegio./ En Cordoua por Gabriel Ramos Bejarano./ Año. 1586.*

En 4ª. [25], 12, 283 h. Sig. ❦⁴,+³, ❦❦-❦❦❦⁸, ❦❦❦❦², A-C⁴, A-Z⁸, Aa-Mm⁸, Nn³. Errores de numeración: 63 por 64, 81 por 86. Letra redonda.

[1r] Portada. [2r] «HINC PRINCIPIVM...»(Crismón), etc. [2v] «LO QVE EN / este libro se contiene» etc. [3r] Dedicatoria. [4r] Privilegio. [5r] Fe de erratas [6v] firmada «En Madrid a tres de Abril de mil y quinientos y ochenta y seys años./ Juan Vazquez /del Marmol». [7r] en blanco [7v] «TASSA»: Yo Pedro Çapata del Marmol Secretario del Consejo /de su magestad, doy fee que aviendo se visto por los /señores del Consejo, un libro intitulado las obras del Maestro Hernan Perez de Oliua, con otras añadidas por / el Maestro Ambrosio de Morales, Coronista e su Magestad,/ que con Priuilegio suyo se imprimió, tassaron el precio porq̄/ se a de vender a tres maravedis cada pliego, y mandaron que /esta tassa se ponga al principio de cada libro, y no se venda sin /ella. Y para que dello conste de mandamiento de los dichos /señores, y a pedimiento del dicho Maestro Ambrosio de Mo/rales di la presente firmada de mi nombre. Ques fecha en /la villa de Madrid a dos de Agosto, de mil y quinientos y ochenta y seys años,/ Pedro Çapata de Marmol». [8r]=[5r] de la impresión de

Córdoba-Salamanca arriba descrita, y así en lo sucesivo hasta el final.

Describo el ejemplar R/7747 de la B. N. de Madrid, excepcional puesto que contiene la impresión salmantina y la cordobesa juntas e íntegras, y consta de fe de erratas y tasa en 3 h. sueltas con sig. +; lleva *ex libris:* «Librería del Exmo. S. D. Agustín Duran» y un sello que reza: «Adquirida por el Gobierno en 1863», y en la cubierta tiene pegada una etiqueta que dice: «Comedias»; está encuadernado en pasta holandesa.

Hay otro ejemplar con ambas partes, el R/25187, pero éste tiene la portada corregida en *OBRAS*, y no lleva fe de erratas ni tasa; sin *ex libris*, está encuadernado en pergamino.

(Adams; Nicolás Antonio; Brunet; Graesse; Palau; Penny; Salvá; Simón Díaz; Ramírez de Arellano; Valdenebro; Vindel, *Bibliothèque Nationale. Catalogue Géneral des livres imprimés; The National Union Catalogue; The Hispanic Society of America; British Museum. General Catalogue;* Rodríguez Moñino.)

3. *Traducciones*

3.1.a. Venecia, 1563, *(V)*

DIALOGO / DELLA DEGNITÀ / DELL'HVOMO:/ Nelquale si ragiona delle grandezze & marauiglie, che nell'huomo sono: & per il / contrario delle sue miserie e trauagli./ Composto perche l'huomo riconosca i do-/ ni & beneficij, che da Iddio riceue: per-/ che si rimoua da' suoi peccati & uitij: & / per dotrinar & ammaestrar la sua uita./ DAL S. ALFONSO VLLOA./ Con Priuilegio di Sua Santità, del Re Catolico,/ della Illustrissima Signoria de Venetia,/ & di altri Principi./ [Grabado: La Fortuna con figura de mujer encadenada a un astrolabio y una balanza con banda: *SVPERANDA OMNIS FORTUNA*]./ IN VENETIA,/ Appresso Nicolò Bevilacqua. MDLXIII.

En 12ª. [8], 140 h. Sig. A-R^8, S^4. Letra redonda.

[1r] Portada [2r] Dedicatoria «ALL'ILLVSTRISS./ ET ECCELLENTISS./ SIGNOR CESARE/ *GONZAGA*/ PRINCIPE DI /Molfetta, &c./ ALFONSO VLLOA./ Se vogliamo credere a Plutarco Illus-

triss. Eccellentissimo Principe, nel libro che egli intitolò Institutione del Principe à Traiano Imperatore, non è altra cosa la Repub. che un corpo composto di molte membra, le cui diverse operationi, & mini-/ [2v] steri hanno per obietto & ultimo fine il buon governo, la conservatione, & il giovamento del corpo, che come membri costituiscono (...) cosi nel [3r] corpo della Republica gli huomini suoi membri sono obligati à procacciare, ogni uno secondo il suo grado, questo buon governo & utilità comune. Et secondo la ragione politica, colui sarà membro piu grato, & per conseguente sarà degno di maggior premio nella Republica, il quale nelle sue cose più importanti, di maggior momento, & più utili, impiegherà il suo Talento, & la sua industria. Considerando adunque io, che come ad uno de' membri della Republica, mi comprende (così come à tutti gli altri huomini del mondo) [3v] questo obligo, mi parve che in parte il sodisfaceva affaticandomi, come sempre ho fatto, in dare alla mià Natione in lingua volgare alcuni libri, che ella non haveva, & in correggerne, et riformarne altri, che per avaritia degli impressori, & per la poca cura degli huomini litterati, corrotti & pieni di errori si ritrovavano (...) così spirituali, come di filosofia, & d'hi-/ [4r] storie. Il che se mi costa fatica & sudore voglio, che sia giudicato dagli intendenti, (dico da quegli che per esperienza sanno con quanta difficultà si scrive.) (...) dedicai le mie Historie de' fatti di Portoghesi in Oriente (...) [4v] dedicai il terzo libro delle lettere di Monsig. D. Antonio di Guevara tradotto da me, composi la Vita dell'invittiss. & sempre vivo Imperatore Carlo Quinto, mio Signore, con le historie del mondo al suo tempo occorse: & ultimamente ho ridotto in questa lingua il presente Dialogo della Degnità, & eccellenza dell'huomo, & delle sue miserie, & travagli. La qual opera dovendo io mandare in luce, mi è paruto farlo sotto il chiariss. nome di V. Eccellentissima Signoria accioche di essa, & di me ancora ne sia [5r] protettore, come gia fece la benedetta memoria del Sig. Don Fernando suo padre, hauendoli io dedicato il Duello del Mutio da me tradotto in lingua Spagnuola.(...) Poi che oltre al suo gran sapere, con animo corrispondente alla sua liberalità grandissima & con allegro

DIALOGO
DELLA DEGNITA
DELL'HVOMO:

Nelquale ſi ragiona delle grandezze & marauiglie , che nell'huomo ſono : & per il
contrario delle ſue miſerie e trauagli.
Compoſto perche l'huomo riconoſca i do-
ni & beneficij,che da Iddio riceue : perche ſi rimoua da' ſuoi peccati & uitij : &
per dotrinar & ammaeſtrar la ſua uita.

DAL S. ALFONSO VLLOA.

Con Priuilegio di ſua Santità , del Re Catolico ,
della Illuſtriſſima Signoria di Venetia ,
& di altri Principi .

IN VENETIA,

. Appreſſo Nicolò Beuilacqua.   M D LXIII.

Portada de la edición italiana del *Diálogo de la dignidad del hombre*,
Venecia, 1563.

volto honora, & raccoglie tutti [5v] quegli che sotto la sua insegna si raccogliono, di ch'io ne son testimonio, che non è molto tempo fuggendo io la malvagita di alcuni scelerati, che per tormi la vita mi perseguitavano, V.E. benignamente e valerosamente mi raccolse e difese (...) [8r] Si che non è da maravigliarsi se, D. Alvaro di Sande mio Sig. soldato e fattura del S. suo padre, et io, che siamo nati nelle ultime parti del Ponente le siamo cosi devoti. Ma percioche mi conosco essere scorso troppo inanzi, torno di nuovo a supplicar a V.E. raccoglia benignamente e secondo il suo costume questa mia opera conservandomi nella sua buona gratia: percioche oltre [8v] che mi farà favore grandissimo (...) farà cosa degna dell'animo suo cortese, Magnanimo & Liberalissimo. In Venetia il XX giorno d'Aprile. Del MDLXIII». 1r «DIALOGO/ DELLA DEGNITÀ/ DELL'HVOMO/ DEL S. ALFONSO VLLOA./ AVRELIO, ANTONIO,/ DINARCO,/ *Interlocutori*.». Texto. 38v. Acaba el texto de Pérez de Oliva y empieza el de Cervantes de Salazar señalándolo con las mayúsculas: «BENCHE la fama sia ancora di tanto prezzo...». [140v] «IL FINE».

El ejemplar descrito es el Guicc.12.3.l de la Biblioteca Nacional de Florencia; encuadernado en vitela y algo apolillado. He manejado también el R/17700 de la Biblioteca Nacional de Madrid (lleva su *ex libris),* falto de la primera hoja y con numerosas anotaciones manuscritas en las de guarda. Forma volumen con *Le malitie Bettine,* del Mutio Ivstinopolitano, Pesaro, Bartolomeo Cesano, 1565; y con los tres tomos de *La Morale Filosofía (La vita di Epitteto Stoico, Il Trattato di Aristotele) et il Trattato di Plutarco,* Opere nuovamente di Greco ridotte in volgare da M. Giulio Ballino, Venecia, Andrea Valvassori, 1565. He visto además los ejemplares Orsini Baroni a.944/2 de la Biblioteca Universitaria de Pisa, y el M [41825 (1) de la Mazarina de París. Hay un ejemplar en Cambridge, II, núm. 38.

(Adams, Cambridge, Nicolás Antonio, Palau.)

3.1.b. Venecia, 1564

DIALOGO / DELLA DEGNITÀ / DELL HVOMO:/ Nel quale si ragiona delle grandezze & marauiglie, che nell'huomo sono:

& per il / contrario delle sue miserie e trauagli./ Composto perche l'huomo riconosca i do-/ ni & beneficij, che da Iddio riceue: per-/ che si rimoua da'suoi peccati & uitij: & / per dottrinar & ammaestrar la sua vita./ DAL S. ALFONSO VLLOA./ E da lui medesimo in questa seconda im-/pressione corret-to & illustrato, & / aggiunta la seconda parte./ *Con Priuilegio di Sua Santità, del Re Catolico, della /Illustrissima Signoria de Venetia, & di / altri Principi, per anni XV* [Marca del impresor con lema «Et animo et corpori»]. / *IN VENETIA,/* APPRESSO FRANCESCO RAMPAZETTO / A ISTANTIA DI GIO. BAT/TISTA, ET MAR-CHIO / SESSA FRATELLI. [s.a.]

En[8]. [8], 151 h. Sig. *[8], A-S[8], T[7]. Letra cursiva.

[1r] Portada. [2r] ALL'ILLVSTRISSIMO/ SIGNORE; IL SIGNOR/ SCIPIONE GONZAGA./ ALFONSO VLLOA./ «Narra Aulo Gellio (Illvstrissimo Signore) nel libro Duodecimo delle sue Notti Attiche, che vn certo Poeta, il nome del quale non dichiara, disse, la verità esser figliuola del tempo (...) [3r] et perciò es-sendo io hvomo, come gli altri & non già migliore de' miei vicini, conoscendo che nella compositione che gia feci del presente Dialogo della Degnitá dell'hvomo, ui erano alcune cose, che ricercauano censura, & lima, mi è paruto hora di preuenire à quelli, che mi hauerebbono possuto corregere, [3v] correggendomi io da me stesso: & cosi leggendo, & riuedendo l'opera corressi molte cose, aggiungendovi alcu-ne, & leuando altre, secondo che mi parue...» Después de alabar a los difuntos Ferrante y Cesare Gonzaga (muerto éste en San Quintín), firma la dedicatoria «In Venetia il pri-mo di Luglio MDLXIIII», [5r] «AI LETTORI. Auendo io ue-duto, che questa mia opera della Degnità dell'hvomo, che l'anno passato mandai in luce, ui è stata cosi grata, amici, lettori, che in breve tempo ha hauuto buona speditione, e che l'auete raccolta benignamente come hauete fatto le al-tre [sic] che per il passato ui ho presentato, di che ui ringra-tio quanto posso, che cio procede dalla bontà del nobilissi-mo animo vostro, e non dal merito di esse, mi è paruto hora in questa seconda impressione aggiungerui la seconda parte. Nella qualle oltre, che si ragiona della filosofia mora-

le, e de' costumi de gli hvomini, e come si debbono regolare la passioni humane, ho breuemente raccolto l'Ettica, la Politica, e la Ecconomica. Godetila adunque uolontieri, & aspettate in breue lo [5v] Specchio del Principe Christiano del Monzone, che già ui promissi, e le lettere di Monsignor Gueuara di nuouo tradotte, & illustrate da me, col Quarto libro pur dame tradotto, le quali hora si stampano. Certificandoui che poi che ueggio che le cose mie ui sono di tanta sodisfattione e ui piaciono, mentre che Dio mi dara uita, e la sua gratia non resterò di affaticarmi per amor uostro, e di darui tutti quei libri che potrò, e nella mia lingua si trouano, come fin hora ho fatto. Stati sani & amatimi». [6r] «TAVOLA E SOMMARIO/ DELLE COSE PIV/ NOTABILI,/ CHE NELLA PRESENTE/ *opera si contengono*»./ [7r] «FINE DELLA TAVOLA». [7v] En blanco. [8r] «ARGOMENTO. Andando à spasso Antonio ad vn certo luogo della campagna doue altre volte soleua anfare, il segue Aurelio suo amico (...) [8v] Finalmente conchiudendo essere l'hvomo il più nobile, & il migliore di tutte le cose create ragionando in altre cose se ne vanno a cena alla città, mettendo fine alla prima parte. Ma il dì seguente reducendosi nello stesso luogo Aurelio & Antonio, regionano della filosofia morale, e de' costumi de gli hvomini, e come si debbono moderare le passione humane. Raccogliendo breuemente la Ettica, Politica, la Ecconomica. Et in somma è opera molto dotta, & che contiene molte cose piene di ammiratione, & degne di essere lette & intese da ogno chiaro e bell'intelletto» [1r] «DIALOGO/ DELLA DEGNITÀ/ DELL HVOMO./ *DEL S. ALFONSO VLLOA./ SONO INTERLOCVTORI,/* AVRELIO, ANTONIO,/ DINARCO./ Non ti marauigliar, Antonio...» [25r] Acaba el texto de Pérez de Oliva y empieza el de Cervantes de Salazar con la única indicación tipográfica de las mayúsculas en cuerpo menor: «BENCHE la fama sia ancora...». [92v] «IL FINE DELLA PRIMA/ PARTE».

[93r] (cenefa vegetal) «PARTE SEGVNDA DEL/ DIALOGO,/ *DEL S. ALFONSO VLLOA./ Laqual tratta della Filosofia Morale, &* de' *costu-/mi de gli hvomini, & come si debbono/ moderare le passioni humane./* Et oltre a ciò raccoglie breuemente la Et-/ tica, la Politica, & la Economica./ ORA DI NVOVO AGGIUNTA./ *INTERLOCVTORI,/ AVRELIO, ET ANTONIO.* Ancora che nel nostro ra-

gionamento di hieri abbiamo lungamente discorso d'intorno alla dignità & eccellenza dell'homo (...) [151v] AVR. Veramente Antonio io resto sodisfattissimo (...) ANT. A me è molto grato il conoscere che tu sii rimasto con soddisfattione.» Colofón: «*IN VENETIA,/ Appresso Francesco Rampazzetto,/* MDLXIIII.

El ejemplar descrito es el Vat. Racc. Gen. Class. Ital. V.425 de la Biblioteca Vaticana. La Biblioteca Nacional de Paris cuenta con un ejemplar, el Rés. R 2026, que lleva *ex libris* de Enrique IV.; en la Biblioteca de Toda en Escornalbou hay otro.

(Cerdá y Rico; Palau; Graesse; *Catalogue Géneral).*

3.1.c. Venecia, 1642

IL PICCIOL / MICROCOSMO./ Ouero / LA DEGNITÀ/ Dell'Huomo./ DI ALFONSO VLLOA./ Doue con le risolutioni di dubij curiosis/simi s'insegna breuemente à impos/sessarse dell'Etica, Economica,/ è Politica./ ALL'ILLVSTRE SIGNOR / Giuseppe Picchi./ [Grabado: una torre sostenida por dos leones rampantes]/ IN VENETIA, MDCXLII./ Per Li Turrini./ Con Licenza de' Superiori.

En 12ª. [6], 151 h. Cursiva.

[1r] Portada. [2r] Dedicatoria: «Illustre Signor mio. Ho pur incontrato occasione di soddisfare al mio desiderio (...) Questo libro composto dal Signor Alfonso Ulloa Spagnol scrittor celebre è apunto un di quelli cha da lei hò più volte sentiti comendare. Troverà quivi un raccolto delle più efficacissime raggioni circa la filosofia morale, è intorno la varietà dei costumi de gl'huomini, con il modo d'impossessarsi di quelle tre virtù tanto importanti cioè l'Ettica, la Politica, e la Ecconomica base, e fondamenti sopra cui si sostiene questa Machina Mondiale (...) non volsi fidarmi di Romanzi ò simili compositioni, che hanno il semplice apoggio di favole è per fine la sola diletazione (...) Gio. Maria Turrini. [3r] «Argomento». [5v] «Tavola o sommario delle cose più notabili, che nella presente opera si contengono. 1r «DIALOGO DELLA DEGNITÀ DELL'HUOMO». Texto. 151r «IL FINE».

87

Ejemplar 28217 de la Biblioteca Mazarina de París; pergamino, con *ex libris* en el colofón, polvoriento. Palau describe un ejemplar de la Biblioteca de Cataluña.

3.2. París, 1583 *(P)*

DIALOGVE / DES GRACES / ET EXCELLENCES DE / L'HOMME, ET DE SES / MISERES, ET / DISGRACES;/ *Diuinement representées en langue Italienne,/ par le Seigneur Alphonse Vlloa:/* Et declarées à la FRANCE, par HIEROSME / D'AVOST, DE LAVAL./ A LA SERENISSIME / ROINE DE NAVARRE./ CON BUENA GUYA CAMINO./ A PARIS,/ Chez Robert COLOMBEL à l'Alde,/ rüe S. Iean de Latran:/ 1583./——/ *Avec Priuilege du Roy.*

En 12ª. [7], 157, [3] h. a⁷, A-V⁸. Letra redonda.

[1r] Portada. [1v] Privilegio: a Pierre Chevillot, «marchant et Imprimeur à Paris (...) Données à Paris le 29. jour de Decembre 1582. Signé De Champin». [2r] Epístola «A la Roine de Navarre: Vraiment je ne sçai en quelle sorte je pourroi exprimer l'heur & felicité de ceux qui pour le jour d'hui donnent leurs labeurs au public: veuque les Rois daignent non seulment abbaisser la majesté de leur front pour voir ce qui leur est dedié & presenté, mais aussi estendent la main, selon leur naturelle gratieuseté & courtoisie (vertu la plus insigne qui puisse estre en un Prince) pour le prendre & recevoir. Cette singuliere grace facilite & rend accessible le difficile chemin pour parvenir devant les [2v] plus grans Monarques: & est cause qu'un chacun s'efforce, selon son estat & condition, de s'acquiter tant du service & Hommage qu'il doit à son souverain Seigneur, que de lui declarer le zele & affection qu'il lui porte. La verité mesme pourra tesmoigner, MADAME, combien de fois j'ai mis la main à la plume pour vous consacrer cette mienne Version DES GRACES, ET EXCELLENCES DE L'HOMME, & combien de fois je l'ai retirée, non sans lui user souvent de cette amiable remonstrance & advertissement,/ 'Ma plume, arreste toi, ne sois si volage,/ Le prisionnier Cretois te devroit faire sage.»/ Car estant en cette extremité d'executer, ou non ma loüable &

DIALOGVE
DES GRACES
ET EXCELLENCES DE
L'HOMME, ET DE SES
MISERES ET
DISGRACES,

*Diuinement representées en langue Italienne,
par le Seigneur Alphonse Vlloa :*

Et declarées à la FRANCE, par HIEROSME
D'AVOST, DE LAVAL.

A LA SERENISSIME
ROINE DE NAVARRE.

CON BVENA GVIA CAMINO.

A PARIS,

Chez Robert COLOMBEL à l'Alde,
ruë S. Iean de Latran:
1583.

Auec Priuilege du Roy.

Portada de la edición francesa del *Diálogo de la dignidad del hombre*,
París, 1583.

honneste volonté: d'un costé la seule imagination de vostre Maiesté m'intimidoit & repoussoit, & d'autre part vostre benignité & accou-[3r]stumée clemence se representoit à toute heure devant mes yeux, qui me persuadoit d'effectuer mon dessein & entreprise: telement que cela sans plus, m'a conduit avec toute humilité & observance aux pieds de vostre Majesté. Voiez donc, MADAME, quel pouvoir a la douceur & courtoisie és Princes, puis qu'elle contraint, voire & force les hommes à faire ce qu'ils n'osent, & presque ne peuvent. (...)[3v] Je couperai desormais le fil de mes paroles, sçachant bien que les oreilles des Princes sont totalement ennemies de la longeur & prolixité. Donques la fin de mon Epistre sera l'humble sacrifice de l'oraison, que je presente à nostre Seigneur. (...) De Paris, ce 28 Janvier. 1583. Vostre serviteur tres humble HIEROSME D'AVOST». [4r] Dedicatoria «Ad Sereniss. Reginam Navarrae Margaretam Franciae: 'Quàm foret humanae felix natura figurae,/ Quàm foret infoelix, iste vel ille docet. (...)' Io. Auratus, Poëta Regius». [4v] «AD HIERONYMUM D'AVOST, FIDELISS. DIALOGI DE humana foelicitate ac infoelicitate, tralatorem [sic]. 'Quantus Homo, diaque foret pars quantula Mentis / Dixerat hic Italo fusus ab ore liber (...) Ianus Edoardus Du Monin». [5r] «AU MESME INTERPRETE, SONET. 'Mon D'Auost, si jadis un accort Promethée (...). [5v] «Advertissement au Lecteur: Je sçai que tu n'ignores point (...). Ainsi tu doits considerer qu'il est difficile, que l'impression puisse estre du premier coup parfaite en ses trois principales parties, qui sont la correction, composition, & justification: ce qui est advenu en ce present DIALOGUE (...); toutesfois à mon tres grand regret, pour n'avoir peu vacquer à la correction d'icelui. (...) Quant à l'omission & imposition de quelques mots notables, tu auras recours à la correction qu'on en fait à la fin de ce livre, isques à la seconde edition, si on void qu'il soit de toi receu. A Dieu.». [5r] «ARGUMENT DU DIALOGUE. Anthoine ayant accoustumé, apres avoir vacqué à l'estude, de s'aller recréer en certain lieu champestre, est suivi d'un sien ami, appellé Aurele, lequel lui demande familierement la cause pourquoi il hantoit là si souvent: auquel Anthoine fait response, que c'est à cause d'une Dame, l'amour de laquelle captive télement sa volonté, qu'il ne pourroit vivre sans elle. Aurele esmerveillé de cela, comme celui qui ne se pouvoit persuader qu'aucune vanité eust lieu en Anthoine, le prie affectueusement de lui dire le nom de cette Dame, si d'aventure la jalousie ne lui commandoit tant, qu'il le voulust celer. Estant veincu par ces gratieuses & honnestes prieres, il lui dit qu'elle a nom Solitude: ce qui occasionne que tous deux parlent & traitent de la solitude. Et discourans des raisons pourquoi elle est tant aimée de tous, & principalement des doctes, Aurele dit entre autres, que les miseres & travaux que les hommes souffrent & endurent, les rendent tant ennemis d'eux mesmes, qu'il n'y a rien qui leur soit plus aggreable que la solitude. Cette raison prise en mauvaise part par Anthoine, pource qu'il n'y a creature plus excellente que l'homme, ni qui doive avoir plus grande occasion de se contenter d'stre né, lui dit qu'il lui prouvera le contraire: & ainsi deliberez de disputer des miseres, & biens de l'homme, ils s'en vont, pour leur plus grande commodité vers une fonteine, aupres de laquelle ils trouvent un docte & venerable vieillart, nommé Dinarque, accompagné d'autres hommes pareillement sçavans & studieux, lequel entendant leur different, & en estant éleu juge & arbitre, commande à Aurele, qu'à l'imitation des anciens Orateurs, il mette premier en avant ce qu'il veut dire, & qu'Anthoine lui responde apres, leur promettant d'accorder leur dispute par une juste & equitable sentence: de quoi il se repent apres les avoir oüiz tous deux, de sorte que pour ne dire apertement son advis, il traite de la mesme matiere en nouveaux termes, & dont les autres n'ont point usé. Finalement concluans que l'homme est la plus noble & excellent creature de toutes les autres, & voians qu'il s'anüitoit, ils s'en retournent à la ville, mettans fin à cet oeuvre, qui certes est de grande doctrine, & plein de plusieurs choses d'admiration.» [6v] «A SA MAIESTE. SONET. Tant que mon ame au corps sera unie (...) D'Avost». 1r «DIALOGVE/, DES GRACES ET EXCEL-/LENCES DE L'HOMME:/ ENSEMBLE SES DISGRACES/ ET MISERES./ ENTREPARLEVRS./ AVRELE, ANTHOINE,/ ET DINARQVE.». Texto. 36v Acaba el texto de Pérez de Oliva y empieza el de Cervantes de Salazar (pero sus nombres no figuran en ningún caso) sin indica-

ción tipográfica al respecto: «Venons maintenant à la reno-
mée... 133r «FIN./ SUSTINUIT, ET AESTINUIT». 157v «Table des
matieres» [3v] Fe de erratas: «Fautes».

Ejemplar 28016 de la Biblioteca Mazarina de París, con
sus *ex libris* y signaturas y en la contracubierta una firma de
P. Démarcq...; pergamino.

4. *Ediciones antiguas*

4.1. Madrid, Sancha, 1772

OBRAS / QUE FRANCISCO CERVANTES / DE SALAZAR / HA HE-
CHO GLOSSADO Y TRADUCIDO / DIALOGO /DE LA DIGNIDAD DEL
HOMBRE / POR EL M. OLIVA Y POR CERVANTES / APOLOGO DE LA
OCIOSIDAD Y EL TRABAJO / INTITULADO LABRICIO PORTVUNDO /
POR LUIS MEXIA, / GLOSSADO POR F. CERVANTES. / INTRODUC-
CION Y CAMINO PARA LA SABIDVRIA / COMPUESTA EN LATIN,
COMO VA AHORA, / POR JUAN LUIS VIVES, / VUELTA EN CASTELLA-
NO CON MVCHAS ADICIONES / POR EL MISMO CERVANTES / CON
LICENCIA DEL CONSEJO / EN MADRID POR DON ANTONIO DE SAN-
CHA / M.DCC. LXXII.

En 4ª. Tres tomos en un volumen.

Tomo I: [18], 24, 29, [4], 171 págs.

[1] Portada. [3] Dedicatoria. [18] Índice de lo contenido
en este volumen. 1 Advertencias sobre esta nueva impresión. 1 *Discurso sobre la Lengua Castellana* de Ambrosio de
Morales. 29 Índice de erratas. [1] Portada. [3] Argumento
del *Diálogo*. 1 *Diálogo de la dignidad del hombre*. 44 Empieza
el añadido de Cervantes de Salazar. 171 Colofón: «Lavs
Deo».

Tomo II: 24, 118 págs.

II.: 1 Portada. 3 Dedicatoria. 8 Prólogo. 21 Argumento y
moralidad de la obra. 1 *Apólogo de la ociosidad y el trabajo*.
118 Colofón: «Fin».

Tomo III: [6], 175 págs.

III.: [1] Portada. [3] Dedicatoria. 1 *Introducción y camino
para la sabiduría*. 107 Colofón: «Laus Deo». 109 Portada del
texto latino de Vives. 175 Colofón.

Ejemplar R/30808 de la Biblioteca Nacional de Madrid, encuadernado en pasta holandesa; con *ex libris* de la Biblioteca de Don José María Asensio y Toledo.

En esta misma Biblioteca existen los ejemplares con signatura U/5506, 2/5065, 3/11724, 3/39064, 3/71039, 3/51408, 3/68424 y 2/70756. En la Biblioteca de la Facultad de Filosofía y Letras de Madrid, hay dos ejemplares, con signatura 86/ C 32 f/-9 y 86/CSa 33 2/-82. El Consejo Superior de Investigaciones Científicas cuenta con otro ejemplar, el L.E./1876. También la Real Academia de la Lengua Española tiene en sus fondos el SCons 27-A-4. Otro hay en la Biblioteca del Instituto Iberoamericano, el 86-96 (46)/Cer. y uno en el British Museum: 98. 1. 1.

(Palau; Ramírez de Arellano; *British Museum General Catalogue.*)

4.2. Madrid, Benito Cano, 1787

LAS OBRAS / DEL MAESTRO FERNÁN PÉREZ DE OLIVA / NATURAL DE CÓRDOVA / Rector que fué de la Universidad de Salamanca, y / Catedrático de Teología en ella; y juntamente quin-/ce discursos sobre diversas materias, compuestos / por su sobrino el célebre Ambrosio de Morales, / Cronista del Católico Rey D. Felipe II; La Devisa / que hizo para el Señor D. Juan de Austria, la Ta-/ bla de Cebes que trasladó de Griego en Castellano,/ con el argumento y declaración que hizo della;/ y un Discurso del Lic. Pedro de Valles sobre el / temor de la muerte, y deseos de la vida, y repre-/sentación de la gloria del cielo./ Dirigidas al Ilustrísimo Señor el Cardenal de To/ledo D. Gaspar de Quiroga. / DALAS A LUZ EN ESTA SEGUNDA EDICIÓN / D.A.V.C. / TOMO PRIMERO Y CON LICENCIA DEL CONSEJO / *En Madrid: En la Imprenta de* BENITO CANO / AÑO DE MDCCLXXXVII / Se hallará en las librerías de D. Antonio del / Castillo, frente a S. Felipe el Real, calle de las Carretas / frente del Correo.

I: En 8ª. Dos volúmenes[12], 48, 306 págs.

[1] Portada. [3] Prólogo del editor. [9] Crismón. [10] Dedicatoria. 1 *Los Títulos.* 7 *Dialogus inter Siliceum...* 16 *Discur-*

so sobre la Lengua Castellana de Ambrosio de Morales. 1 *Diálogo de la dignidad del hombre*. 71 Colofón. 72 *Discurso de las potencias del alma*. 87 *Nacimiento de Hércules*. 173 «Finis». 174 *La venganza de Agamenón*. 234 «Finis». 235 *Hécuba triste* 306 «Fin del volumen primero» [1] Índice. [2] Fe de erratas.
II: [10], 386 págs.

[1] Portada. [2] Ambrosio de Morales al lector. 1 *Razonamiento de la navegación del Guadalquivir*. 26 *Razonamiento para una oposición*. 53 *Poesías*. 64 «Fin de las obras del Maestro Oliva». 66 *Quince discursos* de Ambrosio de Morales. 224 *La Devisa para el S. D. Juan de Austria*. 245 *La Tabla de Cebes*. 332 *Discurso* de Pedro de Vallés. 383 Colofón: «FIN».

Los ejemplares 86/ P 0 453f/-08 para el primer volumen, y 86/ P 0 453f/-9 para el segundo, conservados en la Biblioteca de la Facultad de Filosofía y Letras de Madrid, son por los que doy la presente descripción. Estos ejemplares no forman pareja, porque sus respectivas han desaparecido de los fondos. En la Biblioteca Nacional de Madrid hay cuatro parejas de ejemplares, que tienen las siguientes signaturas: 2/18242-3, 2/4635-6, U/4196-7 y 2/36948-9. También se encuentran en la Real Academia de la Lengua, con la signatura 9 VIII-35 y 36. Pueden encontrarse, asimismo, en la Biblioteca de la Sociedad Económica de Málaga, en la Hispanic Society, y en el British Museum (12230 a.22).

(Palau; Ramírez de Arellano; *The Hispanic Society; British Museum.*)

II. Criterios de edición

Debido a la parcialidad y a la disparidad ortográfica de los testimonios: un autógrafo del primer tercio del XVI *(E)*, un impreso toledano de 1546 *(A)*, y otro cordobés de 1586 *(C)*[6], para la edición de los textos he creído conveniente adoptar un criterio gráfico que, ateniéndose lo más fielmente posi-

---

[6] Para la elaboración de los textos he manejado el códice &.II.15. del Escorial *(E)*, y los ejemplares R/14922 *(A)*, y R/7747 *(C)* de la B.N. de Madrid. Me he servido también de sus ejemplares R/30808 para la ed. de Sancha (1772); 2/18242 para la de Cano (1787); Guicc.12.3.1 de la B.N. de Florencia para la ed. italiana de 1563; Vat.Racc.Gen.Class.Ital.V.425 de la

ble a la fonética reflejada por la escritura de Pérez de Oliva[7], neutralice contradicciones insalvables[8] y facilite su comprensión. En caso de divergencia entre el autógrafo y los impresos, elijo la solución ofrecida por aquél. El criterio seguido es el siguiente:

Regularizo lo que atañe a puntuación, uso de mayúsculas y minúsculas, acentuación, resolución de abreviaturas y de la tilde de nasalización sin señalarlo[9]; llevo a cabo la separación o unión de palabras según el uso actual, distinguiendo por tanto entre *tan bien / también, sino / si no, porque / porqué / por que / por qué*[10].

Vaticana para la ed. italiana de 1564; 28217 de la Biblioteca Mazarina de París para la ed. italiana de 1642; y 28016 de la misma biblioteca para la edición francesa de 1583.

[7] Parto del principio del «scrivere sicut loqui» aprendido por Nebrija en Quintiliano y retomado por Valdés. Morales lo propugna explícitamente: «Que se refuerce más la regla que se haya de escribir conforme a lo que se pronuncia, y de esta regla se hagan las menos excepciones que se pueda, pues es cosa clara que la escritura es representación de lo que se habla.» «Apuntamientos de Morales para su contestación a la carta de Fco. de Figueroa». (*Memoria de la R.A.E,.* VIII, 1902: 293-4). Mantengo por tanto las grafías correspondientes a la pronunciación antigua esperando que la pena —poca— que pueda dar a un lector moderno sirva para mantener la «melodía y dulçura propias con que suenan las palabras mezcladas blandamente sin aspereza» de que habla Morales (*Discurso sobre la lengua castellana*, ed. V. Scorpioni, *Studi Ispanici*, 1977:183).

[8] Las soluciones gráficas de los tres testimonios no siempre pueden concordar debido no sólo a la distancia temporal (y no se olvide que estamos en pleno proceso de transformación fonética), sino también a la espacial: habla andaluza *versus* habla toledana (y aun la salmantina, en los pliegos allí impresos, que difiere ulteriormente). La pertinencia de la distinción geográfica la ilustraba ya Valdés al hablar de Nebrija: «al fin no se puede negar que era andaluz, y no castellano» (*Diálogo de la lengua*, ed. J. M. Lope Blanch, Madrid, Castalia, 1969:46); de Nebrija he utilizado las *Reglas de orthographía en la lengua castellana*, ed. A. Quilis, Bogotá, Inst. Caro y Cuervo, 1977, y el *Vocabulario de romance en latín*, ed. G. J. Macdonald, Madrid, Castalia, 1981.

[9] Pérez de Oliva es muy parco con los signos de puntuación y con los acentos (escribe *ánima* excepcionalmente), y no usa mayúsculas; abrevia a menudo, uso en el que es secundado por *A* pero no así por *C*; pone a veces la tilde de nasalización en *cõmo*, lo que no reflejo en la transcripción.

[10] No deshago las contracciones de de+artículo, demostrativo o pronombre personal: *del, della, desto, desta, deste, dél* por ser fenómeno más que gráfico sancionado, además, por Juan de Valdés.

Distingo entre las grafías *u/v; i/j/y* según su valor vocálico, consonántico o semiconsonántico: *vuiese > uviese; ymagen > imagen, iunto > junto, cuio > cuyo, oi > oí / oy (hoy), ai > ay (hay) / aí (ahí)*[11].

Elimino las grafías latinizantes *qu>cu: qual > cual, questiones > cuestiones, liquores > licuores, persequuciones > persecuciones; ph>f: triumpho > triunfo, philosophia > filosofía; th>t: theatro > teatro, theologia > teología; ch>c,q: charidad > caridad, christianamente > cristianamente, architectura > arquitectura, Secha > Seca; ti>ci: potentia > potencia, negligentia > negligencia, oration > oración; ct>cc: aflictiones > aflicciones*.

Reduzco las consonantes dobles en los siguientes casos: *ll>l: collegio > colegio; rr>r: honrra > honra; ff>f: affligidos > afligidos, offrecen > ofrecen; cc>c: succeden > suceden; tt>t: attentos > atentos; pp>p: opponer > oponer; cc>c: peccados > pecados*[12].

Conforme al uso habitual en *E*, regularizo así las grafías de los siguientes grupos consonánticos latinos con alternancia entre solución culta y vulgar: *-gn-: ignorancia / inorantia > ignorancia; -ct-: victoria / vitoria > victoria; -bd-: dubda / duda > dubda, cibdad / ciudad > cibdad*[13].

De acuerdo también con *E*, uso regularmente la grafía *-sc-* en los verbos con sufijo incoativo *-sco: apascentar, conoscer, nascer, etc.*, y así mismo en *rescebir*[14].

Dado que *E* no usa jamás la grafía *–ss--*, elimino la corre-

---

[11] *E* prefiere la grafía *i: maior, caiese, leies, vaia, huie, desmaio; rei, soi, mui, oi, ai*, aunque escribe también *ayuda, yendo, leyes, oyamos* y *muy*.

[12] *C* presenta la característica de duplicar consonantes (uso italianizante según Figueroa en *Apuntamientos*: 286-7), cosa que *E* hace sólo en el caso aislado de *attentos*.

[13] En efecto, aunque la frecuencia de las grafías latinizantes es altísima en la escritura de Pérez de Oliva, hay también soluciones gráficas que transparentan la pronunciación vulgar, por ejemplo *oración, potencia* corregidas por él mismo en *oration, potentia*. En los impresos los grupos que Valdés llama *llenos* (1969:89) han desaparecido por completo, prefiriéndose las formas vulgares.

[14] Tal grafía, aunque contraria al criterio de Nebrija, es un insoslayable testimonio fonético; en los impresos *A* y *C* es discontinua, pero en *E* es regular hasta el punto de que escribe un *corasçón* (que corrijo).

lación de sordez y sonoridad en las apicoalveolares fricativas transcribiéndolas siempre *–s*–[15].

Me atengo al criterio etimológico cuando hay oscilaciones ortográficas en o entre *E*, *C* y *A*, que desdicen el mismo: *basta / vasta* > *basta, buelo / vuelo* > *vuelo*[16]; *hobras / obrar* > *obras, obrar; paciencia / paçiencia* > *paciencia, inizio* > *inicio*.

A cada texto le sigue su correspondiente nota crítica y el aparato de variantes.

*

Esta edición rehace radicalmente la que publiqué el año de 1982 en la desaparecida Editora Nacional. En aquella ocasión me había dirigido el trabajo Domingo Ynduráin; en ésta me ha sido inapreciable la ayuda de Mauro Corsaro, Paolo Garbolino, Walter Lupi, Alessandro Martinengo, Valentina Nider, Michele Olivari, Lourdes Prieto y Alfredo Stussi. A todos ellos mi agradecimiento.

---

[15] El hecho no puede considerarse mero uso gráfico, ya que Pérez de Oliva usa regularmente la doble *–ss–* en latín; interesa el fenómeno para considerar cuán avanzado estaría el proceso de ensordecimiento de la /ż/. Los impresos sí distinguen gráficamente la sorda y la sonora.

[16] No corrijo, sin embargo *avejas, nuves, resvalar* presentes en el autógrafo sin contradicciones.

Bibliografía

Textos de Pérez de Oliva en ediciones modernas

Diálogo de la dignidad del hombre

Diálogo de la dignidad del hombre, en *Obras escogidas de filósofos*, B.AA.EE. LXV, Madrid, M. Rivadeneyra, 1873; reimp. Madrid, Atlas, 1953.
— *y otros escritos: la Comedia de Anfitrión y el Discurso de las potencias del alma y del buen uso de ellas*, Madrid, C.I.A.P., (s. a.).
— Buenos Aires, Poseidón, 1943.
— ed. José Luis Abellán, Barcelona, Cultura Popular, 1967.
— en *Antología de humanistas españoles*, ed. Ana M. Arancón, Madrid, Editora Nacional, 1980, págs. 411-450.
— ed. Mª Luisa Cerrón Puga, Madrid, Editora Nacional, 1982.

Razonamientos y discursos

Razonamiento que hizo el maestro F. P. O., natural de Córdova, en Salamanca el día de la lición de oposición de la Cáthedra de Philosophía Moral, ed. C. G. Peale, apéndice a la ed. del *Teatro*, págs. 113-121.
Razonamiento sobre la navegación del Guadalquivir, Barcelona, Colección de autores clásicos españoles para uso de los Colegios de la Compañía de Jesús. II, 1881, págs. 458-469.
— ed. de C.G. Peale, Córdoba, Monte de Piedad y Caja de Ahorros, 1987.

Discurso de las potencias del alma y del buen uso de ellas, en *Diálogo de la dignidad del hombre y otros escritos*, Madrid, C.I.A.P., (s. a.).

Teatro

Teatro, ed. William Atkinson, *RHi*, 69 (1927), págs. 521-659.
— ed. C.George Peale, Córdoba, Real Academia de Ciencias, Bellas Letras y Nobles Artes, 1976.
Hécuba triste, en Juan José López de Sedano, *Parnaso español*, VI, Madrid, Sancha, 1771.
— en *Tragedias de Eurípides*, México, Universidad Nacional, 1821, págs. 379-429.
La vengança de Agamenón, en Juan José López de Sedano, *Parnaso español*, VI, Madrid, Sancha, 1771.
Muestra de la Lengua Castellana en el nascimiento de Hércules o Comedia de Anfitrión, ed. Karl von Reinhardstoettner, Múnich, 1886.
Comedia de Anfitrión, en *Diálogo de la dignidad del hombre y otros escritos*, Madrid, C.I.A.P., (s. a.).

Historias americanas

Historia de la Inuencion de las Yndias, ed. José Juan Arrom, Bogotá, Instituto Caro y Cuervo, 1965.
— Recensión de Francisco Rico en *MLN*, 82 (1967), págs. 658-659.
«*Algunas cosas de Hernán Cortés y México*. Ms. existing in the Library of El Escorial», ed. W. Atkinson, *RHi*, 72 (1927), páginas 450-475.
— Ed. Joaquín Ramírez Cabañas, México, 1940.

Textos científicos

Cosmografía nueva, ed. de C. Flórez Miguel, P. García Castillo, J.L. Fuertes Herreros y L. Sandoval Ramón, Salamanca, Diputación-Universidad, 1985.

De magnete, ed. Atkinson, *RHi*, 71 (1927), págs. 446-449.
— ed. Flórez *et alia* de la *Cosmografía nueva*, 1985.
«*De natura lucis et luminis*», ed. de C. Flórez Miguel y P. García Castillo, *Cuadernos salmantinos de Filosofía*, 10 (1983), páginas 121-140.

Poesía

Poesías, en Juan José López de Sedano, *Parnaso español*, VI, Madrid, Sancha, 1771.
— en *Revista de Archivos, Bibliotecas y Museos*, 7-9 (1902-1903).
— ed. C. G. Peale, apéndice a la ed. del *Teatro*, págs. 125-131.

Bibliografía crítica

Abellán, Juan Luis, ed., véase Pérez de Oliva, *Diálogo de la dignidad del hombre*, 1967.
— «La idea de la dignidad del hombre», en *Historia crítica del pensamiento español. II Edad de Oro*, Madrid, Espasa Calpe, 1979.
Alonso Cortés, Narciso, «Datos acerca de varios maestros salmantinos. I. El maestro Hernán Pérez de Oliva», en *Homenaje a Menéndez Pidal*, I, Madrid, Librería Casa Editorial Hernando, 1925, págs. 779-783.
Arrom, José Juan, ed., véase Pérez de Oliva, *Historia de la inuención de las Yndias*, 1965.
Atkinson, William, «Hernán Pérez de Oliva, a Biographical and Critical Study» *R Hi*, 71 (1927), págs. 309-484.
Bataillon, Marcel, *Erasmo y España*, trad. A. Alatorre, México, FCE, 1966[2].
Cerrón Puga, M.ª Luisa, ed., véase Pérez de Oliva *Diálogo de la dignidad del hombre,* 1982.
— «Fernán Pérez de Oliva traductor de Pedro Mártir de Anglería: la *Historia de la invención de las Yndias*», *Edad de Oro*, 10 (1990), págs. 33-51.
— Un capítulo de la historiografía humanista en España: Pérez de Oliva ante el descubrimiento de América», *Studi Ispanici*, 1990, págs. 17-54.

Esperabé Arteaga, E., *Historia pragmática e interna de la Universidad de Salamanca,* Salamanca, Imprenta y Librería Fco. Núñez Izquierdo, 1917, 2 vols.

Espinosa Maeso, A., «El maestro Fernán Pérez de Oliva en Salamanca», *BRAE,* 12 (1926), págs. 433-73.

Flórez Miguel, Cirilo, «Ciencia y Renacimiento en la Universidad de Salamanca», en Pérez de Oliva, *Cosmografía nueva,* 1985, págs. 11-25.

Fuertes Herreros, José Luis, ed., *Estatutos de la Universidad de Salamanca 1529. Mandato de Pérez de Oliva, rector,* Salamanca, 1984.

— «Pérez de Oliva: reconstrucción biográfica», en Pérez de Oliva, *Cosmografía nueva,* 1985, págs. 27-68.

García Castillo, Pablo, «El manuscrito de la *Cosmografía nueva* de Fernán Pérez de Oliva», *Ibidem,* 1985, págs. 69-71.

Gil Fernández, Luis, *Panorama social del Humanismo español 1500-1800,* Madrid, Alhambra, 1981.

Henríquez Ureña, Pedro, «El Renacimiento en España: el maestro Hernán Pérez de Oliva», *Cuba Contemporánea,* 6 (1914), páginas 19-55.

— *Plenitud de España. Estudios de la historia de la cultura,* Buenos Aires, 1967³, págs. 49-81.

Menéndez y Pelayo, Marcelino, «Páginas de un libro inédito. Pérez de Oliva (El maestro Fernán)», en *La Ilustración Española y Americana,* 9-10, 1875; incluida también en *Biblioteca de traductores españoles,* IV, Madrid, CSIC, 1953, págs. 58-75.

— *Bibliografía hispano-latina clásica,* Madrid, CSIC, 1951.

Peale, C. George, ed. véase: Pérez de Oliva, *Teatro,* 1976; y *Razonamiento sobre la navegación del Guadalquivir,* 1987.

Pérez, Joseph, «El humanismo español frente a América», *CH,* 375 (1881), págs. 477-489.

Olschki, Leonardo «Hernán Pérez de Oliva's *Ystoria de Colón*», *Hisp. Am. Hist. Rev,* 23 (1943), págs. 165-96.

Rico, Francisco, *El pequeño mundo del hombre. Varia fortuna de una idea en las letras españolas* (ed. corregida y aumentada), Madrid, Alianza, 1988³, especialmente las págs. 128-151 y 322-328.

— «*Laudes litterarum*: Humanismo y dignidad del hombre en la España del Renacimiento», en *El sueño del Humanismo (De Petrarca a Erasmo),* Madrid, Alianza, 1993, págs. 163-190; (1ª versión francesa de 1979).

Solana, Marcial: «Fernán Pérez de Oliva», en *Historia de la filosofía española. Época del Renacimiento (Siglo XVI)*, R.A.C.E.F.N., Madrid, 1941, págs. 49-64.

Villalón, Cristóbal de, *El Scholástico*, ed. R. J. A. Kerr, Madrid, CSIC, 1967.

Ynduráin, Domingo, *Humanismo y Renacimiento en España*, Madrid, Cátedra, 1994.

Obras de referencia

Aristóteles, *Ética a Nicómaco*, ed. y trad. Julián Marías y María Araujo, Madrid, Centro de Estudios Constitucionales, 1985.

Biblia del Oso. Según la Traducción de Casiodoro de Reina publicada en Basilea en el año 1569. I y II. *Libros históricos*, ed. J. Guillén Torralba; *Libros proféticos y sapienciales*, ed. G. Flor Serrano; *Nuevo Testamento*, ed. J.M. González Ruiz, Madrid, Alfaguara, 1987.

Bovelles, Charles, *Il libro del Sapiente*, ed. y trad. Eugenio Garin, Turín, Einaudi, 1987.

Covarrubias, Sebastián, *Tesoro de la lengua Castellana o Española (1611)*, ed. Martín de Riquer, Barcelona, Alta Fulla, 1987[2].

León, fray Luis de, *De los nombres de Cristo*, ed. Cristóbal Cuevas, Madrid, Cátedra, 1977.

Lucrecio, *De la naturaleza de las cosas*, ed. Agustín García Calvo, trad. del Abate Marchena, Madrid, Cátedra, 1983.

Manetti, Giannozzo, *De dignitate et excellentia hominis*, ed. Elizabeth R. Leonard, Padua, Editrice Antenore, 1975.

Marco Aurelio, *Meditaciones*, ed. y trad. Ramón Bach Pellicer, Madrid, Gredos, 1977.

Mexía, Pedro, *Silva de varia lección*, ed. Antonio Castro, Madrid, Cátedra, 1989 (I), y 1990 (II).

Petrarca, Francesco, *Secreto mío*, en *Obras I. Prosa*, ed. Francisco Rico, trad. Carlos Yarza, Barcelona, Alfaguara, 1978.

Pico della Mirandola, Giovanni, *De hominis dignitate*, ed. y trad. Eugenio Garin, Pisa, Scuola Normale Superiore, 1985.

— *De la dignidad del hombre*, trad. Luis Martínez Gómez, Madrid, Editora Nacional, 1984.

PLINIO, *Nat. Hist.*: Gaio Plinio Secondo, *Storia Naturale,* ed. Gian
Biagio Conte, Alessandro Barchiesi y Giuliano Ranucci, Turín,
Giulio Einaudi, 1982 (I), 1983 (II) y 1988 (V).

VITORIA, Francisco de, *Obras,* ed. Urdánoz, Madrid, BAC, 1960.

CATÁLOGOS Y REPERTORIOS BIBLIOGRÁFICOS

ADAMS, H. M., *Catalogue of Books printed on the Continent of Europe,
1501-1600,* Cambridge, Univ. Press, 1926, 2 vols.

ANTOLÍN, P. Guillermo, *Catálogo de códices latinos de la Real Biblioteca del Escorial,* Madrid, Imprenta Helénica, 1911, 4 vols.

ANTONIO, Nicolás, *Bibliotheca Hispana nova, sive Hispanorum scripto-
rum qui ab annos MD ad MDCLXXXIV flouere notitia, 2*ª ed. de
Fco. Pérez Bayer, Madrid, Joaquín de Ibarra, 1773-1788; ed.
facsímil, Turín, 1963, 2 vols.

BEARDSLEY, Theodor, *Hispano-Classical Translations, printed between
1482 and 1699,* Duquesne Univ. E. Nauwelaerts, Pittsburgh-
Lovaina, 1970.

British Museum. General Catalogue of Printed Books to 1955, New
Readers microprint Co., 1967, 27 vols.

BRUNET, Jacques-Charles, *Manuel du libraire et de l'amateur de livres,*
Berlín, Josef Altmann, 1922, 6 vols.

*Catalogue général des livres imprimés de la Bibliothèque Nationale. Au-
ters,* París, Imprimerie Nationale, 1932.

GALLARDO, Bartolomé José, *Ensayo de una biblioteca de libros raros y
curiosos,* Madrid, Rivadeneyra, 1863 (I y II) y 1889-91 (IV y V).

GRAESSE, Jean George Théodore, *Trésor des livres rares et precieux ou
nouveau Dictionnaire bibliographique,* Berlín, Josef Altmann,
1922, 8 vols..

HARRISSE, Henry, *Excerpta Colombiana. Bibliographie de quatre cent
pièces gotiques françaises, italiennes et latines, du commencement
du XVI siècle, non decrites jus'qu'ici précedée d'une histoire de la Bibliothèque Colombine et de son fondateur,* París, Weller, 1887.

Hispanic Society of America (The), Catalogue of the Library, Boston,
G. H. Hall & Co., 1962-1970, 19 vols. + suplementos.

HUNTINGTON, Archer M., *Catalogue of the Library of Ferdinand Co-
lumbus reproduced in facsimile...* (del Registrum «B» de Hernán de
Colón), Nueva York, The Hispanic Society of America, 1905.

National Union Catalogue (The), Pre -1956 Imprints, Mansell, Londres, 1969.

PALAU, Antonio, *Manual del librero hispano-americano,* Barcelona, Librería Palau, 1948-1964², 16 vols.

PENNY, Clare Luoise, *List of books printed before 1601 in the Library of the Hispanic Society of America,* Nueva York, by order of the Trustees, 1929.

RAMÍREZ DE ARELLANO, Rafael, *Ensayo de un catálogo biográfico de escritores de la provincia y diócesis de Córdoba, con descripción de su obra,* Madrid, Tipografía de la Revista de Archivos, Bibliotecas y Museos, 1921.

RODRÍGUEZ MOÑINO, Antonio, *Catálogo de la biblioteca del Marqués de Jerez,* Madrid, L. Bardón, 1966.

SALVÁ Y PÉREZ, Vicente, *Catálogo de la Biblioteca de Salvá escrito por D. Pedro Salvá y Mallén,* Valencia, Imprenta de Ferrer de Orga, 1872; reimp. Barcelona, Porter libro, 1963.

SIMÓN DÍAZ, José, *Bibliografía de la literatuta hispánica,* Madrid, CSIC, 1970-1994 (en curso de publicación).

TICKNOR, George, *Spanish Library and the portuguese books,* Boston, G. K. Hall & Co., 1879².

TODA Y GÜELL, Eduardo, *Bibliografía espanyola dels origens de la Imprempta fins a l'any 1900,* Castell de San Miquel d'Escornalbou, 1927-1931, 5 vols.

VALDENEBRO, José M.ª, *La imprenta en Córdoba. Ensayo bibliográfico,* Madrid, sucesores de Rivadeneyra, 1900.

VINDEL, Francisco, *Manual gráfico descriptivo del bibliófilo hispano-americano (1475-1850),* Madrid, J. Góngora, 1930-1934, 12 vols.

ZARCO CUEVAS, J. *Catálogo de los manuscritos castellanos de la Real Biblioteca de El Escorial,* Madrid, Imprenta Helénica, 1926, 3 vols.

ÍNDICES DE LIBROS PROHIBIDOS

Edicto del Cardenal Zapata para anunciar el Catálogo de 1532, Ciudad de México, 9 Henero, 1534. A.H.N., leg. 4435, núm. 6 (Inq.).

Expediente de Calificación de las obras del maestro Fernán Pérez de Oliva y Discursos de Ambrosio de Morales, su sobrino, incluidos en el expurgatorio de 1747, el 456. hasta que se enmienden. A.H.N., leg. 4500 (Inq.) (año 1787).

Índices expurgatorios (3) (en realidad *prohibitorios*) de la Inquisición en el siglo XVI, reimpresos en facsímil, Madrid, R.A.E., 1952. (Contiene Toledo 1551, Valladolid 1551 y Valladolid 1559; ej. de la R.A.E.)

1551 *Cathalogi librorum reprobatorum...*, Valladolid, Francisco Fernández de Córdova, 1551. (*Apud 3 Índices expurgatorios.*)

1551 *Cathalogi librorum reprobatorum, et praelegendorum, ex iudicio Academiae Lovainensis.* Cum edicto Caesareae Maiestatis evulgati. Valentiae, typis Joannis Mey Flandri, MDLI. (*Apud* Reusch, 1883.)

1551 *Cathalogus librorum reprobatorum, ex iudicio academiae lovainensis,* Toleti, ex Officina Ioan de Ayala, 1551. (Valdés. *Apud* Bujanda y *3 Índices expurgatorios.*)

1559 *Cathalogus librorum, qui prohibentur mandato Illustrissimi & Reverend. D. D. Ferdinandi de Valdes Hispalens. Archiepis, Inquisitoris Generalis Hispanuae,* Pinciae, Martínez excudebat (1559). (*Apud* Bujanda y *3 Índices expurgatorios.*)

1569-1570 *Index librorum prohibitorum,* in Plantini, Amberes, 1570. *Apéndice,* Bruselas, 1569. (Ej. R.A.E. 41-IX-57)

1583 *Index et Catalogus librorum prohibitorum mandato Ilustriss. ac Reverendiss. D.D. Gasparis a Quiroga Cardinalis Archiepiscopi Toletani, ac in regnis Hispaniarum Generalis Inquisitoris, denuò editus. Cum Consilio Supremi Senatus Sancta Generalis Inquisitionis,* Matriti, Apud Alphonsum Gomezium Regium Typographum, Anno M.D.LXXXIII. (Ej. R.A.E. 24-VIII-42; y Vaticana Barberini 7-XIV-106).

1584 *Index librorum expurgatorum. Illustrissimi ac Reverendissimi D.D. Gasparis Quiroga, Cardinalis & Archiep. Toletani Hispan. Generalis Inquisitoris iussu editus. De Consilio Supremi Senatus S. Generalis Inquisit.* Matriti, Apud Alphonsum Gomezium Regium Typographum. Anno MDLXXXIIII. (Ej. R.A.E. 24-VIII-26; y Vaticana R.I.IV.1010).

1590 *Index Sixtus V,* Apud Paulum Bladum Impressorem Cameralem, MDXC. (*Apud* Reusch 1886, págs. 448-523.)

1593 *Index librorum prohibitorum. Cum regulis confectis per Patres à Tridentina Synodo delecto auctoritate Pii IIII primum editus. Postea vero à Sixto V & nunc demum à Sanctissimo D. Clemente Papa VIII recognitus & auctus. Instructione adiecta de imprimendi, & emendandi libros ratio,* Romae, Apud Paulum Bladum, Impressorem Cameralem, Cum privilegio Summi Pontificis M.D.XCIII. (Ej. Vaticana Racc.I.IV.1649).

1596 *Index librorum prohibitorum. Cum regulis confectis per Patres à Tridentina Synodo delecto. Auctoritate Pii IIII iussu, recognitus, & publicatus. Instructione adiecta. Dè exequendae prohibitionis, dèq. sincerè emendandi, & imprimendi libros, ratione.* Romae, Apùd Impressores Camerales. Cum privilegio Summi Pontificis, àd biennium. MDXCVI. (Ej. Biblioteca Univ. de Pisa G.H.10.35).

1597 *Index librorum prohibitorum, cum regulis confectis, per Patres a Tridentino Synodo Delectos,* Olisipone, Apud Petrum Craesbeeck, anno MDXCVII. (Ej. B.N.M. R/10399).

1609 *Index expurgatorius librorum* qui *hoc saeculo prodierunt...* Argentorati Impresis Lazari, Zetzneri Bibliopol., MDCIX. (Ej. B.N.M. 2/60252).

1612 *Index librorum prohibitorum et expurgatorum* Ill^mi ac R^mi D. Bernardi de Sandoval, Matriti Apud Ludovicum Sanchez Typographum Regium, MDCXII. (Ej. B.N.M. 2/48297).

1632 *Index Vniversalis. Tam plenioris Catalogui, quan Appendiculae praeter missorum primo ipso aspectu exhibens,* Sevilla. Por Francisco de Lyra. MDCXXXII. (Ej. B.N.M. U/8570).

1640 *Novissimus librorum Prohibitorum et Expurgatorum Index Catholicis. Hispaniarum Regnis, Philippi IIII, Reg. Cath.,* Madriti ex typographaeo Didaci Diaz, An. MDCXL. (D. Antonio Sotomaior, Inquisidor General. Ej. B.N.M. R/33650.)

1667 *Indices Librorum Prohibitorum et Expurgandorum Novissimi, Hispanicus et Romanus,* Anno MDCLXVII, Madriti, Ex Typographeo Didaci Díaz. Antonii a Sotomaior, Inquisidor General. (Ej. B.N.M. 2/61615).

1707 *Novissimus librorum Prohibitorum et Expurgatorum Index pro Catholicis Hispaniarum Regnis, Philippi V, Reg. Cath.* Madriti, 1707, 2 vols. (Sarmiento, Valladares y Vital Marin, Inquisidores Generales. Ej. B.N.M. 2/59801-2.)

1709 *Bibliotheca librorum prohibitorum. Supraemi Hispaniarum Senati Sanctae, et Generalis Inquisitionis. De cuius consilio, et assensu, Iusque Illmi DÑI D. Vitalis Marin...* Anno MDCCIX. (Ej. A.H.N., libro n.º 1318 (Inq.)

1747 *Novissimus librorum Prohibitorum et expurgandorum Index Pro catholicis Hispaniarum Regnis Ferdinandi VI Regis Catholici,* Madriti, ex Calcographia Emmanuellis Fernandez Anno

MDCCXLVII, 2 vols. (Inquisidor General, Fco. Pérez de Prado. Ej. B.N.M. 2/60055-6).

1790 *Índice último de los libros prohibidos y mandados expurgar para todos los reynos y señoríos del catolico Rey de las Españas el Señor Don Carlos IV*, Madrid, Imprenta de Sancha. MDCCXC. (Ej. B.N.M. R/30775).

1805 *Suplemento al Índice expurgatorio del año de 1790*, Madrid, en la Imprenta Real, año de 1805. (Ej. B.N.M. V/ Cª 1017-12.)

1866 *Index Librorum Prohibitorum Sanctissimi Domini Gregorii XVI Pontificus Maximi Jussu Editus, Editio Hispana*, Hispali, Typys Antoni Izquierdo, MDCCCLXVI.

1880 *Índice de Libros Prohibidos. Mandado publicar por Su Santidad el Papa Pío IX. Edición oficial española*, Madrid, Imprenta de D. Antonio Pérez Drubull, 1880. (Ej. B.N.M. 2/73374.)

BUJANDA, J.M. de, *Index des livres interdits*, Sherbrooke, Centre d'Études de la Renaissance, Univ. de Sherbrooke, 1984 (11 vols. en curso de publicación).

PAZ Y MELIÁ, Antonio, *Papeles de Inquisición, Catálogos y extractos*, 2ª ed. por Ramón Paz, Madrid, Patronato del Archivo Histórico Nacional, 1947. (Ej. A.H.N., Consulta.)

REUSCH, F. Heinrich, *Der Index der Verbotenen Bücher. Ein Beitrag zur Kirchen und Literaturgeschichte*, Neudruck der Ausgabe, Bonn, 1883; (repr. facsímil Aalen, Scientia Verlag, 1967).

—*Die Indices librorum prohibitorum des Sechzehnten Jahrunderts*, Tubinga, Gedruckt für den Litterarischen Verein in Stuttgart, 1886. (Ej. Vaticana bl.IE1.)

Diálogo de la dignidad del hombre
Razonamientos
Ejercicios

I. Diálogo de la dignidad del hombre

Argumento del *Diálogo*

Yéndose a pasear Antonio a una parte del campo donde otras muchas vezes solía venir, le sigue Aurelio, su amigo; y preguntándole la causa por que acostumbrava venirse allí comiençan a hablar de la soledad. Y tratando por qué es tan amada de todos, y más de los más sabios, entre otras razones Aurelio dize que por el aborrescimiento que consigo tienen los hombres de sí mismos por las miserias y trabajos que padescen aman la soledad. Paresciendo mal esta razón a Antonio, por no aver criatura más excelente que el hombre ni que más contentamiento deva tener por aver nascido, dize que le provará lo contrario. Y así determinados de disputar de los males y bienes del hombre, para más a plazer hazerlo, se van hazia una fuente; junto a ella hallan un viejo muy sabio llamado Dinarco con otros estudiosos, y entendiendo la contienda y constituido por juez della manda a Aurelio que hable primero y luego Antonio diga su parescer. Aviéndoles oído Dinarco, juzga en breve de la dignidad del hombre lo que con verdad y cristianamente devía, aviendo sustentado Aurelio lo que los gentiles comúnmente del hombre sentían.[1]

---

[1] El argumento es de Cervantes de Salazar *(A,* f. [14v]), pero Ambrosio de Morales lo retoca e incorpora a la parte cordobesa de su edición (f. 12v; no figura en los pliegos impresos en Salamanca). Morales elimina el final de que se sirve Cervantes de Salazar para presentar su ampliación: Dinarco, «oídos los dos se arrepiente, y sólo por no dar su parescer a la clara trata la mesma materia diziendo cosas nuevas al mismo propósito. Finalmente, quedadando el hombre por lo mejor de lo criado, hablando en otras cosas se van a cenar a la ciudad.» Para otras variantes, véase el *aparato* al final del texto.

Diálogo de la dignidad del hombre que escrivió el Maestro Fernán Pérez de Oliva, natural de Córdova

INTERLOCUTORES
Aurelio, Antonio, Dinarco

AURELIO.—Viéndote salir, Antonio, oy de la cibdad, te he seguido hasta veer este lugar do sueles tantas vezes venir a pasearte solo, porque creo que digna cosa será de veer lo que tú con tal costumbre tienes aprovado.

ANTONIO.—Este lugar, Aurelio, nunca fue tal ni de tanto precio como es agora que eres tú venido a él.

AURELIO.—Nadie puede darle mejoría siendo de ti anticipado.

ANTONIO.—No quiero responderte, por no darte ocasiones de lisongearme, sino quiero mostrarte lo que eres venido a veer. Mira este valle cuán deleitable paresce, mira esos prados floridos y estas aguas claras que por medio corren; verás esas arboledas llenas de ruiseñores y otras aves que con su vuelo entre las ramas y su canto nos deleitan, y entenderás por qué suelo venir a este lugar tantas vezes[2].

---

[2] El *locus amoenus* como escenario del diálogo forma parte de la convención literaria. Cfr. el paradigmático *De los nombres de Cristo* de fray Luis de León, donde con breves pinceladas al principio de cada libro se consi-

AURELIO.—Hermoso lugar es éste, y digno de ser visto, pero yo sospecho, Antonio, que otra cosa buscas tú o gozas en este lugar, porque según tú eres sabio y de más altos pensamientos bien sé que esas cosas sensuales ni las amas ni las procuras; por eso yo te ruego no me encubras las causas de tu venida.

ANTONIO.—Pues así lo quieres, sabe que en estos valles mora una que yo muncho amo.

AURELIO.—Agora veo, Antonio, que has gana de burlarme. Dime, yo te ruego, ¿qué tienen que hazer los amores con tu gravedad, o las vanidades con tu sabiduría?

ANTONIO.—Verdaderamente, Aurelio, así es como te digo, que en aqueste valle mora una sin la cual yo por la vida me daría poco.

AURELIO.—Grande deve ser su bondad y hermosura pues a ti, que menosprecias el mundo y sus deleites, te trae tan enamorado, con cobdicia de verla o alcançarla. Dime al menos su nombre, si por celos no me la quieres mostrar.

ANTONIO.—Soledad se llama.

AURELIO.—Yo bien sabía, Antonio, que algún misterio tenían tus amores. Ésa tiene otros munchos amadores, como sabes, y pues es así, yo te ruego que me declares cuál es la causa, a tu parescer, por que los hombres aman la soledad y tanto más cuanto son más sabios.

ANTONIO.—Porque cuando a ella venimos alterados de las conversaciones de los hombres donde nos encendimos en vanas voluntades, o perdimos el tino de la razón, ella nos sosiega el pecho y nos abre las puertas de la sabiduría para que, sanando el ánimo de las heridas que rescibe

---

gue un ambiente perfectamente consonante con lo tratado (1977: 148-151, 317-318, 499-504); en el tercero de los ejemplos (1977:504), Sabino espía a Juliano que medita, al igual que aquí lo hace Aurelio con Antonio. El pasaje de Pérez de Oliva recuerda, por otra parte, la apertura del parlamento de Selvaggio a Ergasto en la Prosa primera de la *Arcadia* de Sannazaro: «Ergasto mío, *¿Por qué solitario y tácito te veo meditar?* Ay de mí, mal se dejan conducir a su libre albedrío las ovejas. *Mira* aquellas que el arroyo vadeando cruzan; *mira* aquellos dos carneros que corren juntos (...). *Mira* que al vencedor todas acuden»; cito por la trad. de J. Martínez Mesanza, Madrid, Ed. Nacional, 1982: 33). Cfr. *infra* la nota 67.

en la guerra que entre las contiendas de los hombres trae, pueda tornar entero a la batalla. Ninguno ay que biva bien en compañía de los otros hombres si munchas vezes no está solo a contemplar qué hará acompañado; porque como los artífices piensan primero sus obras que pongan las manos en ellas, así los sabios antes que obren han de pensar primero qué hechos han de hazer, y cuál razón han de seguir. Y si esto consideras, verás que la soledad es tan amable, que devemos ir a buscarla doquiera que la podamos hallar.

AURELIO.—Bien veo, Antonio, que ay esos provechos que dizes de la soledad, pero yo tengo creído que otra causa mayor ay.

ANTONIO.—¿Qué causa puede aver mayor?

AURELIO.—El aborrescimiento que cada hombre tiene al género humano por el cual somos inclinados a apartarnos unos de otros[3].

ANTONIO.—¿Tan aborrescibles te parescen los hombres que aun ellos mismos por huir de sí busquen la soledad?

AURELIO.—Parésceme tanto, que cada vez que me acuerdo que soy hombre querría o no aver sido, o no tener sentimiento dello.

---

[3] Frente al carácter optimista de Antonio, Aurelio presenta los rasgos de un melancólico, cosa nada buena para Cristóbal de Villalón en *El Scholástico*, donde Oliva es retratado en una actitud meditativa parecida a la de Antonio: «Y entre todos el Maestro Oliua yua siempre callado: y aun muy poco puesto en las pláticas de los otros señores: lleuaua puesto el dedo en la boca sobre los labrios como hombre que yua cosas arduas contemplando»; tal retrato hace exclamar al maestroescuela: «yo no sé si quando esta mañana salistes de vuestra posada *hezistes pacto con la melancholía* que en este camino os huuiese de acompañar: para que haziéndoos triste a vos nos priuasse a nosotros de buena conversación», pero Oliva desmiente respondiendo con un discurso sobre la amistad (1967: 12). Que la melancolía va unida a la facultad especulativa, e incluso al genio, es cosa que queda sobradamente ilustrada en el magnífico libro de R. Klibansky, E. Panofsky y F. Saxl, *Saturno y la melancolía. Estudios de historia de filosofía natural, religión y arte* (Madrid, Alianza, 1989); estudio en el que no se contemplan, sin embargo, ejemplos españoles como, por no citar más que dos, el mismo don Quijote, y el Marcelo de fray Luis en los *Nombres*, a quien la visión de la naturaleza —que tanto alegra a Sabino— entristece (1977: 150).

ANTONIO.—Maravíllome, Aurelio, que los autores excelentes que acostumbras a leer, y los sabios hombres que conversas, no te ayan quitado de ese error.

AURELIO.—Mas antes esos me han puesto en este parescer; porque, mirando yo a ellos como a principales del género humano, nunca he visto cosa por do tuviese esperança que pueda venir el hombre a algún estado donde no le fuera mejor no ser nascido[4].

ANTONIO.—Grande me paresce éste tu error, y no digno de tal persona como tú. Si te plaze, disputarlo hemos aquí, cabe una fuente sentados, que yo confío de hazerte mudar este parescer.

AURELIO.—Tú me guía, que yo te seguiré, mas no con esperança de lo que prometes; porque yo tengo tan miradas las miserias de los hombres, que pienso que en lugar de quitarme mi propósito me confirmarás en él, porque, viéndote vencido en tal contienda, terné confiança que nadie se me podrá defender.

ANTONIO.—No han menester amenazas los que tienen las armas en la mano y el campo libre. Ya nosotros estamos cerca de nuestro asiento, allí mostrarás cuánto puedes. Pero gente veo entre los árboles, temo que nos estorven.

AURELIO.—Dinarco es el que está sentado cabe la fuente, y los otros que con él están son los hombres buenos amadores de saber que lo siguen siempre.

ANTONIO.—Pues ésos no serán estorvo, antes he gran plazer que estén aquí porque Dinarco sea nuestro juez, al cual

---

[4] El significado y valor que cada uno de los dos personajes atribuye a la soledad define el sistema de pensamiento que alentará sus parlamentos. Antonio, enamorado de la soledad como Nosopo de la *ninfa elocuencia* en el *Ciceronianus* de Erasmo (Alcalá, Miguel de Eguía, 1529), contemplando la naturaleza, reflexiona sobre qué hacer y decir (de hecho, su elocuencia será notada en seguida por Dinarco y Aurelio); y esta serenidad le permitirá comprender la Revelación cristiana, tal y como veremos en su parlamento. Aurelio, por el contrario, casi como estragado por la lectura de libros profanos que no tienen en cuenta el plan de salvación divina, no conseguirá superar la materialidad corruptible del cuerpo. Cristóbal de Villalón, en el retrato que de Pérez de Oliva hace como perfecto *Scholástico* da a entender esta interpretación por medio de las opiniones vertidas por Oliva acerca de los filósofos antiguos: véanse, por ejemplo, los capítulos VIII y XV.

yo doy la ventaja de todos nuestros tiempos así en virtud como en letras.

AURELIO.—Y los otros serán nuestros oyentes. Lleguemos a él, que visto nos ha.

ANTONIO.—Munchas vezes, Dinarco, he holgado de venir a esta fuente, mas no tanto como agora que la hallo tan bien acompañada; si ella estuviese siempre así no avría para mí lugar más deleitable.

DINARCO.—Con vosotros tiene tan buena compañía, que no se deve desear mejor.

ANTONIO.—No está bien acompañada sino una fuente con otra: ésta es fuente de agua clara y tú eres fuente de clara sabiduría, así que sois dos fuentes bien ayuntadas para entera recreación del ánima y del cuerpo.

DINARCO.—Mejor haze Aurelio en no dezirme nada, que tú, Antonio, en saludarme con tanto amor, que no curas de poner medida en tus palabras.

AURELIO.—Yo no dexo de ayudar a Antonio, sino porque no sabré dezir cosas iguales a tu merescimiento.

DINARCO.—Mejor será sufriros, pues defenderme es incitaros. Agora dezid qué ocasión os ha traído por acá.

ANTONIO.—Gana de hablar en una disputa que avíamos començado.

DINARCO.—¿Qué disputa es?

ANTONIO.—Sobre el hombre es nuestra contienda, que Aurelio dize ser cosa vana y miserable y yo soy venido a defenderlo; y querémoste rogar tú seas nuestro juez, a quien todos con muncha razón acatan por sabio principal.

DINARCO.—Yo quisiera ser merescedor de la estima en que me tenéis, por cumplir vuestra voluntad como deseo. Pero, de cualquier manera que sea, yo y estos mis amigos holgaremos de oír tan buena disputa, y yo confío tanto de vuestros ingenios y saber, que no se os esconderán las razones que para esta contienda oviéredes menester; de donde yo pienso quedar tan instruido, que avré cobrado aviso para no errar en la sentencia.

ANTONIO.—Pues tú nos muestra la manera que devemos tener en esta disputa.

DINARCO.—Porque no se confundan vuestras razones, me paresce que cada uno diga por sí su parescer entero. Tú, Aurelio, dirás primero, y después te responderá Antonio; y así guardaréis la forma de los antiguos oradores, en cuyas contiendas el acusador era el primero que dezía, y después el defensor[5].

AURELIO.—Pues vosotros os sentad en esos céspedes, y yo en este tronco sentado os diré lo que me paresce.

DINARCO.—Sentáos todos, de manera que podáis tener reposo.

---

[5] El *Diálogo* queda establecido así como una *disputa* académica en la que se contraponen dos tesis distintas sobre un mismo argumento, desarrollada cada una de ellas en un solo parlamento que no admite interrupciones. Es herencia del diálogo ciceroniano de las *Tusculanas* o del *De officiis*, y se compadece bien con el método aristotélico, como recordaba Manetti al tratar de definir el alma en su *De dignitate*, II, 2 (1975: 34-35), primero se dicen las diferentes opiniones de los filósofos, y luego se refutan. El paso es de capital importancia para determinar quién gana y quién pierde pues, como se verá al final, Dinarco —el juez—, será extraordinariamente parco en su dictamen, hasta el punto de provocar la *continuación* de Cervantes de Salazar, quien necesitaba explicitar la victoria de Antonio ya desde el mismo argumento. (*Vid.* las notas 77-80.)

Aurelio

—Suelen quexarse los hombres de la flaqueza de su entendimiento, por la cual no pueden comprehender las cosas como son en la verdad; pero quien bien considerare los
daños de la vida, y los males por do el hombre pasa del nascimiento a la muerte, parescerle ha que el mayor bien que
tenemos es la ignorancia de las cosas humanas, con la cual
bivimos los pocos días que duramos como quien en sueño
pasa el tiempo de su dolor[6], que si tal conoscimiento de
nuestras cosas tuviésemos cómo ellas son malas, con mayor
voluntad desearíamos la muerte que amamos la vida.[7]

---

[6] Cfr. Marco Aurelio, *Meditaciones* II, 17: «El tiempo de la vida humana, un punto; su sustancia, fluyente; su sensación, turbia; la composición
del conjunto del cuerpo, fácilmente corruptible; su alma, una peonza; su
fortuna, algo difícil de conjeturar; su fama, indescifrable. En pocas palabras: todo lo que pertenece al cuerpo, un río; sueño y vapor, lo que es propio del alma; la vida, guerra y estancia en tierra extraña; la fama póstuma,
olvido.» (1977: 66). Y cfr. V, 33.

[7] El parlamento de Aurelio es traducción y comentario de la introducción a la antropología (libro VII) de la *Naturalis historia* de Plinio, un texto
radicalmente pesimista, emparentado con el *De rerum natura* de Lucrecio
(*vid.* la introducción a la *Storia naturale* II, 1983: 5). Se suman, claro, otras
fuentes (véanse las notas de Sancha en su edición de 1772, especialmente
las hechas a las adiciones de Cervantes de Salazar) que no siempre he podido rastrear. Los editores de Plinio, por ejemplo, señalan un paso de Sófocles (*Edipo en Colono*, vv. 1224-1227) en el que se declara el deseo de no
haber nacido y el de morir. Las miserias del hombre, sea a través de esta
fuente sea por la vía de San Bernardo en el libro III de sus *Meditationes*, o
la de Inocencio III y su *Libro de miseria de omne* (como reza la traducción
española en cuaderna vía, ed. P. Tesauro, Pisa, Giardini, 1983), desembo-

Por esto quisiera yo doblaros, si pudiera, el descuido, y meteros en tal ceguedad y tal olvido que no viérades la miseria de nuestra humanidad, ni sintiérades la fortuna, su atormentadora; pero pues por vuestra voluntad que grande mostráis de saber lo que del hombre siento, soy yo casi compelido a hazeros esta habla, si por ventura mis palabras fueren causa que rescebáis dolor cual ante no avíades sentido, vosotros tenéis la culpa, que mandáis aquesto a quien no puede dexar de obedesceros.

Oíd pues, señores, atentos, y hablaros he en esto que mandáis, no según que pertenesce para ser bien declarado (porque a esto no alcança la flaqueza del entendimiento, aunque solo[8] es agudo en sentir sus males), sino hablaré yo en ello según la experiencia que podemos alcançar en los pocos días que bivimos[9], de tal manera que

can en incontables textos. Cfr., por ejemplo, el *De miseria humanae conditionis* de Poggio Bracciolini (1455), editado por E. Garin en *Prosatori latini del Quattrocento*, Milán, Ricciardi, 1952; o bien el catálogo de miserias que hace Agustín en el *Secretum* de Petrarca (*vid. infra* la nota 15); o, en otro extremo, el 'capitolo ottavo' del incompleto *Asino d'oro* de Maquiavelo (en apéndice a *La Circe e I capricci del Bottaio*, ed. S. Ferrari y G.G. Ferrero, Florencia, Sansoni, 1978: 279-282). Para su vigencia en el siglo XVI, basten las palabras de Eugenio Asensio: «La miseria general de la humana condición constituía el lugar común emocional del tiempo, igual que en nuestros días la angustia personal». («La peculiaridad literaria de los conversos», *AEM*, IV (1967), págs. 350-1.)

[8] En el sentido de 'como quiera que', cfr. *V:* «perche questo non puo comprendere la fragilità dell'intelletto, *ancora che sia* diligente in sentire i suoi mali» (6 r-v); y *P:* «car cela est incomprehensible à la fragilité de l'intellect, *combien qu'il soit* diligent de sentir ses maux» (6r). El entendimiento es el del propio Aurelio quien, confesando su poca elocuencia, cumple con la canónica y retórica declaración de modestia al tiempo que subraya el valor de su experiencia; elocuente es, por el contrario, Antonio, hasta el punto de que Dinarco, en la presentación, se quejaba de su verbosidad mientras Aurelio lamentaba ser tan parco de palabras.

[9] El discurso de Aurelio, fundamentado sólo en la experiencia, examinará las miserias del hombre atendiendo al cuerpo y su espíritu vital o *ánima*, y al alma o *animus*. Es una concepción materialista (cfr. Epicuro y Lucrecio) presentada, además, *ex negativo*, lo que facilita la labor de Antonio, quien defenderá al hombre desde su concepto cristiano —y por tanto transcendente— de la vida y del alma; así, al sucederse invariable del ciclo vital en Aurelio se opondrá la gloria en el Más Allá gracias a la resurrección de los muertos. (*Vid. infra* la nota 74.)

el tiempo baste, y la paciencia que para oír tenéis aparejada.

Primeramente considerando el mundo universo, y la parte que dél nos cabe, veremos los cielos hechos morada de espíritus bienaventurados, claros y adornados de estrellas luzientes, munchas de las cuales son mayores que la tierra; donde no ay mudança en las cosas ni ay causas de su detrimento, mas antes todo lo que en el cielo ay persevera en un ser constante y libre de mudança[10]. Debaxo suceden el fuego y el aire, limpios elementos que resciben pura la lumbre del cielo.

Nosotros estamos acá, en la hez del mundo y su profundidad, entre las bestias, cubiertos de nieblas, hechos moradores de la tierra do todas las cosas se truecan con breves mudanças; comprehendida en tan pequeño espacio, que sólo un punto paresce comparada a todo el mundo, y aun en ella no tenemos licencia para toda. Debaxo las partes sobre que se rodea el cielo[11] nos las defiende el frío en munchas partes; los ardores, las aguas en munchas más; y la es-

---

[10] Sobre la eternidad y la constancia de los cuerpos celestes, debida a su movimiento circular, cfr. Aristóteles, *De Caelo*, I, 2-3, 9; II, 4, 7. Los *cielos hechos morada de espíritus bienaventurados*, parecen aludir a la migración *post-mortem* a la estrella nativa que, según Platón, cumplían las almas: quien había vivido bien, allí vivía feliz; quien no, se reencarnaba en mujer y, si era reincidente, volvía otra vez a la tierra en forma de animal. (*Timeo* 9, 42.)

[11] «Las partes bajo los ejes de rotación de la tierra», o sea, los polos, inhabitables por el frío (*vid.* la nota siguiente). El paso permite un breve comentario a la concepción espacial tolemaica de nuestro autor, ampliamente ilustrada por C. Flórez Miguel en la edición de la *Cosmografía Nueva* (1985: 23-24), y aducida como prueba de la modernidad científica de Oliva. Si tal es, había llegado también a Mexía, cosmógrafo de la Casa de Contratación de Sevilla, que dedica los capítulos 19 y 20 del libro III de la *Silva de varia lección* a disertar sobre los mismos conocimientos que impartía Oliva a sus alumnos, o sea: «cómo se pudo saber y medir quánta sea la redondez y ámbito de la tierra», y cómo «tomar perfectamente la sombra del mediodía y línea meridiana»; sirva como ejemplo la definición de *Polo* dada por Mexía: «El polo es un punto fixo en el cielo, sobre que se haze el movimiento dél» (1990: 127).

terilidad también haze grandes soledades, y, en otros lugares, la destemplança de los aires[12].

Así que de todo el mundo y su grandeza[13] estamos noso-

[12] Alude a la división clásica entre zonas *frígida, adusta* y *templada.* Cfr. el capítulo «De las zonas de la tierra» de su *Cosmografía nueva* (en traducción de P. García Castillo, 1985: 101): «Cinco son las zonas que se distinguen en la tierra, cuyos límites marcan los polos, los círculos polares y los trópicos. Las comprendidas entre los círculos polares y los polos son consideradas muy frías y, por ello, inhabitables, al menos en sus partes interiores, que la escasez de luz y calor han hecho desiertas (...) la zona comprendida entre los trópicos es considerada inhabitable por muchos. Otros la consideran habitable, en escasos lugares y a duras penas; sin embargo, los nuestros, que se atrevieron a circundar aquellas regiones en su totalidad, descubrieron que estaban habitadas por gentes incultas a las que proporciona una temperatura moderada la igualdad perpetua de los días y las noches. Las otras dos zonas, que se extienden desde los círculos polares hasta los trópicos, son las de temperaturas más suaves en las que, según dice Ovidio, 'se mezcla el calor con el frío'». Cfr. Ovidio, *Metamorfosis* I, 45 ss.; Virgilio *Geórgicas,* I, 231-238; y Plinio II, 172, pasos citados por F. Rico al anotar uno paralelo de Petrarca en su *Secretum* (1978: 135).

[13] A partir de aquí la traducción de Plinio se hace casi literal, doy el paso completo: «Principium iure tribuetur homini, cuius causa videtur cuncta alia genuisse natura, magna, saeva mercede contra tanta sua munera, ut non sit satis aestimare, parens melior homini an tristior noverca fuerit. Ante omnia unum animantium cunctorum alienis velat opibus. Ceteris varie tegimenta tribuit, testas, cortices, coria, spinas, villos, saetas, pilos, plumam, pinnas, squamas, vellera; truncos etiam arboresque cortice, interdum gemino, a frigoribus et calore tutata est: hominem tantum nudum et in nuda humo natali die abicit ad vagitus statim et ploratum, nullumque tot animalium aliud ad lacrimas, et has protinus vitae principio; at Hercule risus praecox ille et celerrimus ante XL diem nulli datur. Ab hoc lucis rudimento quae ne feras quidem inter nos genitas vincula excipiunt et omnium membrorum nexus; itaque feliciter natus iacet manibus pedibusque devinctis, flens animal ceteris imperaturum, et a supliciis vitam auspicatur unam tantum ob culpam, qua natum est. Heu dementia ab his initiis existimantium ad superbiam se genitos! Prima roboris spes primumque temporis munus quadripedi similem facit. Quando homini incessus? Quando vox? Quando firmum cibis os? Quam diu palpitans vertex, summae inter cuncta animalia imbecillitatis indicium! Iam morbi totque medicinae contra mala excogitatae, et hae quoque subinde novitatibus victae! Et cetera sentire natura suam, alia pernicitatem usurpare, alia praepetes volatus, alia nare: hominem nihil scire, nihil sine doctrina, non fari, non ingredi, non vesci, breviterque non aliud naturae sponte quam flere! Itaque multi extitere qui non nasci optimum censerent aut quam occissime aboleri. Uni animantium luctus est datus, uni luxuria et quidem innumerabilibus modis ac per singula membra, uni ambitio, uni avaritia, uni inmensa vivendi

tros retraídos en muy chico espacio[14], en la más vil parte dél, donde nascemos desproveídos de todos los dones que a los otros animales proveyó naturaleza. A unos cubrió de pelos, a otros de pluma, a otros de escama y otros nascen en conchas cerrados; mas el hombre tan desamparado, que el primer don natural que en él hallan el frío y el calor es la carne. Así sale al mundo como a lugar estraño, llorando y gimiendo como quien da señal de las miserias que viene a padescer.[15]

Los otros animales, poco después de salidos del vientre de su madre, luego como venidos a lugar proprio natural, andan los campos, pascen las yervas y, según su manera, gozan del mundo; mas el hombre munchos días después que nasce ni tiene en sí poderío de moverse, ni sabe do buscar su mantenimiento, ni puede sufrir las mudanças

---

cupido, uni superstitio, uni sepulturae cura atque etiam post se de futuro. Nulli vita fragilior, nulli rerum omnium livido maior, nulli pavor confusior, nulli rabies acrior. Denique cetera animantia in suo genere probe degunt. Congregari videmus et stare contra dissimilia: leonum feritas inter se non dimicat, serpentium morsus non petit serpentes, ne maris quidem veluae ac pisces nisi in diversa genera saeviunt. At Hercule homini plurima ex homine sunt mala.» (*Nat hist.*, VII, 1). A finales del siglo, Medrano recogerá estos tópicos en su soneto XXXV (*vid.* la nota correspondiente en la ed. de D. Alonso, S. Reckert y M. L. Cerrón, Madrid, Cátedra, 1988: 273-4).

[14] Cfr. Mexía, *Silva* III, 19: «Allende de la dicha, ay otra verdad y conclusión: que la tierra y agua, en respecto del cielo estrellado, que llamamos firmamento, es de tan pequeña cantidad, que toda ella tiene lugar de centro y es como un pequeño punto en su comparación.» (1990: 125.)

[15] Cfr. las palabras de Agustín en Petrarca, *Secretum* (1978: 78): «Míralo entonces nacer desnudo e informe, entre vagidos y lágrimas, y consolársele con un poquillo de leche; míralo tambaleante y a gatas, necesitado del auxilio ajeno, alimentado por mudos animales y por ellos vestido, de cuerpo caduco y ánimo inquieto, asediado por múltiples enfermedades, sujeto a pasiones sin cuento, pobre de juicio, vacilante alternativamente entre la alegría y la tristeza, incapaz de ejercer su albedrío, sin saber mantener a raya sus apetitos; ignora qué y cuánto le conviene, ignora la medida en comer y beber; los alimentos del cuerpo —bien accesibles a los demás animales— ha de allegarlos con enormes trabajos; el sueño le deja hinchado, la comida le colma, la bebida le destroza, las vigilias le extenúan, el hambre le abate, la sed le agosta. Avido y temeroso, hastiado de lo que tiene, quejoso por lo perdido, tan inquieto ante lo presente como ante lo pasado y lo futuro, se pavonea en medio de sus miserias, aun consciente de su propia fragilidad; inferior a los más viles gusanos, de breve vida, edad incierta, inevitable sino, expuesto a mil géneros de muerte...». En este punto, Petrarca interrumpe a su mentor.

del aire; todo lo ha de alcançar por luengo discurso y costumbre, do paresce que el mundo como por fuerça lo rescibe y naturaleza, casi importunada de los que al hombre crían, le da lugar en la vida, y aun entonces le da por mantenimiento lo más vil. Los brutos, que la naturaleza hizo mansos, biven de yervas y simientes y otras limpias viandas; el hombre bive de sangre, hecho sepultura de los otros animales.

Y si los dones naturales consideramos, verlos hemos todos repartidos por los otros animales: munchos tienen mayor cuerpo do reine su ánima, los toros mayor fuerça, los tigres ligereza, destreza los leones y vida las cornejas. Por los cuales exemplos, y otros semejantes, bien paresce que deve ser el hombre animal más indigno que los otros, según naturaleza lo tiene aborrescido y desamparado; y pues ella es la guarda del mundo que procura el bien universal, creíble cosa es que no dexara al hombre a tantos peligros tan desproveído, si él algo valiera para el bien del mundo.

Las cosas que son de valor estas puso en lugares seguros, do no fuesen ofendidas: mirad el sol dónde lo puso, mirad la luna y las otras lumbres con que veemos; mirad dónde puso el fuego por ser el más noble de los elementos. Pues a los otros animales, si no los apartó a mejores lugares, armólos a lo menos contra los peligros deste suelo: a las aves dio alas con que se apartasen dellos; a las bestias les dio armas para su defensa, a unas de cuernos y a otras de uñas y a otras de dientes; y a los peces dio gran libertad para huir por las aguas. Los hombres solos son los que ninguna defensa natural tienen contra sus daños: perezosos en huir y desarmados para esperar.

Y aun sobre todo esto naturaleza crió mil ponçoñas y venenosos animales que al hombre matasen, como arrepentida de averlo hecho. Y aunque esto no uviera, dentro de nosotros tenemos mil peligros de nuestra salud. Primeramente la discordia de los elementos tenemos nosotros en los cuatro humores que entre sí pelean: cólera con flema, y sangre con melancolía; de los cuales si alguno vence, como es fácil cosa, desconcierta toda la templança humana y da la puerta a mil enfermedades. De manera que nuestros humores mismos, en que está la vida fundada, nuestros enemigos son que entre sí pelean por nuestra destruición.[16]

Agora, pues, ¿qué diré de tantas menudas canales como ay en nuestro cuerpo, por do anda la sangre y los espíritus de vida[17], que siendo alguna dellas rota o estorvada se pierde la salud? ¿Qué diré de la flaqueza de los ojos y de sus peligros, estando en ellos el mayor deleite de la vida? ¿Qué diré de la blandura de los niervos, de la fragilidad de los huesos? ¿Qué diré, sino que fuimos con tanto artificio hechos porque tuviésemos más partes do poder ser ofendidos?[18]

Y aun en esta miserable condición que pudimos alcançar bivimos por fuerça, pues comemos por fuerça que a la tierra hazemos con sudor y hierro, porque nos lo dé; vestímonos por fuerça que a los otros animales hazemos, con despojo de sus lanas y sus pieles, robándoles su vestido; cubrímonos de los fríos y las tempestades con fuerça que hazemos a las plantas y a las piedras, sacándolas de sus lugares naturales do tienen vida. Ninguna cosa nos sirve ni aprovecha de su gana, ni podemos nosotros bivir sino con la muerte de las otras cosas que hizo naturaleza: aves, peces y bestias de la tierra, frutas y yervas y todas las otras cosas perescen para mantener nuestra miserable vida, tanto es violenta cosa y de gran dificultad poderla sostener.

Harto serían grandes causas y bastantes estas que dichas tengo para conoscer cuál es el hombre, sino que bien veo

---

[16] Cfr. Lucrecio *De la naturaleza de las cosas* (1983: III, 231-258).

[17] Los *espíritus de vida* circulan por las venas según Plinio: «Inter hos [los nervios] latent arteriae, *id est spiritus semitae*; his innatant venae, id est sanguinis rivi.» Plinio, *Nat. hist.*, XI, 89. Corresponden al *ánima* en Lucrecio, y forman un todo orgánico con el *ánimo* o alma, agente de deliberación de la mente y la voluntad; *De rerum natura*, libro III. (Digo *ánima* y *ánimo* siguiendo la traducción de A. García Calvo, 1983: 15.)

[18] Cfr. Marco Aurelio, *Meditaciones*, II, 2: «Esto es todo lo que soy: un poco de carne, un breve hálito vital, y el guía interior. ¡Deja los libros! No te dejes distraer más; no te está permitido. Sino que, en la idea de que eres ya un moribundo, desprecia la carne: sangre y polvo, huesecillos, fino tejido de nervios, de diminutas venas y arterias. Mira también en qué consiste el hálito vital: viento, y no siempre el mismo, pues en todo momento se vomita y de nuevo se succiona.» (1977: 59-60.)

que está Antonio considerando cómo yo he mostrado las miserias del cuerpo, a las cuales él después querrá oponer los bienes que suelen dezir del alma. Agora, pues, Antonio, porque ninguna parte del hombre te quede do yo no te aya anticipado, quiero mostrar en el alma mayores males que para el cuerpo ay.

Ya tú bien sabes cómo el alma nuestra su principal asiento tiene en el celebro, blando y fácil de corromper; y cómo en unas celdillas dél, llenas de leve licuor, haze sus obras principales con ayuda de los sentidos por do se le trasluzen las cosas de fuera[19]; y sabes también cuán fácil cosa sea embotarle o desconcertarle estos sus instrumentos, sin los cuales ninguna cosa puede.

Los sentidos de mil maneras peresces, y, siendo estos salvos, otras causas tenemos dentro que nos ciegan y nos privan de razón: si el estómago abunda de vapores, luego ellos redundan a las partes del celebro y enturbian los lugares que ha menester el alma tener puros; si se inflaman las entrañas, con el ardor se engendra frenesía; y si el coraçón es por de fuera tocado de sangre, suceden desfallescimiento y tinieblas obscuras do el alma se olvida de todas las cosas.

Pero ¿qué es menester provarlo con estas cosas que están más apartadas, pues la mesma ánima con sus obras más excelentes se destruye? Bien sabemos que en altas imaginaciones metidos munchos han perdido el seso, y que desta manera no podemos meter nuestra alma en hondos pensamientos sin peligro de su perdición. Mas pongamos agora que todas estas cosas no le empezcan, y que persevere tan perfecta y tan entera como puede según naturaleza; y consideremos primero cuánto vale el entendimiento, que es el sol del alma que da lumbre a todas sus obras.

Éste, si bien miráis, aunque es alabado y suele por él ser ensalçado el hombre, más nos fue dado para veer nuestras miserias que para ayudarnos contra ellas: éste nos pone delante los trabajos por do avemos pasado; éste nos muestra

---

[19] El *alma* corresponde al *ánimo* de Lucrecio en su libro III, del que hay ecos en toda esta sección del *Diálogo*. (*Vid.* la nota 17.)

los males presentes y nos amenaza con los venideros antes de ser llegados. Mejor fuera, me paresce, carescer de aquesta lumbre, que tenerla para hallar nuestro dolor con ella; principalmente pues tan poco vale para enseñarnos los remedios de nuestras faltas.

Que aunque algunos piensan que vale más nuestro entendimiento para la vida que la ayuda natural que tienen los otros animales, no es así, pues nuestro entendimiento nasce con nosotros torpe y obscuro, y antes que convalezca son pasadas las mayores necesidades de la vida por la flaqueza de la niñez y los ímpetus de juventud, que son los que más han menester ser con la razón templados. Entonces ya puede algo el entendimiento cuando el hombre es viejo y vezino de la sepultura, que la vida lo ha menos menester; y aun entonces padesce mil defectos en los engaños que le hazen los sentidos.

Y también porque él, de suyo, no es muy cierto en el razonar y en el entender, unas vezes siente uno y otras vezes el mesmo siente lo contrario, siempre con dubda y con temor de afirmarse en ninguna cosa; de do nasce, como manifiesto veemos, tanta diversidad de opiniones de los hombres, que entre sí son diversos. Por lo cual yo munchas vezes me duelo de nuestra suerte, porque teniendo nosotros en sola la verdad el socorro de la vida, tenemos para buscarla tan flaco entendimiento que, si por ventura puede el hombre alguna vez alcançar una verdad, mientras la procura, se le ofresce necesidad de otras mil que no puede seguir.

Mejor están los brutos animales proveídos de saber, pues saben desde que nascen lo que han menester sin error alguno: unos andan, otros buelan, otros nadan guiados por su instinto natural. Las aves, sin ser enseñadas, edifican nidos, mudan lugares, proveen al tiempo; las bestias de tierra conoscen sus pastos y medicinas; y los peces nadan a diversas partes; todos guiados por el instinto que les dio naturaleza. Sólo el hombre es el que ha de buscar la doctrina de su vida con entendimiento tan errado y tan incierto como ya avemos mostrado.

Aunque yo no sé por qué me quexo en tan pequeños daños de nuestro entendimiento, pues siendo aquel a quien está toda nuestra vida encomendada, ha buscado tantas maneras de traernos la muerte. ¿Quién halló el hierro escondido en las venas de la tierra? ¿Quién hizo dél cuchillos para romper nuestras carnes? ¿Quién hizo saetas? ¿Quién fue el que hizo lanças?[20] ¿Quién lombardas?[21] ¿Quién halló tantas artes de quitarnos la vida sino el entendimiento, que ninguna igual industria halló de traernos la salud? Éste es el que mostró deshazer las defensas[22] que las gentes ponen contra sus peligros; éste halló los engaños; éste halló los venenos y todos los otros males por los cuales dizen que es el hombre el mayor daño del hombre.

Otras cosas yo diría de aquesta parte del alma si no me paresciese que esto basta para su condenación. Y pues ella es la guía a quien las otras siguen, no sería menester de la voluntad dezir nada, pues no puede ser más concertada, que es sabio su maestro; mas por mayor declaración de la intención que tengo, diré también las cosas que della siento.

Está la voluntad, como bien sabéis, entre dos contrarios enemigos que siempre pelean por ganarla: éstos son la razón y el apetito natural. La razón, de una parte, llama la voluntad a que siga la virtud y le muestra a tomar fuerça y rigor para acometer cosas difíciles; y, de otra parte, el apetito na-

---

[20] Cfr. *Geórgicas*, I, 143-146; Plinio VII, 57; y Lucrecio, V, 1241-1348.

[21] *lombardas:* «Un género de escopeta, cuya invención se truxo de Lombardía.(...) Yo sospecho que pudieron tomar este nombre de la respuesta que dan al disparar, y averse dicho bombardas por la figura onomatopeya.» (Covarrubias). Las armas de fuego eran invención relativamente reciente (1320), atribuida al fraile alemán Bertoldo Schwartz, y convertida en topos literario sobre todo por Ariosto en su *Orlando Furioso* XI, 21-28. Pedro Mexía en su *Silva de varia lección*, I, 8, adelanta notablemente la fecha de la invención, fiándose de dos pasos que dice sacar de las *Crónicas* de Alfonso XI y Alfonso VI: en el primero, de 1343, «los moros cercados tiraban de la ciudad ciertos truenos con tiros de hierro»; en el segundo, de entre 1040 y 1091, «los navíos del rey de Túnez traían ciertos tiros de hierro o lombardas, con que tiravan muchos truenos de fuego; lo qual, si assí es, devió de ser de artillería, aunque no en la perfección de agora; y ha esto más de quatrocientos años.» (1989: 235-6.)

[22] Éste es el único paso en el que el traductor Ulloa cambia el sentido, (y la lección pasa al francés): «quello chè insegnò a far le difese» *V*; «qui enseigna de faire les defenses» *P*.

tural con deleite la ablanda y la distrae. Agora, pues, ved cuál es más fácil cosa: ¿apartarse ella de su natural a mantener perpetua guerra, en obediencia de cosa tan áspera como es la razón y sus mandamientos; o seguir lo que naturaleza nos aconseja yendo tras nuestras inclinaciones, las cuales detener es obra de mayor fuerça que nosotros podemos alcançar?

Principalmente que nuestros apetitos naturales nunca dexan de combatirnos, y la razón munchas vezes dexa de defendernos. A todas horas nos requiere la sensualidad con sus viles deleites, mas no siempre está la razón con nosotros para amonestarnos y defendernos della, porque no sólo este cuidado tiene el entendimiento, sino también los otros de la vida; por donde, repartiéndose según las varias necesidades que se ofrescen, es por fuerça menester que munchas vezes desampare la voluntad y la dexe en medio de los que la combaten, sin que nadie le enseñe cómo se ha de defender; donde es necesario que alguna vez, o por flaqueza o por error, sea presa de los vicios. Pues cuando viene a este estado ¿qué cosa puede ser más aborrescible que el hombre? Entonces la sensualidad, con gula y pereza y otros blandos tratamientos de la carne, ciega el entendimiento; y ella arde en suzios encendimientos de luxuria. Y si por ventura la templança natural nos resfría, como pocas vezes acontesce, otros vicios ay do se va la voluntad cuando de la razón se aparta: éstos son sobervia, cobdicia, invidia, enemistad y otros que ay semejantes; de do nascen las guerras, las muertes, las gravísimas perturbaciones en que traen los hombres al mundo.

Agora, pues, ¡vengan esos sabios, esos que suelen tanto ensalçar el ánima del hombre; dígannos agora do pudieron ellos hallar bien alguno entre tantos males! Todo es vanidad y trabajo lo que a los hombres pertenesce, como bien se puede ver si los consideramos en los pueblos do biven en comunidad. Allí veremos unos dellos en sus artes que dizen mecánicas estar peleando con la dureza del hierro; otros figuran piedras; otros suben pesos; otros pulen la madera, otros la lana; y otros en otros exercicios sudan y trabajan encorvados sobre sus obras, do en pequeño espacio tienen ocupados los ojos y el pensamiento.

131

Y verás allí otros los días y las noches del reposo ocupados en las disciplinas, con cuidado perpetuo, en las cuales pierde tanto la memoria como gana el entendimiento[23]. Así los veréis, a los que siguen disciplinas, acabado el trabajo tornar de nuevo a él; los cuales me paresce que así hazen como de Sísifo dixeron los poetas: que cuantas vezes sube una piedra a la cumbre de un monte infernal, tantas vezes se le cae y torna al trabajo. Pues si ésta les paresció bastante pena para ser uno atormentado en el infierno, esos que son en la República más estimados por las disciplinas ¿qué descanso pensáis que tienen, peleando continuamente con el peso dellas, que tantas vezes se les cae de la memoria cuantas lo levantan con el entendimiento?

Todos trabajan y sudan los que biven en los pueblos; y los labradores de los campos que andan fuera dellos no carescen de penas: descubiertos por los soles y las aguas, andando por las soledades a procurar el mantenimiento de los otros que biven en sus casas, como esclavos dellos, sin esperar fin o reposo alguno, mas antes tornan de nuevo al trabajo por el orden mismo que tornan los años.

Pues los que goviernan, mirad cómo no tienen ellos tampoco descanso, buscando la verdad entre las contiendas de los hombres y sus porfías, donde el hallarla es cosa de gran cuidado y gran dificultad. Cuanto más que, pues el hombre que con mayor cuidado mira por sí, a gran pena puede dar en sus cosas concierto, las cuales conosce y es dellas señor, ¿cómo podrá el que govierna concertar las vidas de tantos hombres, no sabiendo de sus intenciones nada, que ellos tienen encubiertas en sus pechos? Y si miráis la gente de guerra que guarda la república, verlos héis vestidos de hierro, mantenidos de robos, con cuidados de matar y temores de ser muertos, andando en continua mudança do los llama la fortuna, con iguales trabajos en la noche y en el día.

Así que todos estos y los demás estados de los hombres no son sino diversos modos de penar, do ningún descanso

---

[23] Para Plinio es lo más frágil de la naturaleza humana: «Nec aliud est aeque fragile in homine: morborum et casus iniurias atque etiam metus sentit, alias particulatim, alias universa.» *Nat. hist.*, VII, 24.

tienen ni seguridad en alguno dellos, porque la fortuna[24] todos los confunde y los rebuelve con vanas esperanças y vanos semblantes de honras y riquezas; en las cuales cosas, mostrando cuán fácil es y cuán incierta, a todos mete en deseos de valer tan desordenados que no ay lugar tan alto do los queramos dexar. Con estos escarnios de fortuna, cada uno aborresce su estado con cobdicia de los otros, do, si llega, no halla aquel reposo que pensava, porque todos los bienes de fortuna al desear parescen hermosos, y al gozar llenos de pena.

Así andan los hombres, atónitos, errados, buscando su contentamiento donde no pueden hallarlo. Y entre tanto se les pasa el tiempo de la vida, y los lleva a la muerte con pasos acelerados, sin sentirlo. La cual nos espera encubierta, no sabemos a cual parte de la vida, mas bien veemos que jamás estamos tan seguros della que no podamos tenerla muy cierta. A vezes se nos esconde do menos sospecha ay; y otras vezes la hallamos do vamos huyendo della; unas vezes lleva al hombre en la primera edad, y entonces es piadosa, pues le abrevia el curso de sus trabajos; otras vezes, que es cruel, lo saca de entre los deleites de la edad entera, cuando ya ha cobrado a la vida grande amor[25]. Mas pongamos que la muerte dexe al hombre hazer el curso natural: la más luenga vida ¿no veemos cuán breve pasa?[26]

---

[24] Cfr. Plinio, *Nat. hist.*, VII, 41: «Si verum facere iudicium volumus ac repudiata omni fortunae ambitione decernere, nemo mortalium est felix. Abunde agitur atque indulgenter a fortuna deciditur cum eo, qui iure dici non infelix potest. Quippe ut alia non sint, certe ne lassescat fortuna metus est, quo semel recepto solida felicitas non est». La reflexión acerca de la fortuna es cardinal en la obra histórica de Pérez de Oliva, me ocupé del ello, centrándome en la influencia que Tito Livio ejerce sobre su concepto de dominio, en mi artículo de 1990, especialmente en las pp. 43-50; cfr. también sus versos en lamentación por el Saco de Roma.

[25] Cfr. Plinio, *loc. cit.*: «Quid, quod nemo mortalium omnibus horis sapit?»; y VII, 49: «De spatio atque longinquitate vitae hominum non locorum modo situs, verum et tempora ac sua cuique sors nascendi incertum fecere.» En el mismo libro VII, Plinio relata una serie de casos de muerte aparente, y de muertes repentinas.

[26] Para la sección del discurso de Aurelio sobre la muerte, cfr. Plinio, *Nat. hist.*, VII, 51: «Incertum ac fragile nimirum est hoc munus naturae,

La niñez en breves días se nos va, sin sentido; la mocedad se pasa mientras nos instruimos y componemos para bivir en el mundo; pues la juventud pocos días dura, y esos en pelea que con la sensualidad entonces tenemos, o en darnos por vencidos della, que es peor. Luego viene la vejez, do en el hombre comiençan a hazerse los aparejos de la muerte. Entonces el calor se resfría; las fuerças lo desamparan; los dientes se le caen, como poco necesarios; la carne se le enxuga y las otras cosas se van parando tales cuales han de estar en la sepultura. Hasta que el fin llega bolando, con alas, a quitarle de sus dulces miserias, y aún allí en la despedida lo afligen nuevos males y tormentos.

Allí le vienen dolores crueles, allí turbaciones; allí le vienen suspiros con que mira la lumbre del cielo que va ya dexando, y con ella los amigos y parientes y otras cosas que amava, acordándose del eterno apartamiento que dellas ha de tener. Hasta que los ojos entran en tinieblas perdurables en que el alma los dexa, retraída a despedirse del seso y el coraçón y las otras partes principales do, en secreto, solía ella tomar sus plazeres. Entonces muestra bien el sentimiento que haze por su despedida, estremesciendo el cuerpo y, a vezes, poniéndolo en rigor con gestos espantables en la cara, do se representan las crudas agonías en que dentro anda entre el amor de la vida y temor del infierno; hasta que la muerte con su cruel mano la desase de la entrañas. Así fenece el miserable hombre, conforme a la vida que antes pasó.

Aquí pudiera, Dinarco, poner fin a ésta mi habla pues he traído el hombre hasta el punto donde desvanesce, si no

---

quicquid datur nobis, malignum vero et breve etiam in iis quibus largissime contigit, universum utique aevi tempus intuentibus. Quid, quod aestimatione nocturnae quietis dimidio quisque spatio vitae suae vivit, pars aequa morti similis exigetur aut poena est, nisi contigit quies? Nec reputantur infantiae anni, qui sensu carent, non senectae in poenam vivacis, tot periculorum genera, tot morbi, tot metus, tot curae, totiens invocata morte, ut nullum frequentius sit votum. Natura vero nihil hominibus brevitate vitae praestitit melius. Hebescunt sensus, membra torpent, praemoritur visus, auditus, incessus, dentes etiam ac ciborum instrumenta, et tamen vitae hoc tempus adnumeratur.»

viera que me queda nueva pelea con la fama, vana consoladora de la brevedad de nuestra vida. Ésta toman munchos por remedio de muerte, porque dizen que da eternidad a las mejores partes del hombre, que son el nombre y la gloria de los hechos, los cuales quedan en memoria de las gentes que es, según dizen, la vida verdadera. Donde claro muestran los hombres su gran vanidad, pues esperan el bien para cuando no han de tener sentido. ¿Qué aprovecha a los huesos sepultados la gran fama de los hechos? ¿Dónde está el sentido? ¿Dónde el pecho para rescebir la gloria? ¿Dó los ojos? ¿Dó el oír con que el hombre coge los fructos de ser alabado? Los cuerpos en la sepultura no son diferentes de las piedras que los cubren: allí yazen en tinieblas, libres de bien y mal, do nada se les da que ande el nombre bolando con los aires de la fama.

La cual es tan incierta, que a la fin mezcla la verdad con fábulas vanas, y quita de ser conoscidos los defunctos por los nombres que tenían. Las memorias de los grandes hombres troyanos y griegos, con la antigüedad están así[27] corrompidas, que ya por sus nombres no conoscemos los que fueron, sino otros hombres fingidos que han hecho en su lugar, con fábulas, los poetas y los historiadores, con gana de hazer más admirables las cosas. Y aunque digan la verdad, no escriven en el cielo incorruptible, ni con letras inmudables; sino escriven en papel, con letras que, aunque en él fueran durables, con mudança de los tiempos a la fin se desconoscen. Las letras de egipcios y caldeos, y otros munchos que tanto florescieron, ¿quién las sabe? ¿Quién conosce agora los reyes, los grandes hombres que a ellas encomendaron su fama?

Todo va en olvido, el tiempo lo borra todo[28]. Y los gran-

---

[27] 'tan'; ponderativo. Así lo interpreta Ulloa: «sono così corrotti» *V* ; y «L'Antiquité a si bien corrompu» *P*.

[28] Cfr. Virgilio: «Omnia fert aetas, animum quoque», *Égloga* 9, 51; y Marco Aurelio, *Meditaciones*, II, 12 « ¡Cómo en un instante desaparece todo: en el mundo, los cuerpos mismos, y en el tiempo, su memoria! ¡Cómo es todo lo sensible, y especialmente lo que nos seduce por placer o nos asusta por dolor o lo que nos hace gritar por orgullo; cómo todo es

des edificios que otros toman por socorro para perpetuar la fama, también los abate y los iguala con el suelo. No ay piedra que tanto dure, ni metal, que no dure más el tiempo, consumidor de las cosas humanas. ¿Qué se ha hecho de la torre fundada para subir al cielo? Los fuertes muros de Troya; el templo noble de Diana[28bis]; el sepulcro de Mauseolo; tantos grandes edificios de romanos de que apenas se conoscen las señales donde estavan, ¿qué son hechos? Todo esto se va en humo, hasta que tornan los hombres a estar en tanto olvido como antes que nasciesen, y la misma vanidad se sigue después que primero avía[29].

Hasta aquí, Dinarco, me ha parescido dezir del hombre; agora yo lo dexo a él y su fama enterrados en olvido perdurable[30]. Yo no sé con qué razones tú, Antonio, podrás resus-

---

vil, despreciable, sucio, fácilmente destructible y cadáver! ¡Eso debe considerar la facultad de la inteligencia! ¿Qué son ésos, cuyas opiniones y palabras procuran buena fama...? ¿Qué es la muerte?» (1977: 63.)

[28bis] En este paso Ulloa, contra su costumbre, amplifica: «Che si fece delle forti mura di Troia? della città santa di Gierusalenne? de la popolata Corinto? dell'antica Babilonia. Che si fece il nobilissimo tempio di Diana?» (V: 17r-v); la lección pasa al francés (P: 16v).

[29] El paso, que desarrolla el topos del *Ubi sunt* de manriqueña memoria, se cierra con la *vanidad* de las cosas humanas, donde resuena el texto salomónico de la *Biblia*. Cfr. Bovelles donde las palabras del *estulto* pueden identificarse con las de Aurelio: «Il contrario si può dire dello stolto. Non soccorrendogli, per l'ignoranza di se, nessuna speranza d'immortalità, egli prorompe giustamente in queste parole di Salomone: "É breve e uggioso il tempo della mia vita. Come un fumo è stato inspirato nelle mie narici; il mio spirito si disperderà come nell mole aere. Dopo sarà come se io non fossi mai stato; nessuno avrà in seguito memoria delle mie opere. Godrò dunque dei beni in gioventù, mangerò e berrò, perché domani devo morire". Lo stolto, spinto da questa infelice disperazione, da questi stimoli terreni e caduchi, mentre cerca di respingere il ricordo de la morte crudele e della pena vendicatrice, affretta la triste morte, aumenta la pena, e «si precipita, come vuole la Scrittura, nella fossa che si è scavata» (1987: 28-29). La cita (Garin da como fuentes *Sab.*, 2,16, *Eccle*, 10, 8, y *Salmo* 7, 17-18) es útil para centrar —y, si se considera pertinente, apoyar— la condena que Antonio hará de las palabras de Aurelio. (Véase ahora la nota 35.)

[30] Pérez de Oliva no traduce —pero es esencial su consideración para comprender a fondo el tipo de planteamiento que defiende Aurelio y rebate Antonio— la sección de Plinio, *Nat. hist.* VII, 56, donde dice que con la muerte tanto el cuerpo como el alma no tienen más sensibilidad que la que tenían antes del nacimiento, y que sólo la vanidad humana se proyec-

citarlo. Dale vida, si pudieres, y consuelo contra tantos males como has oído, que si tú así lo hizieres, yo seré vencido de buena gana, pues tu victoria será gloria para mí, que me veré constituido en más excelente estado que pensava.

---

ta en el futuro inventándose una vida *post mortem*, sea admitiendo la inmortalidad del alma, sea creyendo en la metempsicosis, o bien atribuyendo una sensibilidad a los difuntos que hace de los hombres dioses. El alma no tiene substancia ni consistencia material, y sostener lo contrario es subscribir las invenciones y los pueriles sueños de los mortales deseosos de no acabarse. Creer en la inmortalidad del alma es una locura: «Quae, malum, ista dementia est iterari vitam mortem?». Estas fantasías hacen perder el bien mayor de la naturaleza, que es la muerte, una serenidad de la que podemos hacernos una idea basándonos en la experiencia de como éramos antes de nacer. Y es que en la conclusión del parlamento de Aurelio está la clave para interpretar el *Diálogo* en su contexto histórico: todo lo dicho por él —que se amparaba, precisamente, en la *experiencia*, cfr. la nota 9—, queda anulado por la palabra de Antonio quien, habiendo bebido en las fuentes de la Sagrada Escritura, posee la verdad revelada de la que carece Aurelio, lector de filósofos antiguos; Antonio dará término a su alabanza del hombre de la mano de San Pablo, describiendo la salvación del hombre por la gracia, la resurrección de la carne y la gloria eterna. «Fue hecho el primer hombre Adán en ánima viviente. El postrer Adán en espíritu vivificante» decía San Pablo (*1 Corintios,* 15, 45), y bien podemos considerar que el primer Adán es el hombre según Aurelio, y el último el de Antonio. *(Vid.* ahora la nota 74.)

Antonio

—Considerando, señores, la composición del hombre —de quien oy he de dezir—, me paresce que tengo delante los ojos la más admirable obra de cuantas Dios ha hecho[31], donde veo no solamente la excelencia de su saber más representada que en la gran fábrica del cielo, ni en la fuerça de los elementos, ni en todo el orden que tiene el universo; mas veo también como en espejo claro el mismo ser de Dios y los altos secretos de su trinidad[32].

Parte desto vieron los sabios antiguos con la lumbre natural, pues que puestos en tal contemplación dixo Trimegisto que gran milagro era el hombre, do cosas grandes se veían[33]; y Aristóteles creyó que era el hombre el fin a quien

---

[31] El hombre como obra admirable era el punto de partida de Pico della Mirandola (*vid. infra* la nota 39) y de Giannozzo Manetti en su *De dignitate et excellentia hominis*, I, 1: «Cum igitur hoc nostrum quodcumque opus ab humano corpore feliciter incipere debeamus (...) in sacris litteris ab omnipotenti deo mirabiliter formatum fuisse legimus.» I, 1 (1975: 5.)

[32] Cfr. *Génesis* 1, 27: «Y crió Dios el hombre a su imagen, a imagen de Dios lo crió, macho y hembra los crió» y 1 Corintios 11, 7: «Porque el varón no ha de cubrir la cabeza, porque es imagen y gloria de Dios». Nótese, a propósito del *Génesis*, que en el *Diálogo* sólo se contempla la existencia del *hombre* en género masculino: ni la Biblia, ni Aristóteles con todos sus tratados, persuaden al grave pensador a considerar la existencia del otro sexo.

[33] «*Magnum, o Asclepi, miraculum est homo*». Con esta sentencia de Hermes Trismegisto (*Asclepius, Hermetica*, ed. Scott, Oxford, 1924, I, 294) abre Pico della Mirandola su *Oratio* o *De hominis dignitate* (ed. Garin, 1985:7; y cfr. F. Rico, 1988³: 138, n. 161), y tal exaltación de la potencia humana es

todas las cosas acatan, y que el cielo tan excelente y las cosas admirables que dentro de sí tiene, todas fueron reduzidas a que el hombre tuviese vida, sin el cual todas parecían inútiles y vanas. Sólo Epicuro se quexava de la naturaleza humana, que le parecía desierta de bien y afligida de munchos males, alegando tales razones que me paresce que tú, Aurelio, lo has bien en ellas imitado; por lo cual le parescía que este mundo universal se regía por fortuna, sin providencia que dentro dél anduviese a disponer de sus cosas. Mas de cuánto valor sea la sentencia de Epicuro, ya él lo mostró cuando antepuso el deleite a la virtud[34].

Yo no quisiera que aprovara al hombre quien a la virtud condena; basta que lo aprueven aquellos que con alto jui-

---

emblema del pensamiento de Pico. El mismo Garin centra el interés por el hermetismo en el «rifiuto del fisico Aristotele e del mondano Epicuro» y señala que «Giannozzo Manetti aveva inserito nel suo *De dignitate et excellentia hominis* pagine intere di Lattanzio tutte piene di elementi ermetizzanti. Solo che l'uso ficiniano di questi temi sarà ormai completamente diverso, come del tutto diverso, in fondo, è il suo modo di intendere il valore dell'uomo.» (*L'Umanesimo italiano*, Bari, Laterza, pág. 277-8). Ningún peso, sin embargo, parece tener el pensamiento hermético en Pérez de Oliva, quien se limita a citar un paso que, por otra parte, aparece en los textos más dispares, como, por ejemplo, el diálogo *La Circe* de Giambattista Gelli, en el momento en que Ulises devuelve su naturaleza humana a Aglafemo, convertido en elefante (ed. citada en la nota 7, pág. 140); otra cosa es el concepto del hacerse a sí mismo, que se comenta más abajo (véase la nota 39).

[34] La condena del materialista Epicuro en boca de Antonio es inevitable, y sirve, además, para la interpretación global del *Diálogo* que he ido exponiendo en las notas al discurso de Aurelio. Es una condena generalizada, cfr. por ejemplo, un colega universitario de Oliva, es decir Francisco de Vitoria en su lección magistral de 1527-28, *De potestate civili, 2*, donde, al hablar —con la claridad de exposición que le distingue— del hombre como *fábrica admirable*, desmonta, *Física* de Aristóteles a la mano, el atomismo de Lucrecio: el mundo es un cosmos armónico; cada cosa responde a una necesidad, y cielo, tierra, y el hombre mismo, *corona del mundo* existen por un fin. Sobre el mundo regido por la fortuna, querría —aunque sea anacrónico, porque no tengo constancia de que el texto fuera conocido en aquel tiempo— citar sólo una máxima de Epicuro que contradice la recalcitrante interpretación sesgada de su pensamiento: «Poca importancia tiene la fortuna para el sabio, ya que las cosas más grandes e importantes las ha ordenado la razón, y durante toda su vida las ordena y ordenará.» *Máxima XVI* (5, 144); traduzco siguiendo el texto de las *Opere*, trad. G. Arrighetti, Turín, Einaudi, 1970: 71.

zio saben que al artífice haze grave injuria quien reprueva su obra más excelente[35]. Dios fue el artífice del hombre, y por eso, si en la fábrica de nuestro ser uviese alguna falta, en Él redundaría más señaladamente que de otra obra alguna, pues nos hizo a su imagen para representarlo a él. Si en la figura pintada do algún hombre se nos muestra uviese alguna fealdad, ésta atribuiríamos a cuya es la imagen, si creemos que fue hecha con verdadera semejança; pues así las faltas de naturaleza humana, si algunas uviese, pensaríamos que en Dios estuviesen, pues ninguna cosa ay que tan bien represente a otra como a Dios representa el hombre[36].

---

[35] Por ejemplo, Tomás de Aquino: «Praecellunt enim alias creaturas et in perfectione naturae et in dignitatis finis. In perfectione quidem naturae, quia sola creatura rationalis habet dominium sui actus, libere se agens ad operandum; caetere vero creaturae ad opera propria magis aguntur quam agant (...) In dignitate autem finis, quia sola creatura intellectualis ad ipsum ultimum finem universi sua operatione pertingit, scilicet cognoscendo et amando Deum; aliae vero creaturae ad finem ultimum pertinger non possunt nisi per aliqualem similitudinis ipsius participationem.» *Summa contra gentiles*, III, III. (*Summa Theologiae*, Roma, Editiones Paulinae, 1960.) Cfr. ahora *Il libro del sapiente* de Bovelles, donde la condena del *estulto* y su *infelice disperazione* (cfr. *supra* la nota 29) es explícita: «Tra il sapiente e lo stolto non c'è nessuna differenza di natura o di sostanza; entrambi sono uomini per la partecipazione all'anima e al corpo. Ma l'anima dell'uno è vuota e sterile; la mente dell'altro, ricchissima di virtú, di perfezione, di conoscenza di sé, di luce spirituale, è divenuta padrona del proprio essere. Di entrambi gli uomini Dio è la comune origine, il fine comune; ma solo il sapiente si fa simile a Dio per virtú e per sapienza, torna al proprio principio e consegue il fine naturale; lo stolto invece, per l'assenza di virtú, per la presenza di elementi disarmonici e di abitudini in contrasto fra loro, è tormentato e penosamente impedito nel ritorno alla propria origine e nel godimento del proprio fine naturale.» (1987: 28.)

[36] El símil del pintor que se retrata está tambíen en el nombre 'Hijo de Dios' de fray Luis, pero véase cómo con su platonismo se aleja del sentido dado por Oliva: «Porque como un grande pintor, si quisiesse hazer un imagen suya que lo retratase, bolvería los ojos a sí mismo primero, y pondría en su entendimiento a sí mismo y, entendiéndose menudamente, se debuxaría allí primero que en la tabla y más bivamente que en ella, y este debuxo suyo, hecho, como dezimos, en el entendimiento y por él, sería como un otro pintor y, si le pudiesse dar vida, sería un otro pintor de hecho, produzido del primero, que tendría en sí todo lo que el primero tiene y lo mismo que el primero tiene, pero allegado y hecho vezino al arte y a la imagen de fuera, assí Dios, que necesariamente se entiende y que

En el ánima lo representa más verdaderamente; la cual es incorruptible y simplicísima, sin composición alguna, toda en un ser como es Dios, y en este ser tres poderíos tiene con que representa la divina trinidad. El Padre, soberano principio universal de donde todo procede, en contemplación de su divinidad engendra al Hijo, que es su perfecta imagen; la cual Él amando, y siendo della amado, procede el Espíritu Sancto como vínculo de amor. Así con gran semejança el ánima nuestra, contemplando, engendra su verdadera imagen, y conosciéndose por ella, produze amor. Desta manera, con su memoria, con que haze la imagen; y con el entendimiento, que es el que usa della; y con la voluntad, adonde mana el amor, representa a Dios: no sólo en esencia, sino también en trinidad.

Por lo cual en la creación del mundo, aviendo hecho la Sagrada Escriptura[37] mención de Dios con nombre de *Uno*, cuando uvo de criarse el hombre refiere que dixo Dios: *hagamos el hombre a nuestra imagen y semejança*[38]; así que se declaró ser munchas personas en aquel paso do hacía la imagen dellas. Y no sin causa dobló la palabra cuando dixo *imagen* y *semejança*, porque la imagen es de la esencia, y la semejança es del poder y del oficio: que así como Dios tiene en su poderío la fábrica del mundo, y con su mando la goviérna, así el ánima del hombre tiene el cuerpo sujeto, y según su voluntad lo mueve y lo goviérna; el cual es otra imagen verdadera de aqueste mundo a Dios subjecto.

---

apetece el pintarse, desde que se entiende —que es desde toda su eternidad—, se pinta y se debuxa en sí mismo, y después, quando le plaze, se retrata de fuera. Aquella imagen es el *Hijo*; el retrato que después haze fuera de sí son las criaturas, assí cada una dellas como todas allegadas y juntas. Las quales, comparadas con la figura que produxo Dios en sí y con la imagen del arte, son como sombras escuras y como partes por extremo pequeñas, y como cosas muertas en comparación de la vida.» (1977: 516-7.)

[37] En *A*, impreso pre-tridentino, se lee *Escriptura* a secas; es posible (a juzgar por el tipo de variantes que introducen en el texto de las *Potencias*, del que conocemos autógrafo e impresión) que el *Sagrada* sea un añadido de Morales o del impresor cordobés. El adjetivo aparece también, de forma independiente, en Ulloa: *la scrittura sacra* (19v), y pasa a D'Avost: *l'escriture sainte* (18v).

[38] *Génesis*. 1, 26. Cfr. *supra* la nota 32.

Porque, como son estos elementos de que está compuesta la parte baxa del mundo, así son los humores en el cuerpo humano, de los cuales es templado. Y como veis el cielo ser en sí puro y penetrable de la lumbre, así es en nosotros el leve espíritu animal, situado en el celebro y de allí a los sentidos derivado, por do se rescibe lumbre y vista de las cosas de fuera. Por donde es manifiesto ser el hombre cosa universal que de todas participa: tiene ánima a Dios semejante, y cuerpo semejante al mundo; bive como planta, siente como bruto y entiende como ángel. Por lo cual bien dixeron los antiguos que es el hombre menor mundo cumplido de la perfección de todas las cosas[39]. Como Dios, en

---

[39] Para los argumentos que se siguen sobre la dignidad del hombre derivada de ser éste un *microcosmos*, es indispensable la lectura de Francisco Rico en el capítulo «De Hominis Dignitate» de *El pequeño mundo del hombre* (1988[3]: 128-151 y 322-328); y, recientemente, en «Humanismo y dignidad del hombre» (1993:168-173), donde, en apretadas y reveladoras páginas, centra la reflexión principal del *Diálogo* en su contexto filosófico y literario. Nada puedo añadir a lo allí dicho, de modo que me limito a dar el famoso paso de Pico della Mirandola sobre la universalidad y libertad del hombre que, según el propio Rico (1988[3]:134-135), podría ser la fuente del discurso de Antonio (cito por la traducción de Garin): «Stabilì finalmente l'ottimo artefice che a colui cui nulla poteva dare di proprio fosse comune tutto ciò che aveva singolarmente assegnato agli altri. Perciò accolse l'uomo come opera di natura indefinita e postolo nel cuore del mondo così gli parlò: «Non ti ho dato, o Adamo, nè un posto determinato, nè un aspetto proprio, nè alcuna prerogativa tua, perchè quel posto, quell'aspetto, quelle prerogative che tu desidererai, tutto secondo il tuo voto e il tuo consiglio ottenga e conservi. La natura limitata degli altri è contenuta entro leggi da me prescritte. Tu te la determinerai da nessuna barriera costretto, secondo il tuo arbitrio, alla cui potestà ti consegnai. Ti possi nel mezzo del mondo perchè di là meglio tu scorgessi tutto ciò che è nel mondo. Non ti ho fatto nè celeste, nè terreno, nè mortale nè immortale, perchè di te stesso quasi libero e sovrano artefice ti plasmassi e ti scolpissi nella forma che avresti prescelto. Tu potrai degenerare nelle cose inferiori che sono i bruti; tu potrai, secondo il tuo volere, rigenerarti nelle cose superiori che sono divine». O suprema liberalità di Dio padre! o suprema e mirabile felicità dell'uomo! a cui è concesso di ottenere ciò che desidera, di essere ciò che vuole. I bruti nel nascere seco recano dal seno materno tutto quello che avranno. Gli spiriti superni o dall'inizio o poco dopo furono ciò che saranno nei secoli dei secoli. Nell'uomo nascente il Padre ripose semi d'ogni specie e germi d'ogni vita. E secondo che ciascuno li avrà coltivati, quelli cresceranno e daranno in lui i loro frutti. E se saranno vegetali sarà pianta;

sí tiene perfección universal; por donde otra vez somos tornados a mostrar cómo es su verdadera imagen. Y pues es así que los príncipes, cuando mandan esculpirse, hazen que se busque alguna piedra excelente, o se purifique el oro para hazer la figura según su dignidad, creíble cosa es que, cuando Dios quiso hazer la imagen de su representación, que tomaría algún excelente metal, pues en su mano tenía hazerla de cual quisiese. Mas la causa por que la puso en la tierra, siendo tan excelente, oiréis agora.

Los antiguos fundadores de los pueblos grandes, después de hecho el edificio, mandavan poner su imagen esculpida en medio de la cibdad, para que por ella se conosciese el fundador; así Dios, después de hecha la gran fábrica del mundo, puso al hombre en la tierra, que es el medio dél, porque en tal imagen se pudiese conoscer quién lo havía fabricado. Mas no quiso que fuese aquí como morador, sino como peregrino desterrado de su tierra, y, como dize San Pablo, caminando para Dios nuestra tierra es en el cielo[40]; mas púsonos Dios acá, en el profundo, para que se vea primero si somos merescedores della.

Porque como el hombre tiene en sí natural de todas las cosas, así tiene libertad de ser lo que quisiere: es como planta o piedra puesto en ocio; y si se da al deleite corporal es animal bruto; y si quisiere es ángel hecho para contemplar la cara del padre; y en su mano tiene hazerse tan excelente que sea contado entre aquellos a quien dixo Dios: *dioses sois*

---

se sensibili, sarà bruto; se razionali, diventerà animale celeste; se intelettuali, sarà angelo e figlio di Dio. Ma se, non contento della sorte di nessuna creatura, si raccoglierà nel centro della sua unità, fatto uno spirito solo con Dio, nella solitaria caligine del Padre colui che fu posto sopra tutte le cose starà sopra tutte le cose. Chi non ammirerà questo nostro camaleonte? o piuttosto chi ammirerà altra cosa di più?» (1985: 9-11). Cfr. también Manetti, I, 49 y Bovelles, cap. VIII.

[40] Cfr. *2 Corintos* 5, 6: «Ansí que vivimos confiados siempre, y sabiendo que, entretanto que estamos en el cuerpo, peregrinamos del Señor»; y 5, 1 «Porque sabemos que si la casa terrestre de esta nuestra habitación se deshiciere, que tenemos de Dios edificio, casa no hecha de manos, eterna, en los cielos». Cito siempre (en el *Diálogo* y en los demás textos, por la traducción de Casiodoro de Reina (*Biblia del Oso,* Basilea, 1569). El camino, en fray Luis, es el propio Jesucristo: cfr. el *nombre* 'Camino' (1977: 207-219).

vosotros[41]. De manera que puso Dios al hombre acá, en la tierra, para que primero muestre lo que quiere ser, y si le plazen las cosas viles y terrenas, con ellas se queda perdido para siempre y desamparado; mas si la razón lo ensalça a las cosas divinas, o al deseo dellas y cuidado de gozarlas, para él están guardados aquellos lugares del cielo que a ti, Aurelio, te parescen tan ilustres[42]. Y Dios no nos los defiende; mas antes viendo él que los tuvimos perdidos, embió a su unigénito hijo a juntarse con nosotros en nuestra misma carne, para que con su sangre nos abriese las puertas del cielo, cerradas primero a nuestros viles pecados, y nos mostrase los caminos de ir a ellas[43].

Los ángeles que Dios tuvo cabe sí, cuando dellos fue ofendido, los apartó y los echó en tinieblas sin remedio para siempre; y al hombre quiso tanto que, aviéndose perdido con sobervio deseo de sabiduría, vino a él como a hijo más querido y no solamente le perdonó, mas limpióle los ojos de su ceguedad y mostró cuán excelente ser y cuán bas-

---

[41] Cfr. *Salmo* 82 (81) 6: «Yo dije: Dioses sois vosotros, y todos vosotros hijos del Altísimo»; lo dice Jesucristo en el *Evangelio* (*Juan*, 10, 34): «¿No está escrito en vuestra Ley: Que yo dije: dioses sois?»

[42] Compárese ahora el paso con el bellísimo de fray Luis de León donde ya no es la razón que elige quien diviniza a las criaturas, sino la gracia que purifica el cuerpo. Marcelo, mirando el agua y las estrellas, discurre sobre el alma: «entrando la gracia en ella y ganando la llave della que es la voluntad, y lançándosele en su seno secreto y, como si dixéssemos, penetrándola toda, y de allí estendiendo su vigor y virtud por todas las demás fuerças del ánimo, la levanta de la afictión de la tierra y, convirtiéndola al cielo y a los espíritus que se gozan de él, le da su estilo y su bivienda, y aquel sentimiento y valor y alteza generosa de lo celestial y divino, y, en una palabra, la assemeja mucho a Dios en aquellas cosas que le son a él más propias y más suyas, y, de criatura que es suya, la hace hija suya muy semejante, y finalmente la haze un otro Dios, assí adoptado por Dios que parece nascido y engendrado de Dios.» *De los nombres de Cristo*, 'Príncipe de Paz' (1977:424). Sobre la gracia discurre Oliva en el fragmento que he llamado *De la sabiduría de Dios dada*.

[43] Parece haber error de concordancia entre *los* [lugares del cielo] y *ellas* [las puertas]; Ulloa lo resuelve bien en italiano con un giro adverbial «ci aprisse le porte del cielo (...) e ci insegnasse *la via di andarvi*» (21r); y D'Avost hace lo mismo: «il nous ouvrist les portes du Ciel, et enseignast *la voie d'y aller*» (20r).

tante le avía dado, pues él no se desdeñava de juntar la naturaleza humana con su misma deidad, para que conosciese el hombre cuán mal avía hecho en menospreciar su estado. Y con todo esto, para darle claro testimonio del amor que le tenía, sufrió por él injurias, sufrió trabajo, sufrió persecución, y a la fin sufrió enclavar sus miembros en el leño de la cruz; y vertió la sangre de su coraçón con que nos tornó a heredar de su sancto reino, de do por nuestros pecados nos avía desheredado.

Agora, pues, ¿quién será osado de aborrescer al hombre, pues lo quiere Dios por hijo y lo tiene tan mirado? ¿Quién osará dezir mal de la hermosura humana? ¿De quién anda Dios tan enamorado que por ningunos desvíos ni desdenes ha dexado de seguirla? Guardaos, los que esto dezís, de ofender más a Dios en culparle la obra que él ha juzgado digna de ser guardada con tanta perseverancia y tanto sufrimiento, que las cosas por do vuestra culpa os engaña a menospreciar el hombre agora veréis que son con más amor hechas que agradescimiento.

El cuerpo humano, que te parecía, Aurelio, cosa vil y menospreciada, está hecho con tal arte y tal medida, que bien paresce que alguna grande cosa hizo Dios cuando lo compuso. La cara es igual a la palma de la mano; la palma es la novena parte de toda la estatura, el pie es la sexta y el cobdo la cuarta; y el ombligo es el centro de un círculo que pasa por los extremos de las manos y los pies estando el hombre tendido abiertas piernas y braços[44]. Así que tal

---

[44] La teoría clásica de las proporciones fijada en el llamado canon de Policleto, que se difundió gracias a Vitrubio (cfr. F. Zölnier, *Vitrvvs proportionfigur. Quellen Kritische Studien zu Kunstliteratur in XV und XVI Jahrhundert*, Worms, 1987), toma como medida los diez rostros; Leonardo, a la zaga de Alberti, adopta el canon varroniano de los nueve rostros, que es el descrito por Pérez de Oliva, (cfr. Leonardo da Vinci, *Tratado de Pintura*, ed. Ángel González, Madrid, Ed. Nacional, 1982: 273-294). Según Gian Paolo Lomazzo en el capítulo VI del libro I de su *Trattato della Pittura* (Milán, 1584), las proporciones aquí descritas son las de un *corpo gracile giovanile*, como lo son las del *Apolo del belvedere*, el *San Jorge* y el *San Miguel* de Rafael (en el Louvre y la National Gallery de Washington, respectivamente), o las figuras del Parmigianino; para Lomazzo, la proporción humana por ex-

compostura y proporción, cual no se halla en los otros animales, nos muestra ser el cuerpo humano compuesto por
razón más alta. El cual puso Dios enhiesto, sobre pies y
piernas de hechura hermosa y conveniente, porque pudiese
contemplar el hombre la morada del cielo para donde fue
criado[45]. A los otros animales puso baxos y inclinados a la
tierra para buscar sus pastos y cumplir con un solo cuidado
que del vientre tienen. Y aunque a estos los cubrió todos de
pieles y de lanas, al hombre no cubrió sino sola la cabeça,
mostrando que sola la razón que en ella mora uvo menester amparo y, ella proveída, daría a las otras partes bastante
provisión[46].

---

celencia es la de diez rostros (cfr. el capítulo VI), que es la que toman en
consideración Manetti I, 50 (1975: 33); y Mexía, *Silva* II, 19 (1989: 654-5).
El *Trattato* está editado por R. P. Ciardi en el vol. II de G. P. Lomazzo,
Scritti sulle arti, Pisa, Marchi & Bertolli, 1974.

[45] El hombre avocado a las estrellas estaba ya en las fábulas de los poetas, como recuerda Manetti (*De dignitate*, I, 1, 1975: 5): «quod ipse per rationalis anime creationem atque inspirationem divinitus vivificans ad contemplationem sui artificis erexit, ut optime simul atque elegantissime inge-
niosus poeta his carminibus signasse visus est: *pronaque cum spectent
animalia cetera terram,/ os homini sublime dedit, celumque videre / iussit et erectos
ad sidera tollere vultus* [Ovidio, *Metamorfosis,* I 84-86]. Aristóteles daba una
explicación científica que tenía en cuenta el menor peso de la parte superior de los hombres *(De incessu animalium* 710[b] 11) y la mayor riqueza en
calor y en sangre de pecho y cabeza *(De partibus animalium* II 7 653[a]); este
paso era aducido, en versión cristiana, por Pedro Mexía su *Silva* I,16: «Sólo
el hombre, entre todos los animales, anda enhiesto, porque su naturaleza
y sustancia es divina y celestial. El officio de los divinos spíritus es entender y saber, y esto no fácilmente se pudiera exercitar, si el hombre fuera de
grande y pesado cuerpo» (1989: 329). Mexía cita además a Lactancio y Santo Tomás.

[46] Cfr. Lactancio, *De opificio hominis,* por boca de Manetti, *De dignitate,*
I, 14: «Cum igitur statuisset deus ex omnibus animalibus solum hominem
facere celestem, cetera universa terrena, hunc ad celi contemplationem ri-
gidum erexit bipedemque constituit, scilicet ut eadem spectaret, unde illi
origo est. Illa vero depressit ad terram ut, quia nulla his immortalitatis ex-
pectatio erat, toto corpore in humum proiecta ventri pabuloque servirent.
Hominis itaque solius recta ratio et sublimis status et vultus deo patri com-
munis ac proximus originem suam fictoremque testatur.» (1975: 12). Bovelles es todavía más gráfico: «Solo agli uomini è stato concesso di natura
stare in piedi, di avere statura eretta, di guardare le cose celesti. Ne deriva
che gli esseri del primo grado sono acefali, privi, non solo di testa, ma

Agora miremos la excelencia de su cara[47]. La frente soberana, do el ánima representa sus mudanças y aficiones, ¿cuán hermosa, cuán patente? Debaxo della están puestos los ojos, como ventanas muy altas del alcaçar de nuestra alma, por do ella mira las cosas de fuera; no llanos ni hundidos, mas redondos y levantados, porque estuviesen tornados a diversas partes y pudiesen juntamente de todas ellas rescebir las imágines que vienen. Los oídos están en ambos lados de la cabeça, para coger los sonidos que de todas partes vienen. La nariz está puesta en medio de la cara, como cosa muy necesaria para su hermosura, por do el hombre respira, para evitar la fealdad de traer la boca abierta; y por ella rescebimos el olor, y ella es la que tiempla el órgano de la boz. Debaxo de la cual sucede la boca, que entre labios colorados muestra dentro sus blancos dientes, que son colores mezclados cuales pertenescen a muncha hermosura; y ella es la puerta por do entra nuestra vida, que es el mantenimiento de que nos substentamos, y la puerta por do salen los mensajes de nuestra alma, publicados con nuestra lengua, que mora dentro en la boca como en casa bien proveída de lo que ha menester. Allí tiene por dónde la boz le venga del pecho y, después de rescebida, tiene dientes, tiene labios y los otros instrumentos con que la puede formar. ¿Quién podría agora explicar bien claramente las excelentes obras que la lengua haze en nuestra boca? Unas vezes rigiendo la boz por números de música, con tanta suavidad,

---

anche di ogni differenziazione di parti e di ogni ornamento di membra; infatti, come si è detto, con tutto il corpo sono radicati nelle viscere stesse della terra, mentre si vede che gli altri sono forniti di testa, di parti differenziate, di atto, di moto e di anima. La testa dei vegetali, tuttavia, radice con cui si impadroniscono del cibo e suggono dalla madre terra il succo latteo, è nascosta in terra, né può scostarsi o separarsi dalle mammelle della madre. (...) l'uomo è come una pianta rovesciata». (1987: 13.)

[47] La descripción de la belleza del rostro del *hombre racional* que se sigue expone ordenadamente (frente, ojos, oídos, nariz, boca, dientes, labios, lengua, barba, mejillas), una serie de tópicos al uso. Cfr., por ejemplo, la exposición de los argumentos sobre la perfección del cuerpo humano que, siguiendo a Cicerón en su *De natura deorum*, hace Manetti en *De dignitate*, I, 2-12 (1975: 6-12), para oponerlos luego a los de Lactancio en *De opificio hominis* (I, 13-25).

que no sé cual puede ser otro mayor deleite de los lícitos humanos; otras vezes mostrando las razones de las cosas, con tanta fuerça, que despierta la ignorancia, enmienda la maldad, amansa las iras, concierta los enemigos y da paz a las cosas conmovidas en furor.

Grandes son los milagros de la lengua, la cual, sola, es bien bastante para honrar todo el cuerpo; mas hablemos agora de las otras partes, porque a todas demos la dignidad que les pertenesce. La barba y las mexillas son no solamente para firmeza y capacidad de lo que contienen, sino también para singular hermosura que con ellas tiene la cara del hombre. El cuello, ya lo veemos cómo es flexible para traer en torno la cabeça a considerar todas las partes que cerca de sí tiene. El pecho está debaxo, más tendido que en los otros animales, como capaz de mayores cosas; en el cual no solamente obró Dios proveyendo a la necesidad natural, sino también a la hermosura, pues puso en el varón, de ambas partes, pequeñas tetas no para más de adornar el pecho[48].

De sus lados más altos salen los braços, en cuyos estremos están las manos, las cuales, solas, son miembros de mayor valor que cuantos dio naturaleza a los otros animales[49]. Son éstas en el hombre siervas muy obedientes del arte y de la razón, que hazen cualquiera obra que el entendimiento les muestra en imagen fabricada. Éstas, aunque son tiernas,

---

[48] La exposición de Lactancio, en Manetti (*De dignitate*, I, 23-26), sigue este mismo orden. Compárese el argumento del *decoro* con el que ambos explican las tetillas de los hombres: «Nam pectoris latitudo sublimis et exposita oculis mirabilem per se fert habitus sui dignitatem. (...) Papille quoque leviter eminentes et fuscioribus ac parvis orbibus coronate non nihil addunt venustatis, feminis ad alendos fetus date, *maribus ad solum decus, ne informe pectus et quasi mutilum videretur.*» I, 25 (1975: 18). Plinio, por su parte, se limitaba a constatar: «Mammas homo solus e maribus habet, cetera animalia mammarum notas tantum.» *Nat. hist.*, XI, 95.

[49] Sobre las manos cfr. Manetti: «Quid dicam de manibus, rationis ac sapientie ministris» (I, 24); y «At vero ei date et exhibite fuerunt manus, ut per huiusmodi non inanimata sed quasi viva instrumenta et, ut inquit Aristoteles, organorum organa, varia diversarum artium iam perceptarum opera et officia exercere et exequi posset. Quodcirca multis superfluis et supervacaneis partibus, ut cornibus, rostris, aduncis ungibus, villosis pellibus, pinnis, et squamis, caudisque et huiusmodi deformitatibus, omnino caruisse existimatur et creditur.» (1975: 24).

ablandan el hierro y hazen dél mejores armas para defenderse que uñas ni cuernos; hazen dél instrumentos para compeler la tierra a que nos dé bastante mantenimiento, y otros para abrir las cosas duras y hazerlas todas a nuestro uso. Éstas son las que aparejan al hombre vestido, no áspero ni feo cual es el de los otros animales, sino cual él quiere escoger. Éstas hazen moradas bien defendidas de las injurias de los tiempos; éstas hazen los navíos para pasar las aguas; éstas abren los caminos por donde son ásperos, y hazen al hombre llano todo el mundo. Éstas doman los brutos valientes; éstas traen los toros robustos a servir al hombre, abaxados sus cuellos debaxo del yugo; éstas hazen a los cavallos furiosos sufrir ellos los trabajos de nosotros; éstas cargan los elefantes; éstas matan los leones; éstas enlazan los animales astutos; éstas sacan los peces del profundo de la mar, y éstas alcançan las aves que sobre las nuves buelan. Éstas tienen tanto poderío, que no ay en el mundo cosa tan poderosa que dellas se defienda. Las cuales no tienen menos bueno el parescer que los hechos.

Agora, pues, si bien contempláis, veréis al hombre compuesto de nobles miembros y excelentes, do nadie puede juzgar cuál cuidado tuvo más su artífice: de hazerlos convenientes para el uso, o para la hermosura[50]. Por lo cual, los pintores sabios en ninguna manera se confían de pintar al hombre más hermoso que desnudo; y también naturaleza lo saca desnudo del vientre, como ambiciosa y ganosa de mostrar su obra tan excelente sin ninguna cobertura. Que si el hombre sale llorando, no es porque sea aborrescido de naturaleza o porque este mundo no le sirva, sino es, como bien dixiste tú, Aurelio, porque no se halla en su verdadera tierra. Quien es natural del cielo, ¿en qué otro lugar se pue-

---

[50] La belleza de los miembros del cuerpo humano, al margen de su función, es loada continuamente por Manetti (cfr., por ejemplo, el pie, I, 41), y en el catálogo entran hasta los testículos, cuya diligencia «explicare difficile foret» (I, 42). Por boca de Manetti oímos a Lactancio conciliar ambos aspectos: «Illud vero ceteris omnibus mirabilius iure existimatur et creditur quippe singula queque humani corporis membra tam subtili ratione ac tanta divine providentie solertia formata cernuntur, ut *tantumdem ad usus necessitatem quantum ad pulchritudinem valere* videantur.» I, 51 (1975: 32).

de hallar bien, aunque sea bien tratado según su manera? El hombre es del cielo natural, por eso no te maravilles si lo vees llorar estando fuera dél.

Ni pienses tampoco que es menos bien obrado dentro de su cuerpo que has visto por de fuera; antes sus partes interiores son de mayor artificio, de las cuales yo no hablo agora, con miedo que la filosofía no me desvíe muy lexos de mi fin. Pero diré a lo menos a lo que tú me provocas[50bis] que en la pelea de contrarias calidades, y en la multitud de venas y fragilidad de huesos, o no ay tanto peligro como tú representaste o, si es así, en ello se muestra qué cuidado tiene de nosotros Dios, pues entre peligros tan ciertos nos conserva tantos días. Y lo que tú dizes que hazemos a todas las cosas fuerça para bivir nosotros, vanas querellas son, pues todas las cosas mundanas vienen a nuestro servicio no por fuerça, sino por obediencia que nos deven. ¿No has oído en los cantares de David, donde por el hombre dize, hablando con Dios: *Ensalçástelo sobre las obras de tus manos, todas las cosas pusiste debaxo de sus pies: ovejas y vacas y los otros ganados, las aves del cielo y los peces de la mar?*[51]. Esto dize David, y pues Dios es señor universal, él nos pudo dar sus criaturas, y, dadas, nosotros usar dellas según requiere nuestra necesidad. Las cuales no resciben injuria cuando mueren para mantener la vida del hombre, mas vienen a su fin para que fueron criadas.

De las cosas que ya dichas tengo puedes conoscer, Aurelio, que no es el hombre desamparado de quien el mundo govierna, como tú dixiste; mas antes bastecido más que otro animal alguno, pues le fueron dados entendimiento y

---

[50bis] Ulloa anotaba en este punto: «Vedi sopra questo passo la filosofia di Alfonso di Fonte tradotta da noi, l'ultima parte». *(V:* 25v.) Se refiere al final del diálogo VI, entablado entre Etrusco y Vandalio, en la *Sonna della natural filosofía,* publicada por Ulloa en Venecia, Plinio Pietrasanta, 1557; y resumida en *Le sei giornate del S. Alfonso di Fonte,* Venecia, Domenico Farri, 1567.

[51] *Salmo* 8, 8-9. Cfr., además, el Génesis 1, 26: «Y dijo Dios: Hagamos al hombre a nuestra imagen, conforme a nuestra naturaleza, y señoree en los peces de la mar y en las aves de los cielos y en las bestias, y en toda la tierra, y en toda serpiente que anda arrastrando sobre la tierra.»

manos para esto bastantes, y todas las cosas en abundancia de que se mantuviese. Agora quiero satisfazerte a lo que tú querías dezir: que estas cosas mejor fuera que sin trabajo las alcançara, que no buscadas con tanto afán, y guardadas con tanto cuidado.

Si bien consideras, hallarás que estas necesidades son las que ayuntan a los hombres a bivir en comunidad, de donde cuánto bien nos venga, y cuánto deleite, tú lo vees, pues que de aquí nascen las amistades de los hombres y suaves conversaciones; de aquí viene que unos a otros se enseñen, y los cuidados de cada uno aprovechen para todos. Y si nuestra natural necesidad no nos ayuntara en los pueblos, tú vieras cuáles anduvieran los hombres: solitarios, sin cuidado, sin doctrina, sin exercicios de virtud, y poco diferentes de los brutos animales; y la parte divina, que es el entendimiento, fuera como perdida, no teniendo en qué ocuparse. Así que lo que nos paresce falta de naturaleza, no es sino guía que nos lleva a hallar nuestra perfección[52].

Cuanto más que, aunque estos bienes alcançáramos sin nuestras necesidades naturales, los hombres son tan diversos en voluntades, que no era cosa conveniente que Dios les diese más de instrumentos para que cada uno se proveyese de las cosas según su apetito. Así que esta incertidumbre en que Dios puso al hombre responde a la libertad del alma: unos quieren vestir lana, otros lienço, otros pieles; unos aman el pescado, otros la carne, otros las frutas. Quiso Dios cumplir la voluntad de todos haziéndolos en estado en que pudiesen escoger, y pues es así, no devemos tener por aspereza lo que Dios nos concedió como a hijos regalados[53]. Dime agora tú, Aurelio, si Dios te hiziera con cuernos de toro, con dientes de javalí, con uñas de león, con pellejo lanudo, ¿no te paresce que con estas provisiones que

---

[52] Los beneficios de la vida en sociedad es argumento de peso contra el hombre solitario descrito por Aurelio. Las citas al respecto son innumerables. Cfr. por ejemplo Cicerón, *Tusculanas*, I, 25.

[53] Sobre esta *libertad del alma*, crucial en el pensamiento de Pico, léase de nuevo el paso de la *Oratio* en la nota 39 y nótese, de todas maneras, cuán pobres elecciones vitales son éstas de Pérez de Oliva.

alabas en los otros animales te hallaras tan desproveído, según tu voluntad, que con ellas otra cosa no desearas más que la muerte? Pues si así es, no te quexes de la naturaleza humana, que todas las cosas imita y sobrepuja en perfección. Solamente veo que no pudo el hombre imitar las alas de las aves, lo cual me paresce que nos fue prohibido con admirable providencia, porque de las alas no les viniera tanto provecho a los buenos como de los malos les viniera daño. No tenemos qué hazer en los aires; basta que la tierra do bivimos la podamos andar toda, y pasar los mares, que atajan los caminos[54].

Gran cosa es el hombre, y admirable. El cual quiso Dios que con munchas tardanças convalesciese después de nascido, dándonos a entender la grande obra que en él hazía. Bien veemos que los grandes edificios en unos siglos comiençan, y en otros se acaban; pues así Dios da perfección al hombre en tan largos días, aunque en un momento pudiera hazerlo, porque por semejança de las cosas que nuestras manos hazen conozcamos ésta su obra[55]. La cual para bien veer, tiempo es ya que entremos dentro a mirar el alma que mora en este templo corporal.

La cual, como Dios, que aunque en todo el mundo mora, escogió la parte del cielo para manifestar su gloria, y la señaló como lugar propio —según que nos mostró en la oración que hazemos al Padre—, y de allí embía los ángeles y govierna el mundo, así el ánima nuestra, que en todo lo imita, aunque está en todo el cuerpo, y todo lo rige y mantiene, en la cabeça tiene su asiento principal donde haze sus más excelentes obras. Desde allí vee y entiende, y allí manda; desde allí embía al cuerpo licuores sutiles que le den

---

[54] La imposibilidad de volar la había establecido Aristóteles, quien consideraba que las alas en los humanos, impedirían su movimiento natural, «Y Naturaleza no hace nada contra natura» (*De incessu animalium*, 711ª 11). No puede determinarse si en estas palabras de Oliva se esconde la condena a los experimentos voladores de Leonardo, pero bien podría ser.

[55] Es ésta una temprana formulación del argumento del *verum factum* o de la superioridad del hombre en cuanto capaz de conocer a través de la propia creación; está ya en Manetti, y se repite un poco más adelante en el texto del *Diálogo*.

sentido y movimiento; y allí tienen los niervos su principio, que son como las riendas con que el alma guía los miembros del cuerpo. Bien conozco que, así el celebro como las otras partes do principalmente el alma está, son corruptibles y resciben ofensas —como tú, Aurelio, nos mostravas—; pero esto no es por mal del alma, antes es por bien suyo, porque con tales causas de corrupción es disoluble destos miembros para bolar al cielo do es —como ya he dicho— el lugar suyo natural. Por eso hablemos agora del entendimiento, que tú tanto condenas.

El cual para mí es cosa admirable cuando considero que aunque estamos aquí —como tú dixiste— en la hez del mundo, andamos con él por todas las partes: rodeamos la tierra, medimos las aguas, subimos al cielo, veemos su grandeza, contamos sus movimientos y no paramos hasta Dios, el cual no se nos esconde. Ninguna cosa ay tan encubierta, ninguna ay tan apartada, ninguna ay puesta en tantas tinieblas, do no entre la vista del entendimiento humano para ir a todos los secretos del mundo; hechas tiene sendas conoscidas, que son las disciplinas, por do lo pasea todo. No es igual la pereza del cuerpo a la gran ligereza de nuestro entendimiento, ni es menester andar con los pies lo que veemos con el alma. Todas las cosas veemos con ella, y en todas miramos, y no ay cosa más estendida que es el hombre que, aunque paresce encogido, su entendimiento lo engrandesce. Éste es el que lo iguala a las cosas mayores; éste es el que rige las manos en sus obras excelentes; éste halló la habla con que se entienden los hombres; éste halló el gran milagro de las letras, que nos dan facultad de hablar con los absentes y de escuchar agora a los sabios antepasados las cosas que dixeron. Las letras nos mantienen la memoria, nos guardan las sciencias y, lo que es más admirable, nos estienden la vida a largos siglos, pues por ellas conoscemos todos los tiempos pasados, los cuales bivir no es sino sentirlos.

Pues, ¿qué mal puede aver, dezidme agora, en la fuente del entendimiento, de donde tales cosas manan? Que si paresce turbia —como dixo Aurelio—, esto es en las cosas que no son necesarias en que, por ambición, se ocupan algunos hombres, que en las cosas que son menester lumbre tiene natural con que acertar en ellas; y en las divinas secretas Dios fue su maestro. Así que Dios hizo al hombre recto, mas él, como dize Salomón, se mezcló en vanas cuestiones[56].

Para veer las cosas de nuestra vida no nos falta lumbre, y en estas, si queremos, acertamos; y las mayores tinieblas para el entendimiento son la perversa voluntad. Así está escripto que en el ánima malvada no entrará sabiduría[57]. No es luego falta de entendimiento caer en errores, sino de nuestros vicios, que lo ciegan y lo ensuzian[58]. Los cuales si evitamos, y seguimos la virtud, tenemos la vista clara y nunca erramos, como quien anda por camino manifiesto; mas si andamos en maldades, ay por ellas tantas sendas, y tan escondidas, que ni pueden conoscerse, ni era cosa justa que diese Dios lumbre para andar en ellas. Aquí son los desvanescimientos del hombre; aquí los errores, entre los cuales yo no cuento las armas como tú, Aurelio, que pues avía de aver malos, buenas fueron para defendernos dellos. No ay cosa tan buena que el uso no pueda hazerla mala: ¿qué cosa ay mejor que la salud? Pero ésta, como vees, munchas vezes es el fundamento de seguir los vicios. Quien de aquesta usa según virtud lo amonesta, buena joya tiene; así pues, las armas con mal uso se hazen malas, que ellas en sí buenas son

---

[56] *Eclesiastés* 7, 29: «Solamente, he aquí, esto hallé: que Dios hizo al hombre recto, mas ellos buscaron muchas cuentas.»

[57] Cfr. *Sabiduría* 1, 4: «Porque en el ánima maligna no entrará la sabiduría, ni morará en el cuerpo dado al pecado.»

[58] Los vicios dependen de la voluntad, como se entenderá un poco más abajo. Cfr. fray Luis de León, en *De los nombres de Cristo*, 'Príncipe de Paz': «...destos tres males y daños, el de la voluntad es como la raýz y principio de todos. Porque, como en el primer hombre se vee —que fue el author destos males, y el primero en quien ellos hizieron prueva y experiencia de sí mismos—, el daño de la voluntad fue el primero, y de allí se estendió, y cundiendo la pestilencia, al entendimiento y al cuerpo. Porque Adám no peccó porque primero se desordenasse el sentido en él, ni porque la carne con su ardor violento llevasse en pos de sí la razón, ni peccó por averse cegado primero su entendimiento, con algún grave error que, como dize Sant Pablo, en aquel artículo no fue engañado el varón, sino peccó porque quiso lisamente peccar, esto es, porque abriendo de buena gana las puertas de su voluntad, recibió en ella al espíritu del demonio...» (1977: 419-20).

para defenderse de las bestias impetuosas y los hombres que les parescen. Por lo cual cesen, Aurelio, tus quexas del entendimiento, no parezcas a Dios desagradecido de tan alto don, y agora escucha la gran excelencia de nuestra voluntad.

Ésta es el templo donde a Dios honramos, hecha para cumplir sus mandamientos y merescer su gloria; para ser adornada de virtudes y llena del amor de Dios y del suave deleite que de allí se sigue. La cual nunca se halla del entendimiento desamparada, como piensas, porque él, como buen capitán, la dexa bien amonestada de lo que deve hazer cuando della se aparta a proveer las otras cosas de la vida; y los vicios que la combaten no son enemigos tan fuertes que ella no sea más fuerte, si quiere defenderse. Esta guerra en que bive la voluntad, fue dada para que muestre en ella la ley que tiene con Dios. De la cual guerra no te deves quexar, Aurelio, pues a los fuertes es deleite defenderse de los males; porque no son tan grandes los trabajos que son menester para vencer, como la gloria del vencimiento. Cuanto más que, pues los antiguos romanos solían pelear en regiones estrañas, y pasar gravísimos trabajos por alcançar en Roma un día de triunfo con vanagloria mundana, ¿por qué nosotros no pelearemos de buena gana dentro de nosotros con los vicios, para triunfar en el cielo con gloria perdurable?[59] Principalmente pues tenemos los sanctos ángeles en la pelea por ayudadores nuestros, como San Pablo dize, que son embiados para encaminar a la gloria los que para ella fueron escogidos[60].

Y no te espantes, Aurelio, si el hombre corrompido de vicios es cosa tan mala como representaste, porque es como la vihuela templada, que haze dulce armonía, y, cuando se destiempla, ofende los oídos. Si el hombre se tiempla con las leyes de virtud, no ay cosa más amable; mas si se des-

---

[59] Precisamente en forma de *triunfo romano* desarrolla Pérez de Oliva un sermón que incluyo en la presente edición con el nombre de *Triunfo de Jesucristo en Jerusalén*. Compárese este paso sobre la voluntad con el *Discurso de las potencias del alma*.

[60] Cfr. *Gálatas* 3, 19.

tiempla con los vicios, es aborrescible, y tanto más cuanto las faltas más feas parescen en lo más hermoso[61]. Y esto basta, me paresce, para que tú, Aurelio, sientas bien de las dos partes del alma. Agora veamos los estados de los hombres y sus exercicios, de que tanto te quexas.

Los artífices que biven en las cibdades no tienen la pena que tú representavas, mas antes singular deleite en tratar las artes, con las cuales explican lo que en sus almas tienen concebido. No es igual el trabajo de pintar una linda imagen, o cortar un lindo vaso, o hazer algún edificio, al plazer que tiene el artífice después de verlo hecho. ¿Cuánto más te paresce, Aurelio, que sería mayor pena que alguno en su entendimiento considerase alguna excelente obra, como fue el navío para pasar los mares, o las armas para guardar la vida, si en sí no tuviese manera de ablandar el hierro, hender los maderos, y hazer las otras cosas que tú representas como enojos de la vida? Paréceme a mí que en mayor tormento biviera el hombre, si las cosas usuales que viera con los ojos del entendimiento no pudiera alcançarlas con las manos corporales. Por eso no condenes tales exercicios como son estos del hombre, antes considera que, como Dios es conoscido y alabado por las obras que hizo, así nuestros artificios son gloria del hombre que manifiestan su valor.

Agora el orden por donde tú, Aurelio, me guiaste, requiere que diga del estado de los hombres letrados; do primero escucha lo que dixo Salomón en sus *Proverbios: Bienaventurado es el que halló sabiduría y abunda de prudencia; mejor es su ganancia que la de oro y plata, y todas las cosas excede que se pue-*

---

[61] Cfr. fray Luis de León, *Nombres*, «Assí que como la piedra que en el edificio está assentada en su devido lugar, o por dezir cosa más propria, como la cuerda en la música devidamente templada en sí misma, haze música dulce con todas las demás cuerdas sin dissonar con alguna, assí el ánimo bien concertado dentro de sí, y que vive sin alboroto y tiene siempre en la mano la rienda de sus passiones y de todo lo que en él puede mover inquietud y bullicio, consuena con Dios y dize bien con los hombres y, teniendo paz consigo mismo, la tiene con los demás.» 'Príncipe de Paz' (1977: 416-7). Sobre la armonía a Fray Luis, *vid.* F. Rico, 1988: 171-189 y 333.

den desear[62]. ¡Gran cosa es, Aurelio, la sabiduría, la cual nos muestra todo el mundo, y nos mete a lo secreto de las cosas, y nos lleva a ver a Dios, y nos da habla con Él y conversación, y nos muestra las sendas de la vida! Ésta nos da en el ánimo templança; ésta alumbra el entendimiento, concierta la voluntad, ordena al mundo, y muestra a cada uno el oficio de su estado; ésta es reina y señora de todas las virtudes; ésta enseña la justicia y tiempla la fortaleza; por ella reinan los reyes y los príncipes goviernan; y ella halló las leyes con que se rigen los hombres. Donde puedes veer, Aurelio, cuán bien empleado sería cualquier trabajo que por ella se tomase.

Por eso no compares los sabios a Sísifo infernal[63], aunque los veas munchas vezes tornar a aprender de nuevo lo que tienen sabido, mas antes los compara a los amadores de alguna gran hermosura, cuyo deleite de verla recrea el trabajo de seguirla. ¡O alta sabiduría, fuente divina de do mana clara la verdad; do se apascientan los altos entendimientos!

---

[62] *Proverbios* 3, 13-15: «Bienaventurado el hombre que halló la Sabiduría, y que saca a luz la inteligencia./ Porque su mercadería es mejor que la mercadería de la plata, y sus frutos, más que el oro fino./ Más preciosa es que las piedras preciosas, y todo lo que puedes desear no se puede comparar a ella.»

[63] En este contexto, opuesto al de Aurelio, que citaba su suplicio a propósito de la actividad de los que se dedicaban *a las disciplinas*, Sísifo *es infernal* en cuanto creación de las fábulas paganas. No es ésta la única ocasión en la que Pérez de Oliva las desautoriza haciéndose fuerte de la doctrina cristiana; véase, por ejemplo, su traducción del *Amphitruo* de Plauto, donde cristianiza la irreverencia inicial de Mercurio (con el que Plauto, en el original, justificaba la presencia de Júpiter, todo un dios, como histrión en la comedia): «Nuestros honores duraron quanto pudo permanescer la ceguera de los hombres, do tenía fundamento; mas después que fue alumbrada con la verdadera sabiduría de Dios, ya de todos desechados caýmos de nuestro estado, do éramos tiranos de la religión, en tanta pobreza que agora, para mantener la vida que los hombres nos dan, es menester andemos hechos juglares por las fiestas que en nuestro honor se solían antes celebrar, contando por fábulas lo que por verdad de nosotros se creýa.» (ed. Peale, 1976: 5). La obra pudo ser representada en el claustro universitario, donde era norma llevar una vez al año una comedia de Plauto o de Terencio (título 61 de los Estatutos de 1538, que el propio Oliva había contribuido a redactar); cfr. Luis Gil (1981: 103-104).

¿Qué maravilla es, pues eres tan dulce, que tornemos a ti munchas vezes con sed? ¡Más me maravillaría yo si quien te uviese gustado nunca a ti tornase, aunque tuviese en el camino todos los peligros de su vida! Cuanto más que ni los ay, ni trabajos algunos de los que tú dezías, sino fácil entrada y suave perseverancia. El camino de ir a ella es el deseo de alcançarla, y presto se dexa veer de quien con amor la busca; pero hágote saber que el amor de ésta es el temor de Dios[64], que limpia los ojos de nuestro entendimiento y esclaresce la lumbre que para conoscer el bien y el mal Dios nos dio. Y ésta es la lumbre por quien dixo Salomón: *Quien con la lumbre velare para aver sabiduría no trabaje, que a su puerta la hallará sentada*[65], queriendo dezir que muy cerca está la sabiduría de quien la mira con ojos claros del entendimiento, limpios, con amor y deseo de servir a Dios. Los que la buscan en medio las tinieblas de sus pecados, no es maravilla que la vean como sombra, y que no puedan asirla, y en vano trabajen para tenerla. Aunque bien confieso que es algo lábil nuestra sciencia, de cualquier manera que la ayamos alcançado, y[66] no tanto como tú dixiste, Aurelio, pero esto es porque deseemos el asiento en ella, y el perfecto entendimiento cual es el de la gloria que Dios nos tiene aparejada. No era cosa conveniente que aquí, do somos peregrinos, tuviésemos tales cumplimientos como en nuestro natural, sino solamente tales muestras de lo que ay allá, que nos encendamos en deseo de no errar el camino por do avemos de ir.

Con esto me paresce, Aurelio, que los sabios están en salvo, fuera del peligro de ser por tus razones su estado condenado. Los que labran los campos, que pusiste tras estos, no son tales como nos mostravas. Tú dezías que son esclavos de los que moramos en las cibdades, y a mí no me parescen

---

[64] *Salmo* 110, 10: «El principio de la sabiduría es el temor de Jehová.»
[65] *Sabiduría* 6, 5.
[66] Conjunción con valor adversativo, explicitado en el *pero* siguiente, que evita una redundancia considerada necesaria en las construcciones italiana y francesa: «*ma* non tanto come tu Aurelio hai detto: *ma* questo è» (*V*: 33r); «*mais* non pas tant comme tu as dit, Aurele, *mais* cela est» (*P*: 31r).

sino nuestros padres, pues que nos mantienen; y no solamente a nosotros, sino también a las bestias que nos sirven, y a las plantas que nos dan fructo. Grande parte del mundo tiene vida por los labradores, y gran galardón es de su trabajo el fruto que dél sacan. Y no pienses que son tales sus afanes cuales te parescen: que el frío y el calor que a nosotros nos espantan, por la muncha blandura en que somos criados, a ellos ofenden poco, pues para sufrirlos han endurescido, y en los campos abiertos tienen mejores remedios que nosotros en las casas, pues con sus exercicios no sienten el frío, y del calor se recrean en las sombras de los bosques, do tienen por camas los prados floridos, y por cortinas los ramos de los árboles. Desde allí oyen los ruiseñores y las otras aves, o tañen sus flautas, o dizen sus cantares, sueltos de cuidados y de ganas de valer más atormentadores de la vida humana que frío ni calor; allí comen su pan, que con sus manos sembraron, y otra cualquier vianda de las que sin trabajo se pueden hallar, dichosos con su estado, pues no ay pobreza ni mala fortuna para el que se contenta. Así biven en sus soledades[67], sin hazer ofensa a nadie y sin rescebirla, donde alcançan no más entendimiento de las cosas que es menester para gozarlas. Dexémoslos, pues, agora en su reposo, y veamos el estado de los que goviernan si es tal como tú, Aurelio, dixiste.

---

[67] Recuérdese (*vid. supra* la nota 2) que el diálogo nace porque Aurelio sigue a Antonio, que acostumbra a refugiarse en la soledad de un *locus amoenus*. Para este paisaje arcádico, en línea con las *alabanzas de aldea* de la literatura del período, cfr. fray Luis de León en una de las páginas más inspiradas del nombre 'Pastor': «Bive en los campos Christo, y goza del cielo libre, y ama la soledad y el sossiego, y en el silencio de todo aquello que pone alboroto la vida tiene puesto en él su deleyte (...) aquellos son los elementos puros y los campos de flor eterna vestidos, y los mineros de las aguas bivas, y los montes verdaderamente preñados de mil bienes altíssimos, y los sombríos y repuestos valles, y los bosques de frescura...»; antes había dicho Marcelo: «Porque puede ser que en las ciudades se sepa mejor hablar, pero la fineza del sentir es del campo y de la soledad» (1977: 225 y 222-3). *Vid.* también la descripción del mundo como un *locus amoenus* ordenado para el nacimiento de Cristo, el *fructo* máximo de la creación, en 'Pimpollo' (1977: 181); y el menos idealizado pasaje de 'Príncipe de Paz': «Y el labrador, en el sudor de su cara y rompiendo la tierra, busca paz, alexando de sí quanto puede al enemigo duro de la pobreza» (1977: 407).

Éstos tienen poderío, que rescebieron de Dios para governar el pueblo, con el cual libran los buenos de las injurias de los malos, amparan las biudas, sostienen los huérfanos, y dan libertad a los pobres y ponen freno a los poderosos; procuran la paz y, avida, la guardan; dan a todos sosiego y segura posesión de sus bienes[68]. Así paresce el que govierna ánima del pueblo, que todas sus partes tiene en concierto, y a todas da vida con regimiento; el cual, si faltase, toda la república se disiparía como se deshaze el cuerpo cuando el ánima lo desampara[69]. Y pues es así, noble estado es el de los que rigen, y gran dignidad; no obscuro o impedido como tú dezías, Aurelio: que no pienses que por la dificultad que el hombre tiene en regirse a sí mismo, se ha de considerar la que terná en regir a munchos, porque en las cosas propias es difícil juzgar, do se entremeten nuestras pasiones, mas en las agenas somos libres, y podemos más claro ver lo que muestra la razón, sin que nuestros apetitos nos lo estorven; en las cuales no se puede tanto esconder la verdad que por alguna parte no resplandezca.

Tan difícil es esconder la verdad como la lumbre, a la cual, si unos rayos le quitares, otros la descubrirán; y la falsedad es difícil de sostener. La una trae osadía a juicio, y la otra viene con temor; la una se mantiene de sí misma, la otra para sostenerse ha menester gran industria; y, al fin, a la una favoresce Dios, y a la otra desfavoresce. Difícil cosa es que la verdad, con tanto amparo, sea vencida, y que vença la falsedad si no es por descuido o por malicia del juez; o si por divina permisión alguna vez la verdad no se conosce, y queda desfavorescida, el que della es juez no queda culpado si con amor la buscó. Si algún amigo tuyo, Aurelio, favoresciese otra persona pensando que tú eras, o la soco-

[68] Es un concepto agustiniano que desarrolla fray Luis: «Es verdad que dixe —respondió luego Marcello— que la paz, según dize Sant Augustín, es no otra cosa sino una orden sossegada o un sossiego ordenado, 'Príncipe de Paz' (1977: 408). Cfr. además mi artículo de 1990:44-50; y los textos aducidos por D. Ynduráin en 1994: 79-81.

[69] Cfr. el desarrollo del concepto del lazo entre poder temporal y divino que hace fray Luis de León discurriendo de Jesucristo como 'pastor' que *apascienta y alimenta* su grey (1977: 232-3, esp. 224).

rriese en alguna necesidad, tan en cargo le serías como si tú verdaderamente fueras: así, el juez que a la falsedad acata cuando le paresce ser ella la verdad, sin tener culpa en el tal error, no menos meresce que si conosciendo la verdad la siguiera[70].

Así verás, Aurelio, cuál es el estado de los que goviernan; agora considera cómo no es malo el oficio de los que tratan las armas. Todo el bien que has oído puede aver en la república, éstos lo guardan. Ellos son la causa de la seguridad del pueblo, por los cuales no osan los que mal nos quieren venir a perturbarnos; ellos visten hierro, sufren hambre, sufren cansancio por no sufrir el yugo de los enemigos; y han por mejor padescer aquestas cosas, que padescer vergüença, y sudar en los campos sirviendo a la virtud, que sudar aprisionados en servicio de sus enemigos. Si vencen, alcançan gloria para sí y descanso para los suyos; y si mueren, siendo vencidos no han menester la vida, pues en ella no ternían libertad. Cuanto más que estos espantos de hombres flacos son los deleites de hombres fuertes: sufrir las armas, andar en cercos, defender los muros o combatir con ellos, y las otras durezas de la guerra, no son pena de los animosos, sino exercicios de virtud en los cuales se deleitan y gozan del excelente don que en su pecho tienen; las heridas no las sienten, con el amor de buenos hechos, y su sangre dan por bien empleada cuando verterla veen por la salud de sus tierras. Entonces se juzgan ser bienaventurados cuando han hecho lo que la virtud les amonesta: no tienen en nada veer sus cuerpos llagados, o dispuestos a morir, si el ánima tiene vida sin lesión ninguna. Pero aunque es así, yo bien confieso, Aurelio, que algunos ay que carescen destas excelencias; mas es por sus vicios, no por culpa del estado, que así éste,

---

[70] En consonancia con lo dicho en la nota anterior sobre fray Luis, cfr. este paso del nombre 'Pastor': «Mas porque este govierno no se halla en el suelo porque ninguno de los que ay en él es ni tan sabio ni tan bueno que, o no se engañe, o no quiera hazer lo que vee que no es justo, por esso es imperfecta la governación de los hombres, y solamente no lo es la manera con que Christo nos rige; que, como está perfectamente dotado de saber y bondad, ni yerra en lo justo ni quiere lo que es malo, y así, siempre vee lo que a cada uno conviene y a esso mismo le guía.» (1977: 234-5).

como los otros de la vida humana de que avemos hablado, todos son tales como es la intención de quien los sigue: no ay ninguno dellos malo para los buenos, ni bueno para los malos.

El hombre que escoge estado en que bivir él y sus pensamientos, con voluntad de tratarlo como le mostrare la razón, bive contento y tiene deleite; mas el que por fuerça siguiendo uno muestra que tiene los ojos y el deseo en los otros más altos, sin templança y sin concierto, éste bive disipado y apartado de sí mismo, atormentado de lo que posee y atormentado de lo que desea. Así que nosotros tenemos libre poderío[71] de nos hazer esentos de los escarnios de fortuna, en los cuales, quien cayere, con muncha razón será atormentado, pues él mismo se le dio; por lo cual, antes me paresce que la fortuna es buena para amonestar los hombres a que cada uno se contente de su estado, que no para dar descontentamiento con deseo del ageno. Ella se declara por munchos exemplos, y no tiene la culpa de los males que tras ella se padescen, sino tiénela quien por descuido o ceguedad no los considera; y tanto más es culpado quien la sigue, cuanto más clara se conosce la vezindad que tenemos con la muerte, donde avemos de dexar el bien deste mundo, pero no con tanto tormento como tú, Aurelio, representavas.

No es tan cruel nuestra muerte, ni el alma dexa el cuerpo en aquellas agonías que dixiste pues, como sabes, en tal pelea lo primero que el hombre pierde es el sentido, sin el cual no ay dolor ni agonía: que estos gestos que veemos en los que mueren, movimientos son del cuerpo, no del alma, que entonces está adormida. Mas quiso Dios que nos paresciese comúnmente la muerte tan espantable, con señales de tormento, porque a los que la buscan con deseo de acabar sus males les paresciese que es ella otro mayor, y así cada uno antes quisiese padescer vida miserable que buscar remedio en la muerte; la cual, si nos paresciera fácil y suave, los afligidos que andan olvidados de las penas del infierno, no te-

---

[71] En italiano y francés «*libero arbitrio e potere*» (*V*: 36v), «*arbitre libre, et pouvoir*» (*P*: 34v).

miendo las del morir, dexarían la vida, y padesciera el género humano muy gran detrimento.

Así que los espantos de la muerte no son sino guardas de
la vida, por la cual es verdad —como dixiste— que pasa-
mos acelerados. Pero si tú porfías que ay tantos males en la
vida, ¿qué mejor remedio pudo aver que en breve pasarlos?
¿O qué mal hallas tú en la muerte, pues es el fin de la vida,
donde dizes que ay tantas aflicciones? No es la muerte mala
sino para quien es mala la vida, que los que bien biven, en
la muerte hallan el galardón, pues por ella pasan a la otra
vida más excelente, con deseo de la cual llorava David, porque los días de su tardança le eran prolongados[72]. San Pablo, acordándose que le fue en revelación mostrada, siempre deseava su muerte por pasar por ella a la vida perdurable, que, como él dize, *ni ojos la vieron, ni la oyeron los oídos,
ni el coraçón la comprehende*[73]. Mas entendemos della que
Dios soberano es el fundamento de la gloria, que se descubre todo claro para que en Él apascienten sus entendimientos altos los espíritus bienaventurados, y se harten de su
amor suavísimo, sin temor alguno de perder jamás tan alto
bien, mas antes con esperança de recobrar sus cuerpos, que
tienen en deseo por hallarse en aquellos mismos castillos
do se defendieron de los vicios y ganaron tanta gloria.

El día postrero se los darán[74], no corruptibles, no graves

---

[72] Cfr. *Salmo* 119, 81-84.

[73] 1 *Corintios* 2, 7-9: «mas hablamos sabiduría de Dios en misterio, la
sabiduría ocultada, la que Dios predestinó antes de los siglos para nuestra
gloria / a la que ninguno de los príncipes de este siglo conoció (porque si la
conocieran, nunca crucificaran al Señor de la gloria)./ Antes, como está escrito, lo que ojos nunca vieron ni orejas oyeron ni en el corazón del hombre subió lo que Dios preparó a los que lo aman.» San Pablo cita a *Isaías*
64, 4, traducido por fray Luis en el nombre 'Esposo' como «Ni los ojos lo
vieron, ni lo oyeron los oydos, ni pudo caber en humano coraçón lo que
Dios tiene aparejado para los que esperan en él» (1977: 465-6); y glosado
por el propio fray Luis en 'Braço de Dios' (1977: 331).

[74] 'Sus cuerpos'. Lo que se sigue sobre la resureción de los muertos, es
el argumento decisivo contra la tesis materialista expuesta por Aurelio, y
está en el espíritu de San Pablo en la primera epístola a los Corintios «Toda
carne no es la misma carne, mas una carne ciertamente es la de los hombres y otra carne es la de los animales y otra la de los peces y otra la de las

ni enfermos, sino hechos perdurables con eterna salud y con movimiento fácil: hermosos y resplandescientes así como son las estrellas, y con todos los otros dones que les pertenescen para ser moradas donde bivan las almas a quien haze Dios aposento de su gloria[75]. Allí se verán los buenos libres del profundo del infierno, do está la multitud de los espíritus dañados; allí se verán en los cielos, ensalçados y acompañados de los ángeles, manteniendo el entendimiento en la divina sabiduría, hartando su voluntad con amor de la gran bondad de Dios, apascentando[76] los ojos corporales en aquella carne humana con que Dios nos quiso parescer. Y veremos en su cuerpo las señales de las heridas que sufrió, que fueron las llaves con que nos abrió el

---

aves./ Y cuerpos hay celestiales y cuerpos terrestres; mas ciertamente una es la gloria de los celestiales, y otra la de los terrestres./ Otra es la gloria del sol y otra la gloria de la luna y otra la gloria de las estrellas, porque una estrella es diferente a otra en gloria./ Ansí también es la resurrección de los muertos. Siémbrase en corrupción; levantarse ha en incorrupción./ Siémbrase en vergüenza, levantarse ha con gloria. Siémbrase en flaqueza, levantarse ha con potencia./ Siémbrase cuerpo animal, levantarse ha espiritual. Hay cuerpo animal y hay cuerpo espiritual./ Ansí también está escrito: Fue hecho el primer hombre Adán en ánima viviente. El postrer. Adán en espíritu vivificante./(...) Y cuando esto corrupto fuere vestido de incorrupción, y esto mortal fuere vestido de inmortalidad, entonces será hecha la palabra que está escrita: Sorbida es la muerte con victoria.» (1 *Cor.* 15, 35-45 y 54-57.)

[75] Cfr. fray Luis en 'Hijo de Dios': «Porque entonces acabará de crescer en los suyos Christo perfectamente y del todo, quando los resuscitare del polvo inmortales y gloriosos» (1977: 559).

[76] *Apacentar*: «Es propio del ganado, vale darle pasto; transfiérese al pasto del alma, conviene a saber a la sana y católica doctrina: *Ioannis*, capítulo 21, dize el Señor a San Pedro: *pasce agnos meos*, y poco después: *Pasce oves meas*.» (Covarrubias). El paso, tan elevado, puede compararse —salvando las distancias— con el de fray Luis en 'Amado': «assí el amor con que de los pechos sanctos es amado este *Amado*, y que en él los transforma, es sobre todo amor entrañable y bivíssimo, y es, no ya amor, sino como una sed y una hambre insaciable con que el coraçon que a Christo ama se abraça con él y se entraña y, como él mismo lo dize, le come y le traspassa a las venas. Que para declarar la grandeza dél y su ardor, el amar los sanctos a Christo llama la Escriptura *comer a Christo*.» (1977: 602); o bien con el de la inefabilidad en 'Cordero' (1977: 476-7); y, claro, con el verso de San Juan 'Y pacerá el Amado entre las flores' ampliamente comentado por D. Ynduráin su edición de la *Poesía* de San Juan (Madrid, Cátedra, 1983).

164

reino donde entonces estaremos; y al fin allí, ensalçados sobre la luna y el sol y las otras estrellas, veremos cuanto viéremos, todo para crescimiento de nuestra gloria que Dios nos dará como padre liberal a hijos muy amados.

Éste es el fin al hombre constituido: no la fama ni otra vanidad alguna como tú, Aurelio, dezías[77]; y éste es tan alto, que aunque se puede considerar cuán excelente será —pues se dará Dios al hombre en su eterna bienaventurança, como antes dezía—, sin que ya tengamos más que dezir dél, aviéndolo ensalçado Dios para tanta grandeza, tú, Dinarco, verás agora lo que te conviene juzgar del hombre conforme a la grande estima que Dios ha hecho dél.

DINARCO.—Yo no tengo más que juzgar de tenerte, Antonio, por bien agradescido en conoscer y representar lo que Dios ha hecho por el hombre; y preciar también muncho tu ingenio, Aurelio, pues en causa tan manifiesta[78] hallaste con tu agudeza tantas razones para defenderla[79]. Y vámo-

---

[77] El texto de *A* continúa: «Aunque la fama también es de tanto precio entre los mortales que con razón no se puede aborrecer...» (f. xxij v), y lleva una llamada de atención al margen con nota: «Hasta aquí llegó el maestro Oliva, lo que adelante hasta el fin se sigue compuso Cervantes de Salazar». Ulloa suprime dicha anotación, y cose los dos textos dejando la cicatriz de unas mayúsculas excepcionales en *V:* «come tu, Aurelio, dicevi. BENCHE la fama sia ancora di tanto prezzo». En *P* no queda ninguna señal de tal duplicidad: «comme tu dis, Aurele. Venons maintenant à la rennomée»; para D'Avost, en efecto, las dos partes del *Diálogo* son una, y su autor es Ulloa. Véase al respecto la descripción bibliográfica en la *Introducción*.

[78] «En causa tan manifiestamente favorable a Antonio», debe entenderse. La *disputa* acaba así, con el triunfo implícito del defensor. Los discursos han discurrido paralelamente y, a decir verdad, podrían desandarse, trocando incluso sus ponentes, pues de un ejercicio retórico se ha tratado. Cervantes de Salazar, siempre prolijo, enseña la trama y el revés del bordado haciendo que Dinarco diga a Aurelio: «Tampoco me negarás, que si trocássedes las causas, de todo lo que has dicho darías tan suficiente respuesta, que como agora pensavas que le avías sepultado (como Antonio hizo) le pondrías en el cielo» (f. lxxviij v). (*Vid. supra* la nota 5.)

[79] El *ingenio* y la *agudeza* de Aurelio no le dan la palma de la victoria ya que con ellos no es capaz de conocer la verdad de la Revelación. Pero el juicio de Dinarco es tan escueto, que Cervantes de Salazar, en su edición ampliada, necesita explicarlo por lo menudo: «Apártate pues tú Aurelio del error, que por mostrar lo mucho que tu ingenio puede, has defendido:

nos, que ya la noche se acerca sin darnos lugar que lleguemos a la cibdad antes que del todo se acabe el día[80].

FIN DEL DIÁLOGO
DE LA DIGNIDAD DEL HOMBRE

---

pues no puedes negar la inmortalidad del hombre con la cual es mejor que
todo lo criado en la tierra: y huelga que desta contienda se te dé aver agu-
damente hablado: y que aviendo querido mostrar ser nada el hombre, has
claramente dado a entender su mucho valor: pues siendo tú hombre
(como antes dixe) le has tratado tan mal: lo cual no pudiera hacer el que
no fuera tan sabio como tú: de manera que deves al hombre el entender
también lo que contra él puedes dezir.» (ff. lxxviij r-v.)

[80] Distinto es el final, después del largo añadido de Cervantes de Salazar, en *A*: «ANTONIO. —Has dicho, como en todo lo demás, muy bien, y
pues en esto, como en todo, recibimos merced de ti, la aceptamos para su
tiempo. Con tanto quede Dios contigo, Dinarco, que para nuestra casa es
por esta parte del camino. DINARCO. —Él os guíe de manera que todo lo
que emprendiéredes acabéis dichosamente. Laus Deo.»

166

Nota al texto

Texto en *A*, ff.Ir-XLIIIr y *C*, ff.1r-31r. De entre ambos impresos he elegido como texto base el más tardío dando mayor crédito a Morales, sobrino del autor, que editaba el *Diálogo* por lo que era —libre ya de la farragosa continuación y del nombre de Cervantes de Salazar— con un criterio filológico que, cuando menos, merece ser secundado.

Las diferencias textuales entre *A* y *C* son poco significativas, mereciendo destacarse tan sólo la lección de *A certidumbre* por la de *C incertidumbre* 151/23, que cambia el sentido del paso fundamental sobre la libertad del alma y que puede ser tanto una errata como una censura. Tipográficamente, *A* ofrece un texto con letra gótica, plagado de abreviaturas, que contrasta con la nitidez de *C*, impreso en la letra redonda que adoptara Nebrija. Las diferencias de orden estilístico (que *A* no emplee la preposición *a* con el acusativo de persona, por ejemplo) u ortográfico son las más; todas ellas pueden verse en el aparato de variantes.

Aparato de variantes.

113/1 Argumento] Argumento del Diálogo por Francisco Cervantes de Salazar 113/5 de la soledad] de la soledad. Antonio le responde que por amores de una señora, sin la cual no desseava bivir. Maravillado desto Aurelio, como el que no podía concebir vanidad de Antonio le ruega le diga el nombre, si por celos no le quiere callar. Antonio dize que Soledad se llama. De aquí toman ambos ocasión para hablar de la soledad. 113/8 de sí mismos] de sí aman la soledad] por eso aman la soledad 113/14 junto a ella ...Dinarco] junto con ella estava un viejo llamado Dinarco 113/17 parescer] parescer prometiendo él de dar la sentencia; de lo cual después de oídos los dos se arrepiente, y sólo por no dar su parescer a la clara trata la mesma materia diziendo cosas nuevas al mismo propósito. Finalmente, quedando el hombre por lo mejor de lo criado, hablando en otras cosas se van a cenar a la ciudad.

115/1 Diálogo...Córdova] Diálogo de la dignidad del hombre 116/18 al menos su nombre] al menos, yo te ruego, su nombre 116/27 o perdimos] o perdemos 117/16 a apartarnos] apartarnos 119/21 ocasión] fortuna 123/7 no ay] ni ay 125/6 hallan] halla 125/8 padescer] pasar 126/3 casi] casi como 126/17 al hombre] el hombre 127/22 tierra, frutas y yervas] tierra, árboles y piedras 128/3 alma] ánima 128/20 suceden] sucede 129/33 y medicinas] y sus medicinas 132/9 ser uno atormentado] ser atormentado 133/11 Así] Y assí 133/19 al hombre] el hombre 138/2 señores] muy nobles señores 140/3 falta, en él] falta de alguna culpa en él 141/8 Así con gran semejança] No de otra manera 141/10 Desta manera] assí que 141/16 la Sagrada Escriptura] la escriptura 141/22 del oficio] el officio 142/7 ser el hombre] que el hombre es 147/16 pertenescen] pertenesce 148/1 puede ser] pueda ser 148/23 y de la razón] y la razón 149/15,16 de la mar y estas] de la mar, estas 150/8 a lo menos] al menos 151/1 y todas las cosas] para esto bastantes 151/23 incertidumbre] certidumbre 152/17 largos] luengo 153/23 Todas... hombre] todas las cosas veemos, y en todas miramos, y no ay cosa más tendida que es el hombre 153/33 largos] luengos 154/6 y las mayores] Que las mayores 154/9 de entendimiento] del entendimiento 155/9 se halla] se halló 155/17 pues a los] que a los 156/14 los mares] las mares 157/11 cuán bien] qué bien 158/5 tú dezías] tú, Aurelio, dezías 158/21 y el perfecto] y perfecto 158/28 Con esto] Y con esto 159/3 Grande] Gran 159/7 nos espantan] nos espanta 159/7 que somos] que nosotros somos 159/8 pues para] que para 159/14 sus flautas] las flautas 159/19 Así] Y assí 160/13 a sí mismo] a sí 160/24 y al fin] y a la fin 160/31 tú eras] tú eres 161/3 en el tal] en tal 161/8 oído puede] oído que puede 161/12 y han] han 161/22 exercicios] exercicio 162/11 desea] poseía 162/17 del ageno] de lo ageno 162/20 no los] no lo 162/22 deste... tú] de aqueste mundo, pero no con aquel tormento que tú 162/28 agonía] agonías 162/32 a los que] los que 163/6 pudo] puedo 164/4 pertenescen] pertenesce 164/9 divina] divinal 165/1 al fin] a la fin.

II. Razonamientos

Razonamiento hecho en la oposición a la cátedra de filosofía moral

Si tan ligeramente oviese yo, señores, creído las amenazas que algunos me han hecho como se han ellos movido a dezirlas, yo me avría apartado deste propósito, y no avría oy venido a poner mi persona en este riesgo[1]. Pero cuanto algunos dizen del corrompimiento de los votos, tanto yo no creo, confiando en su virtud. Algunos me dizen que devo temer, porque ay munchos contra mí por ciertas amistades y intereses humanos; mas yo nunca pude hazer a ningunos virtuosos tal injuria que uviese de creer que nadie los avía de llevar como en tropel, sin que ellos mirasen adónde van.

Yo no sé aquestos tales hombres que así hablan cómo quieren provar sus opiniones con afear tales personas. Yo, en verdad, nunca pude creer esto, aunque munchas vezes preguntándome algunos en qué hago fundamento, y yo respondiendo que en justicia, se me han reído en la cara y respondido que aunque yo tenga más que Aristóteles, no haze

---

[1] Morales hace una presentación «Al lector» que reza: «Ninguna cosa dexó el maestro Oliva, mi señor, por pequeña y ordinaria que sea, que no aya sido estimada y en mucho tenida de todos los hombres de grande entendimiento que bien la han gustado. Assí ha sido muy alabado éste su razonamiento, que en la oposición de la cátedra de Filosofía Moral hizo en Salamanca. Celebran en él mucho la modestia, el gran concierto, la gravedad y el artificio con que lo prossiguió todo, en ocasión donde no teniéndose comúnmente cuenta en esto, se desordenan los que allí hablan, y parece ponen todo su bien en dezir mal de otros.» f. 140v.

al caso[2]. Y yo a ellos preguntando qué ha de ser el fundamento desta oposición, me dizen que tener cátedra que dexar, y munchos amigos por amor della, y otros amigos por otras obligaciones y por otras esperanças, y por familiares comunicaciones aver ganado munchos votos[3].

Cuando ellos me dizen tales cosas, yo miro que no estamos en las Indias, do no creen que ay infierno, ni en otra tierra do pueda aver hombres tan bárbaros como ellos dan a entender[4]: que en un caso de justicia en que tanto va, como en éste, todos estén corrompidos de malas intenciones; sino creo verdaderamente que es éste el mejor lugar del mundo para demandar justicia, pues los que la han aquí de

---

[2] De la justicia como virtud ética trata Aristóteles en el libro V de su *Ética a Nicómaco*. Con esta alusión al Filósofo, enmarca Pérez de Oliva toda su *lección*, embebida de aristotelismo, y donde él en persona se propone como ejemplo de virtudes ganadas con el esfuerzo, que engendra los buenos hábitos, y como excelente director de jóvenes que han de aprender y aplicar en su vida las enseñanzas de Aristóteles.

[3] Alude Oliva a los juegos de poder (por lo demás perfectamente vigentes en las universidades actuales, y no sólo en la española) cuyos resortes movían agustinos, dominicos, jesuitas o quien correspondiese, volcados a copar el mayor número de cátedras posibles para su órden. «Con ocasión y como consecuencia de las disputas *de auxiliis*, cobró fuerte desarrollo en las órdenes religiosas el espíritu de escuela. A él se siguió el afán de acentuar lo diferencial en las doctrinas propias de cada instituto. Después vino la imposición de determinadas doctrinas a los miembros de las órdenes religiosas y el espíritu de secta (...). De aquí nació la cátedra dedicada a exponer exclusivamente el propio sistema, *la multiplicación de las cátedras*, la insistencia en la pura especulación, *la alternativa en la posesión de las cátedras*. Es el proceso de decadencia presentado en esquema.» (Melquíades Andrés, *La teología española del siglo XVI*, Madrid, BAC, 1976: 47; la cursiva es mía.)

[4] La alusión a las Indias nada más abrir el razonamiento, evidencia una vez más su precoz percepción de la trascendencia del descubrimiento de América. La calificación de los indios como *bárbaros*, sumada a la que se hace en la *Cosmografía* («Más allá de estos límites pocas cosas y de modo incierto eran conocidas (...) ya porque desdeñaran extender su dominio sobre las *gentes bárbaras* que habitan todas aquellas regiones con *costumbres salvajes* (1985:143)), contrasta con la dignificación literaria de que son objeto en la *Historia de la invención de las Yndias*, y en la *Conquista de Nueva España*. Contra lo que pudiera parecer, y a algunos parece, Pérez de Oliva no puede considerarse un defensor de la dignidad del indio, sea en la línea de un Las Casas, sea en la de Vitoria, pues ni participa de la apasionante querella, ni su pensamiento al respecto es muy distinto al de Sepúlveda u Oviedo. Hablo de ello con detenimiento en mi artículo de 1990.

hazer toda su vida la amaron y siguieron. Principalmente pues la mayor parte de este hecho está en la deliberación de personas religiosas, que con temor de Dios y amor de la justicia dexaron el mundo y se desnudaron de las pasiones que engañan y turban los otros hombres[5]. Yo creo cierto, y confío, que estos tales no han de querer por ligeras causas ofender la salud de sus almas, que tanto trabajo en este mundo les cuesta.

Pues si digo de los otros votos que ha de aver en esta cátedra, ¿quién no fiará dellos las cosas de justicia, aviéndose criado siempre en exercicios y preceptos de virtud? Yo, en verdad, en todos confío que mirarán la justicia, y todos creo que tienen sus almas y sus consciencias a recaudo. Y esta fe que yo he tenido me ha traído a este lugar de tanta afrenta a poner mi persona por la honra de vuestras mercedes, y a mostrar la confiança que de su virtud yo tengo. La cual confiança ha sido tan grande, que ningunas amenazas ni amonestaciones me han podido apartar, ni apartarán jamás, de creer que vuestras mercedes son justos; y espero que con esta porfía tengo de vencer.

Seguro, pues, de aquesta parte, diré agora lo que a la información de mi justicia pertenesce. Ésta, en la verdad, se me haze grave, porque la misma filosofía moral sobre que altercamos a cada paso nos amonesta cuánta vanidad es alabarse el hombre. Y aunque la filosofía no nos lo enseñara, la vergüença natural nos retrae y nos impide nos alabemos, porque son avidas por vanas alabanças las que de sí mismos dizen los hombres persuadiéndose que no carescen de pasión. Cuanto más que, bien considerando qué partes ha menester el que ha de ser conveniente preceptor de la filosofía moral, no avrá hombre de sano juizio que no tema prometer de cumplir lo que en ello se requiere.

Porque son menester, si bien consideramos, para tratar la filosofía moral, leción de munchas cosas, y experiencia, y lengua, y uso de virtud. Lección es menester de los autores sabios, a do están las reglas desta doctrina; y de los historia-

---

[5] La ironía inicial acabará siendo abierta polémica contra los frailes que ocupan cátedras. *(Vid. infra* la nota 20).

173

dores, donde están los exemplos della. Y es menester experiencia, por falta de la cual dixo Aristóteles que no eran los mancebos convenientes para esta filosofía. Y lengua es menester, no solamente para explicar las cosas difíciles, sino también para mover y incitar los oyentes a que sigan la virtud, que es el principal intento que ha de tener aquí el preceptor[6]. Y uso de virtud es menester porque, en la verdad, no ay mayores espuelas para que los oyentes sigan los preceptos que ver ellos cómo el preceptor los guarda: que como el nadador no muestra al discípulo desde el arena sentado, sino nadando delante dél, dándole reglas y exemplo[7], así el que ha de mostrar a otro la manera de regirse en las costumbres menester es que vaya delante.

Mirando todas estas cosas, vergüença y temor me impiden para lo que quiero dezir; de tal manera, que yo dexara de hablar en ello si no me compeliera la costumbre, a la cual siguiendo diré de mi vida y de mí solamente las cosas que a este propósito pertenescen, con la mayor verdad y menos fastidio que yo pudiere.

Todas las personas que me son contrarias y me quieren impedir aquesta empresa me atribuyen a ingenio todas las muestras que de mí he hecho, porque los votos no las atribuyan a doctrina ni lección. Así que no he menester de mi ingenio dezir nada, pues los que contra mí negocian dizen tanto cuanto yo devo desear que esté persuadido; sino diré

---

[6] Cfr. la *Ética a Nicómaco*, «El bien humano es una actividad del alma conforme a la virtud, y si las virtudes son varias, conforme a la mejor y más perfecta, y además en una vida entera» (I,7, 1098a); «la virtud es un hábito selectivo» (II, 6, 1107a). Cito por la trad. de J. Marías y M. Araujo, Madrid, Centro de Estudios Constitucionales, 1985.

[7] En la *paideia* de Pérez de Oliva, la natación es el único ejercicio corporal mencionado, y cfr.: «Dadme licencia, señores yo os suplico, que me torne, porque soy nuevo nadador y no oso apartar muncho de la orilla», *Triunfo*: 198-9. Va ligado a la inexperiencia porque, siendo peligroso y no siendo propio del género humano, exige un preceptor. Mexía, en su *Silva*, nos da una noticia que sin duda interesaría a Oliva: «era costumbre en Roma que los moços aprendiessen y se mostrassen a nadar, y avía cierto sitio en la ribera del Tibre, junto al campo Marcio, donde a todos los hazían exercitarse en esto; porque juzgavan el nadar por cosa provechosa y necesaria...» (1989: I, 373.)

este ingenio que ellos me conceden en qué lo he siempre ocupado, porque vean si avré hecho algún fruto con él.

Yo, señores, desde mi niñez he sido siempre ocupado en letras, con muy buenas provisiones y aparejo de seguirlas. Y primero oí la gramática de buenos preceptores que me la enseñaron; después vine a esta universidad, y oí tres años artes liberales, con el fruto que munchos aquí saben[8]; y de aquí fui a Alcalá, donde oí un año en tiempo que avía excelentes preceptores y grande exercicio[9]. De aí, creciéndome el amor de las letras con el gusto dellas, fui a París, do estuve entonces dos años oyendo[10]; y si era bien estimado entonces, algunos lo saben de los que aquí me oyen. De París fui a Roma, a un tío que tuve con el Papa León; y estuve tres años en ella siguiendo exercicio de filosofía y letras humanas, y otras disciplinas que allí se exercitavan, en el estudio público que entonces florecía más en Roma que en otra parte de Italia. Muerto mi tío, el Papa León me recibió en su lugar y me dio sus beneficios; y estava tan bien coloca-

---

[8] Hasta 1508 estudiaría en Córdoba bajo la dirección de su padre, persona culta y autor de una obra geográfica, *La imagen del mundo*, «quod ineditum mansit, forte iam deperditum» dice N. Antonio en su *Bibliotheca Nova* (1963: 386). De 1508 a 1511 estudia en Salamanca lógica, filosofía natural, filosofía moral y gramática. —Sobre el plan de estudios salmantino y los textos que se usaban cfr. Fuertes Herreros (1985: 42-46).

[9] Estaría en Alcalá el curso 1511-1512. Son los primeros años de la Universidad Complutense, fundada por el Cardenal Cisneros en 1508 con un carácter esencialmente clerical y práctico: «La creación de la Universidad de Alcalá no fue sino la instalación de un organismo completo de enseñanza eclesiástica: elemental, media y superior». Son palabras de Marcel Bataillon (1966:10) en el capítulo de apertura de su monumental *Erasmo y España*. Allí Oliva estudiaría teología con el *método de París*. (Griego no pudo estudiar, como le gustaría a Fuertes Herreros (1985: 47), ya que tal cátedra «no parece haber sido provista antes de 1513» (*apud* Bataillon, 1966: 20).

[10] Dos cursos, de 1512 a 1514, pasa Oliva en París, donde obtiene el grado de Bachiller en Artes; se le convalidarían —según Fuertes Herreros (1985: 49)— algunas materias estudiadas en Salamanca, y cursaría sólo filosofía natural y moral. Allí fue alumno de Martínez Silíceo, influyente profesor de filosofía natural que acabaría siendo cardenal-arzobispo de Toledo; su exordio en el mundo de las imprentas lo hace de la mano del dicho Silíceo, poniendo al frente de su *Ars Arithmetica* el *Dialogus inter Siliceum, Arithmeticam et Famam*. (*Vid.* el texto y sus notas.)

do, que cualquier cosa que yo con modestia pudiera querer, la podía esperar[11].

Pero porque me parecía que sería aquella vida ocasión de dexar las letras, que yo más amava, me bolví a París, do leí tres años diversas leciones, y entre ellas las *Éticas* de Aristóteles y otras munchas partes de su disciplina y de otros autores graves y excelentes[12]. De tal manera que el Papa Adriano, siendo informado de estos mis exercicios, me proveyó, estando yo en París, de cien ducados de pensión con propósito, según avía dicho, de los conmutar en otra merced de más calidad. Mas él murió luego y yo vine a España seis años ha o poco más, y los cuatro dellos he estado en esta universidad, siempre en exercicios de letras[13].

Así que pues me conceden que no carezco de ingenio, y

---

[11] Éste parece haber sido el período más feliz de nuestro Oliva (lo que no sorprende, tratándose de Roma), o por lo menos el más brillante y alto en cuanto a esperanzas. El Papa León es León X (1513-1521), hijo de Lorenzo el Magnífico, cuya corte fue una de las más espléndidas del Renacimiento. Sucede a Julio II y, como él, se rodea de artistas (Rafael, Sebastiano del Piombo y Varagnini lo retratan, por no poner más que un ejemplo). Promociona las primeras representaciones del nuevo teatro: la *Cassaria* e *I Suppositi* de Ariosto (Ferrara, marzo de 1508 y febrero de 1509), y, en Roma, la *Mandragola* de Maquiavelo. En tal ambiente se despertaría en Pérez de Oliva la vocación de escritor dramático de la que sobradas pruebas nos ha dejado (aparte de las obras de su producción, contribuyó decisivamente a la consolidación del teatro de escuela al proponer para los nuevos *Estatutos* salmantinos la obligatoriedad de llevar a cabo una representación al año en la universidad). Asimismo puede adscribirse a este período su interés por la arquitectura y por las obras de ingeniería civil (*vid.* el *Razonamiento sobre la navegación del río Guadalquivir*).

[12] Volvió a París el curso de 1519-20, y al final del mismo obtuvo el grado de Licenciado en Artes; en 1522 alcanzaría el de Maestro, para lo que debió de *leer* los libros morales de Aristóteles (*apud* Fuertes Herreros, 1985: 55). *Leer* era el primer paso de la función docente; se trata, por tanto, de ejercitaciones o sustituciones que servían para la formación del futuro profesor. Prueba de esta actividad son sus ejercicios *Discurso sobre las potencias del alma*, y el brevísimo *De la sabiduría de Dios dada*.

[13] Adriano de Utrecht, preceptor de Carlos V y Pontífice desde 1521 con el nombre de Adriano VI; murió en septiembre de 1523. El regreso de Oliva pudo estar impulsado, además de por esta fatalidad, por el conflicto bélico en curso (la 1ª guerra de Italia, que acabaría con la Paz de Madrid en 1526). De los *exercicios en letras* a los que se dedicó una vez en España, se ha hablado en la *Introducción*.

como han, señores, oído, toda la vida he pasado en los más nobles estudios del mundo, siempre atentísimo a mis estudios y exercicios dellos, por fuerça es que aya hecho fruto, pues trabajando y perseverando con ingenio se alcançan las letras. Y si no es así, yo querría que alguno me dixese de qué otra manera se suelen alcançar.

Mas ¿qué es menester persuadir por razones lo que en experiencia he mostrado? Vuestras mercedes han visto si sé hablar romance, que no estimo yo por pequeña parte en el que ha de hazer en el pueblo fruto de sus disciplinas; y también si sé hablar latín, para las escuelas do las sciencias se discuten. De lo que supe en dialéctica, munchos son testigos; en matemáticas, todos mis contrarios porfían que sé muncho, así como en geometría, cosmografía, arquitectura y prospectiva, que en aquesta universidad he leído. También he mostrado aquí el largo estudio que yo tuve en filosofía natural, así leyendo partes della, cuales son los libros *De generatione* y *De anima*, como filosofando cosas muy nuevas y de grandísima dificultad, cuales han sido los tratados que yo he dado a mis oyentes escritos: *De opere intellectus, De lumine et specie, De Magnete*, y otros do bien se puede aver conocido qué noticia tengo de la filosofía natural[14].

Pues de la teología no digo más sino que vuestras mercedes me han visto en disputas públicas unas vezes responder y otras argüir en diversas materias, y difíciles, y por allí me pueden juzgar, pues por los hechos públicos se conocen las personas y no por hablillas de rincones. Allende de esto, señores, he leído munchos días de los cuatro libros de *Sentencias*[15],

---

[14] El *De opere intellectus* es obra perdida; *De lumine et specie* forma parte del ms. *e. II. 15.* de El Escorial; el *De Magnete* se encuentra en el ms *&.III.8* de la misma biblioteca. *Vid.* la descripción de los mss. en la *Introducción*.

[15] Lo que aquí *lee* el joven Oliva son las *Sentencias* de Pedro Lombardo, «el volumen de texto de más larga persistencia en la historia de la teología. En él se formaron ininterrumpidamente los teólogos durante más de tres siglos». La universidad salmantina, desde 1532, empieza a alternar su estudio con el de la *Suma Teológica* de Tomás de Aquino, que se convierte en texto único en los *Estatutos* de 1561; tal cambio supone un revolución en los estudios teológicos que Bataillon llama el *renacimiento tomista*. *Vid.* M. Andrés (*op. cit.,* 1976:43-46), y M. Bataillon (1966:11).

siempre con grande auditorio, y si se perdieron los oyentes que me han oído, vuestras mercedes lo saben. Pero porque nuestra contienda es sobre la leción de filosofía moral de Aristóteles, diré della en especial.

Vuestras mercedes saben cuántos tiempos han pasado que en esta cátedra ningún lector tuvo auditorio sino sólo Maestro Gonçalo[16], do bien se ha mostrado que es cosa de gran dificultad leer bien la doctrina de Aristóteles en lo moral, que no lo puede hazer sino hombre de munchas partes y de especial suficiencia. Y también vuestras mercedes saben que no ay leción más impropia para leer estraordinaria que la filosofía moral de Aristóteles, comoquiera que no la reputen comúnmente necesaria para los intentos que los estudiantes tienen. Pues si yo he leído munchas vezes esta leción estraordinaria, y con no menos oyentes que el Maestro Gonçalo tuvo cuando tenía más, verisímil cosa es que para esta leción tengo la suficiencia que es menester. Así que en este paso yo no alego mis exercicios en tan diversas disciplinas, ni la experiencia que dellas he dado para que por conjecturas vuestras mercedes sepan lo que podría hazer en esta cátedra; mas alego experimentos que de mí he dado, en lo que ella está fundada.

No digo yo agora que tengo amigos, que tengo cátedra que dexar, que he a munchos ayudado a llevar las suyas, ni referiré otros tales merecimientos; ni alegaré canas, ni vejez, ni compasiones. Mas alegaré que leyendo Aristóteles henchía el auditorio y le hazía cada día crescer más, así de teólogos como de otras personas graves y doctas y generosos principales. Así, aunque todas las otras cosas callase, ésta mi declaración me paresce que bastaría para yo conseguir vic-

---

[16] Titular de la cátedra nominalista en Alcalá hasta 1513, y luego en Salamanca; «hombre de gran erudición y de prodigiosa memoria», familiar de Cisneros e intermediario entre éste y Bovelles. *Apud* Bataillon (1966:17, 56-7). Esperabé Arteaga (1914: II, 259), lo identificaba con el maestro Gonzalo Frías, sustituto en las cátedras de filosofía moral y filosofía natural los años 1471-2 y 1476-79, noticia que no convencía a Atkinson (1927: 342); en efecto, la identificación no es válida ya que las fechas no coinciden.

toria, pues suele ser coronado el que corre el precio[17], y no el que está mirando.

Concluyendo, pues, en esto, yo no demando a nadie que me crea sin causa, sino que mirando lo que hago juzgue lo que sé. Y pienso que esto moverá a vuestras mercedes, pues se ha de creer más la experiencia que la persuasión, y lo que se ve que lo que se espera.

Hasta aquí he dicho, señores, de la doctrina y lengua, que eran dos partes para esta lección necesarias. Agora diré en breve de la experiencia, que era la tercera. Yo, señores, anduve fuera de mi tierra por los mayores estudios del mundo y por las mayores cortes. Los estudios fueron Salamanca, Alcalá, Roma, París; y las cortes la del Papa, donde estuve munchos días; y la de España, y la de Francia, cuya forma y usos he visto. Pues en aver visto naciones a pocos de mi edad daré ventaja. Yo he visto casi a toda España, y he visto la mayor parte de Francia, y anduve de propósito a ver toda Italia; y no, cierto, a mirar los dixes, sino a considerar las costumbres y las industrias y las disciplinas. Y si sé hazer relación de todo esto, bien lo saben los que conmigo comunican. Mar y tierra, y cortes y estudios, y muy diversos estados de gentes he conocido; y mezclándome con ellos. Y hallo en mi cuenta bien averiguada que fuera de España anduve para esto tres mil leguas de caminos, las cuales creo yo que son más a propósito de tener experiencia que no tres mil canas nacidas en casa. Y esta experiencia que con los ojos he ganado la he ayudado siempre con lección de historiadores, porque ninguno ay de los aprovados antiguos que yo no aya leído. Así, aunque dizen que soy hombre mancebo, con diligencia he anticipado la edad.

Otra parte avía para el propósito desta lección que era, como dixe, el uso de la virtud; pero de ésta no me es lícito dezir nada, ni aun querría, porque en tal caso el vituperio sería impertinente y el alabança gran vanidad. Pero dexando esto, y acabando aquí de lo que de mi persona avía de dezir pertenesciente a la suficiencia que es menester para

---

[17] *correr el precio*: «Corredor, el que interviene en las compras y ventas» (Covarrubias).

esta cátedra, quiero agora responder a lo que por obscurecerla suelen dezir algunos. Los cuales, cuanto yo he sido estudioso en saber y en declararme, tanto ellos han sido diligentes en buscar calumnias contra mí. Y porque yo proceda sin escrúpulo y más claro, no digo yo, ni Dios tal quiera, que aya jamás aquesto nascido de los señores opositores, los cuales estimo yo por muncho mis amigos y señores, y por personas graves y de muncha erudición, sino ha nascido de otros que no es menester señalar.

Suelen, pues, dezir aquestos una principal objeción contra mí, partida en munchas partes y de un nuevo género de reprovar los doctos. Unos dizen que soy gramático y otros que soy retórico; y otros que soy geómetra; y otros que soy astrólogo; y uno dixo en un conciliábulo que me avía hallado otra tacha más: que sabía arquitectura. Yo, respondiendo a esto, cuanto a lo primero digo, señores, que entre los hombres sabios con quien yo he conversado nunca vi que a nadie vituperasen de docto, sino de ignorante. Yo nunca oí que con dezir «no sé» quieran hazerse los hombres opinión de sabios[18]. Yo digo en verdad a vuestras mercedes que sé todo lo que ellos dizen, y que antes es argumento que yo avía de tomar para defenderme. Porque si en retórica y matemática, que ni oí de preceptor ni leí en escuelas sino raras vezes, como todos han visto los que me han siempre conversado, dizen que sé tanto, ¿qué no sabré en las otras disciplinas que tantos años he exercitado en escuelas? No saben, cierto, estos hombres lo que inventan, y queriéndome oprimir me ensalçan.

Mas pregunto a vuestras mercedes: Aristóteles, que escrivió estos libros que avemos de leer de filosofía moral, ¿sabía retórica? Sí, pues que la escrivió, y de su excelencia en saberla se maravilló Marco Tulio. ¿Sabía matemáticas? Sí sabía, pues están sus obras sembradas de excelentes primores

---

[18] La formulación de tan descabellados reproches, es tomada por Luis Gil (1981: 256-7, 293) como paradigma de las desgracias del humanismo español. Cosas por estilo, y bien peores, siguen siendo moneda corriente en el ambiente universitario. Sobre la multiplicidad de intereses de nuestro humanista, véase la *Introducción*.

della. Luego yo, en saber para exponer a Aristóteles lo que él sabía para escrivir, no perderé nada, pues no puede ser más conveniente expositor que el semejante al autor. Cuanto más que las disciplinas no se impiden unas a otras, mas antes se ayudan, como bien paresce mirando todos los sabios antiguos cuán universales fueron. Pero no quiero en cosa tan de reír como éstos me oponen gastar tiempo, sino responder a otras sus razones.

Suelen pues dezir algunos que no es razón que yo aya de alcançar una cátedra del primer acometimiento, como que en esto se aya de aver mayor respeto a la porfía que no a la justicia. Y dizen que estos opositores tienen cátedras que dexar y yo no, como que los buenos uviesen de votar siguiendo el despojo más que la justicia.

Otras cosas munchas dizen desta calidad, las cuales dexo porque cada uno que las oye podrá mirar de qué peso son. Mas a una responderé, que dize el reverendo padre Maestro fray Alonso[19], que yo fui su discípulo. En la verdad ello es así, que cuando era pequeño oí dél ciertos días de lógica, —iy en Córdova es bivo también el que me mostró gramática!— pero que haga esto al caso para ser ellos más suficientes que yo en las mismas disciplinas —cuanto más en filosofía moral, que no oí dellos—, vuestras mercedes lo ven; así que todas estas razones son de poca fuerça.

Pues dexándolas, vengo agora a responder a una cosa que sé que mueve más a vuestras mercedes que ninguna

---

[19] De fray Alonso de Córdoba, el contendiente de Pérez de Oliva, dice Bataillon: «Era un teólogo de formación parisiense, quizá había sido llamado por Cisneros a Alcalá en 1508. Pero él se estableció en Salamanca, al mismo tiempo que entraba en la orden de San Agustín; obtuvo en 1510 la cátedra de lógica de Nominales. En 1527 ocupaba, al parecer, otra cátedra de teología nominalista, la de "Gregorio de Ariminio". Ocupará en seguida, desde 1530 hasta su muerte (1541?), la de filosofía moral» (1966: 242). No debe confundirse, como se ha hecho a veces, con fray Martín de Córdoba, agustino también, autor del tratado de educación escrito para la futura reina Isabel la Católica *Jardín de nobles doncellas* (*apud* P. Félix García, ed., Madrid, Joyas Bibliográficas, 1943: XIX-XX)

otra, que es la compasión que han al padre Maestro fray Alonso. Y cuanto a ésta ya vuestras mercedes saben que en las cosas de justicia no ay lugar de amistad ni compasión, pues a ninguno se deve quitar su derecho por tales respectos. Yo bien sé que dirá que miren sus canas, que miren su vejez, que miren el servicio de veinte años, que miren la necesidad de su casa, que miren el angustia con que lo demanda y la pena con que quedaría si esta cátedra perdiese, y que no sería buen pago de sus trabajos y otras cosas desta calidad que hagan lástima y muevan a compasión.

Yo, en contrario dello, no diré de mí lástimas ningunas, porque no lo acostumbro en tales casos. Pero si la cátedra de filosofía moral supiese hablar, ¿qué lástimas piensan vuestras mercedes que diría? Ella por sí diría que miren cuán olvidada ha estado, y cuán obscurecida munchas vezes por pasiones de los que la han proveído; y que miren que agora la demandan unos llorando y otros no sé en qué confiando; y que unos la quieren para cumplir sus necesidades y otros para cumplir las agenas, no siendo aquesto lo que ella ha menester. Porque ella demanda hombre que en las adversidades no gima, ni en los casos de justicia solicite, que, los que la fundaron y dieron principio, para aquellos la hizieron que en los casos de fortuna son iguales y en los de justicia sosegados; para aquellos en quien ay sciencia, constancia y sufrimiento. Éstas diría que son las cosas que en ella se han de enseñar, no lágrimas ni necesidades, ni obligaciones ganadas de otras personas.

Agora, pues, vuestras mercedes consideren cuál de aquestas dos partes deve mover más los hombres justos, y aquella sigan. Yo creo, en verdad, que moverá más la justicia que no la compasión, principalmente donde la compasión no nasce sino por falta de sufrimiento. Porque de otra manera, ¿qué mal le viene a un hombre religioso, que tiene su hábito, su celda y su refitorio en no alcançar riquezas? ¿Qué terná más con la cátedra sino un poco más de honra humana, que deven menospreciar los hombres religiosos? En verdad, yo no veo qué lástima se deve aver a quien no le falta nada. ¡Yo soy el que padezco falta de estado de bivir, y el que tengo necesidad de tener algún lugar entre mis iguales![20]

Pero ni esto ni esotro no haze al caso, sino sola la justicia, comoquiera que en el interrogatorio de los votos no preguntan quién tiene más necesidad, ni amonestan que voten por la persona de quien más compasión ovieren, ni que tenga cátedra, ni canas, ni que sea maestro o discípulo; sino preguntan si están bien informados de la sciencia de los opositores, y amonestan que voten por el que más provecho piensan que hará. Por lo cual a vuestras mercedes suplico que, desnudándose de toda pasión, y con gran cuidado, juzguen entre nosotros; porque si todo un Consejo Real suele con gran diligencia examinar un pleito de poca importancia antes de dar sentencia, ¡cuánto más lo deven vuestras mercedes hazer, que son juezes de nuestra hazienda y de nuestra estimación!

Y cuando en tal deliberación estuvieren, consideren vuestras mercedes primero la cátedra cómo estaría proveída en cada uno de nosotros, y miren en cuál estaría mejor. Esto entenderán fácilmente mirando que esta cátedra fue hecha para todas facultades, y que el lector della ha de tener qué dar a todos: a unos cuestiones y a otros llanas reglas de costumbres; y a todos amor y gracia con la virtud. Lo cual hazer no se puede sin lengua y sin muncha lectión: por una parte de autores escolásticos; y por otra de elegantes como Tulio, Séneca, Platón y sus intérpretes y otros tales que son muy necesarios para el cumplimiento y gravedad desta disciplina, y no pueden ser imitados sin suficiente noticia de la lengua latina ni explicados sin el uso della.

¿Qué hará —yo pregunto a vuestras mercedes—, quien della caresce, sino acogerse con solos Almain y Angest como

---

[20] Si no fuera por la urgencia de obtener la cátedra, que impele al joven Oliva a atacar con tanta virulencia y en modo tan descubierto a su contrincante, podría hasta verse una punta de erasmismo en esta condena de la vanagloria mundana del fraile; tengo para mí, sin embargo, que más que el fraile es el agustino el blanco al que apunta el futuro perdedor quien, por su parte, a buenos árboles estaría arrimado ya que se le proveería inmediatamente de otra cátedra (que no le interesaba nada, pero eso es otro cantar).

con dos colunnas de toda su doctrina[21]? ¿Paréceles que estará buena la cátedra de filosofía moral desierta de la disciplina por quien ella fue fundada? Fue fundada por respecto de Aristóteles, autor elegantísimo, que cogió la doctrina de Sócrates —que lo fue no menos— y de otros sus acompañados, que lo fueron asimismo. De manera que, si bien miramos, entre los antiguos ningunos fueron preciados en esta disciplina si no fueron elocuentes. Y si lo fue Salomón, y los otros sabios de la vieja ley, y los doctores de la Iglesia y otros morales excelentes, vuestras mercedes lo saben[22].

Y pues las fuentes principales, y más graves, y más dignas desta disciplina están juntas con grande elocuencia, ¿cómo podrá beverlas quien no tiene hecho el gusto sino a Gregorio y a Gabriel, y otros tales escolásticos?[23] Los cuales sin los

---

[21] He aquí un texto más para la polémica entre los *bárbaros* y los *elegantes* (cfr. F. Rico, *Nebrija contra los bárbaros*, Universidad de Salamanca, 1978) y, ahora, D. Ynduráin (1994:161 ss). Oliva contrapone la elocuencia de los clásicos con la aridez de los teólogos parisinos citados. Jacques Almain, occamista, discípulo de Major (como Juan de Celaya, maestro de Vitoria y del propio Oliva) era autor de unas *Moralia* (1510); profesor de Oxford y París, Cisneros estuvo a punto de llevarle a Alcalá a la cátedra de nominales, pues quería renovar la enseñanza teológica española introduciendo en ella el escotismo. (Cfr. Bataillon, 1966: 10; y la ed. Urdánoz de las *Obras* de Vitoria, 1960: 16 y 111). Jerôme de Hangest publicó varios libros de teología entre los que se cuentan también unas *Moralia* publicadas en París el año de 1521.

[22] Nótese cómo el bando de los *elegantes* se amplía del campo de las letras humanas al de las divinas o adyacentes: es el *humanismo* de Pérez de Oliva, embebido de la lectura de los clásicos, de la *Biblia* y de la patrística.

[23] Los nominalistas Gregorio de Rímini, y Gabriel Biel, autor de un *Comentario al Maestro de las Sentencias*. Cfr. Bataillon: «Parece que Durand reinó en la enseñanza nominalista de España durante la primera mitad del siglo XVI. En 1536 se proveen tres nuevas cátedras de Santo Tomás, Escoto y *Nominales*. Esta última se llama desde entonces *Cátedra de Durando* (...) Más tarde, en 1545, (...) se ve aparecer una *Cathedra theologiae Gabrielis*. La explicación de ésta novedad habrá que buscarla probablemente en los debates cuyo teatro es Salamanca varios años después. Aquí la enseñanza nominalista había tomado como base a Durand y Gregorio de Rímini. Pero a mediados de siglo se produce una reacción. Durand aparece como más cercano al tomismo que al nominalismo. Se decide entonces enseñar en su lugar a Gabriel Biel o a Marsilio de Inghen» (1966:18, n. 28). Ironías de las oposiciones, la cátedra de teología en la que fray Alonso había enseñado lógica *in viam nominalium ad modum parisiensem* sería la que ganaría Oliva, que sería así *catedrático de Gregorio Arimini, o de Durando* (vid. *infra* la nota 27).

otros, como otros sin ellos, no hazen cumplido preceptor[24]. Pero pongamos agora que la filosofía moral que estos escolásticos escriven por sí sola fuese bastante, ¿paréceles a vuestras mercedes que están a buen recaudo estos señores mis opositores con dezir que ellos la saben, sin querer hazer muestra ninguna?

En esta filosofía escolástica yo he respondido estos días tres vezes en actos públicos, y munchas argüido, y leído hartas leciones; en las cuales muestras he tratado las más principales partes della. Y a todo esto los señores mis opositores, siendo por mí provocados y teniendo tantas causas de leer y disputar, han querido guardar su autoridad callando.

Pues en verdad que yo no creo que aquí se ha de ganar la victoria sino con la lengua. Yo bien veo que ellos se refieren a estas leciones de oposición, mas ya vuestras mercedes saben cuántas cosas se pueden disimular con ponerse el hombre en discrimen de sola una lección. Ay en la filosofía mil lugares comunes que son como menestriles de fiestas[25], que los llevan do los quieren, de los cuales pueden estar apercibidos munchos días; y ay amigos y otras mil ayudas; y al fin

---

[24] La polémica contra los *verbalistas* (*vid. supra*) abierta en el caso de Erasmo y jocosa en el del capítulo XIV del *Gargantúa* de Rabelais, en Pérez de Oliva se diluye en un compromiso que no podemos calibrar dada la utilidad inmediata del texto: ganar unas oposiciones con un tribunal que no debía de ser un plantel de Nebrijas, a juzgar por el poco éxito que obtuvo. El personaje Pérez de Oliva pintado por Villalón en *El Scholástico* sí que se despacha, en el capítulo X, contra los que *dilatan el tiempo en cosas vanas y superfluas*; son unas páginas, éstas sí, directas y críticas como las de Erasmo: «después disputan si la paternidad que está en dios si es relación absoluta, o respectiua: questiones que aunque se disputen de aquí al día del juizio no sacarán más mérito que de cortarse las vñas al rayo de sol (...) y en fin todo es dirigido para sembrar disensión entre los pobres, y para dar de comer a los lettrados juristas (...) Hánse metido tan a tropel vnas sciencias en otras por la confusión y ignorançia de los scriptores, que ya aunque con vna hacha ençendida andemos vuscando en todos los quatro sentençiarios vn punto puro de theología no le hallaremos sino todo contaminado y adulterado de estrañas sciencias.» (1967: 154-155.)

[25] *menestriles*: «*Quasi* manestril, porque tiene necessidad de ocupar ambas manos en el instrumento» (Covarrubias). Para su connotación despectiva, cfr. los dioses *hechos juglares por las fiestas* en la traducción de Oliva del *Amphitruo* de Plauto (citado en la nota 63 del *Diálogo*).

no ay hombre de tan poco recaudo que algo no haga si en una sola cosa pone toda su industria para una muestra.

Pero esto no lo digo —ni Dios tal quiera— por desprecio de ninguno, que bien sé que tengo que hazer con opositores de munchas letras y muy grande autoridad; pero dígolo porque, aunque ellos sean tales, no han de ser en este caso preciados por lo que son, sino por lo que muestran. Y muestra no es una leción de oposición cuando ay ocasión, y aun necesidad, de hazer otras mil cosas; que, en verdad, si una leción de oposición bastase y me lo consintiese mi consciencia, yo me opornía a la cátedra de prima de cánones con los señores doctores Montemayor y Tapia[26], pues no faltaría de do aver la leción de oposición, y una dozena de amigos que saliesen maravillándose della y menospreciando las de los otros.

Y no ay para qué hazer fundamento en dezir que ay lugar de gratificación y que, en fin, con el tiempo se espera que avrá provecho. Mas en estos resbaladeros de la justicia miren vuestras mercedes que no caigan, sino cada uno mire bien que no ha de tener otro norte de guiarse sino la suficiencia de los opositores. Y ninguno dexe entremeterse en esta consulta pasiones humanas ni razones que hagan afloxar el vigor de la justicia, mas antes con gran atención cada uno mire donde le obliga su consciencia, y siga aquella parte. Y así hará lo que cumple a su alma, a quien deve más que a ningún amigo.

Esto harán vuestras mercedes con mayor diligencia si bien considerasen cuánto en ello va. No a nosotros, los opositores, sino a estas escuelas, pues para las costumbres dellas fue hecha esta cátedra: cuasi como fuente de virtudes adonde todos viniesen a aprenderlas y tomar luz en ellas. Ya ha munchos años que, por provisiones apasionadas, ha estado obscurecida y casi como enterrada; agora vuestras mercedes hagan que rebiva y se haga en ella el fruto para que

---

[26] Colegas suyos (Montemayor figura en la documentación sobre sus pleitos). Era ésta la cátedra de teología más prestigiosa y mejor pagada en Salamanca; a continuación venían las de Vísperas, Biblia, Durando, Santo Tomás y Escoto (*apud*. M. Andrés, *Op. cit.*, 1976: 47).

fue fundada, pues es digna cosa que los justos favorezcan la virtud, que principalmente está en estas escuelas encomendada al lector de aquesta cátedra.

Y si así lo hizieren, allende que en sus personas mismas, redundará en la lección provecho: Dios, que ama justicia, les dará el galardón. Y si no lo hizieren así, él mismo dará castigo, do perderán más los que ovieren mal votado que quien indignamente perdiere la cátedra[27].

Nota al texto

Sigo el texto de *C* ff. 140v-150v. Editado por Morales con el título: *Razonamiento que hizo el Maestro Fernán Pérez de Oliva, natural de Córdova, en Salamanca el día de la oposición de la Cátedra de Filosofía Moral.* Corrijo erratas: provar] povar   verdaderamente] verdadaermente   conmutar] comurar.

---

[27] Del resultado negativo de la oposición, y de cómo fue resarcido después con otra cátedra da cumplida cuenta Atkinson (1927:344-345) «Del exámen de los protocolos de cuentas y de las actas de Claustros, a falta de otros documentos, resulta que el 28 de Marzo del 1530 fue proveída la cátedra de Filosofía moral en el maestro Alonso» (Esperabé Arteaga, 1914: II, 19); al quedar vacante la cátedra de teología que ocupaba, se puso a concurso dos días después y Pérez de Oliva se presentó diciendo «quél se oponía e opuso a la dicha cátedra (...) sin perjuycio de derecho que tiene a la cátedra del maestro fray Alonso, si alguno tiene» (Espinosa Maeso, 1926:463). El 2 de Abril se le nombraba «catedrático de Gregorio Arimini, o de Durando». Para la doble denominación de la cátedra *vid. supra* la nota 23; de lo poco que la frecuentó, se ha hablado ya en la *Introducción*.

Razonamiento sobre la navegación del río Guadalquivir

Presentación de Ambrosio de Morales

Cuando el maestro Oliva, mi señor, bolvió de París y de Italia el año de mil y quinientos y veinte y cuatro, halló que en Córdova se tratava con mucha eficacia el querer navegar el río Guadalquivir como se navegava antiguamente en tiempo de los romanos, aun antes que nuestro Redemptor nasciesse, como lo escrive Strabón en su *Geografía*. Los cavalleros principales que más calor ponían en el negocio y lo tratavan con más vehemencia, pidieron al maestro Oliva les dijesse en su Ayuntamiento, que llaman Cabildo, lo que en esto sentía y muchas vezes en particular le avían oído, teniendo por cierto valdría mucho para persuadirlo a todos. Entonces hizo en el Cabildo este razonamiento que se sigue.

Estava en aquel tiempo la ciudad de Córdova como medio despoblada desde que, acabádose la conquista del Reino de Granada, le faltaron los continuos exercicios de la guerra en que sus naturales muy honradamente se entretenían, y los ordinarios concursos de la Corte y de las grandes compañías de gente que solían reparar en ella para proveerse de armas y de muchos adereços y pertrechos para la guerra. Sin esto, avía padecido la ciudad desde el año de veinte y uno hambre y pestilencia, que también ayudó a asolar su parte. Esto es lo que alguna vez en este razonamiento se toca, y no lo pudiera bien entender si no se lo advirtiéramos

188

aquí quien, bendito Dios, ve agora esta ciudad tan rica y acrescentada con mucha prosperidad[1]. Y entiéndese ya agora en nuestros días cuánto bien se busca para la ciudad cuando esta navegación se le procurava, pues aviéndola mandado consultar muy de espacio el católico rey nuestro señor don Filipe, segundo deste nombre, al fin se ha resuelto en mandar que se haga. Así se començará a disponer luego que la del río Tajo se acabe, donde por la singular industria y grande ánimo de Juan Bautista Antoneli, ingeniero de su Majestad[2], se han vencido mayores dificultades que acá se podrán ofrecer.

* * *

Si alguna sabiduría —muy magníficos señores— tengo merecida a la muncha experiencia que he querido tomar de las cosas y a la diligencia con que he seguido mis estudios después que nací, querría que la inspirasen en mi pecho esta

---

[1]   La presentación de Morales ocupa los ff. 129v-130r de *C*. Es un testimonio histórico de gran interés e indispensable para explicar el texto de Oliva. G. Peale, en su edición (1987), pone una larga y documentada nota introductiva a la que remito al lector interesado. A grandes rasgos, la situación que con tanta claridad expone Morales es la de la gran sequía de 1521-1522, en la que miles de personas murieron de hambre; y el proceso de despoblamiento de Córdoba, cuyos habitantes emigraban —atraídos por sustanciosas exenciones fiscales— a Granada, a ocupar los lugares dejados por los moriscos deportados. Todo ello enmarcado en la crisis provocada por el final de la Guerra de Granada que, en pocas y certeras líneas, Morales expone poliédricamente, con sus consecuencias económicas y de pérdida de valores. (La modernidad de Morales como historiador ha sido resaltada por Eduard Fueter, *Storia de la Storiografia moderna*, Milán-Nápoles, Riccardi, 1970²: 288-299.)

[2]   Giovan Battista Antonelli era ingeniero de Carlos V y de Felipe II; escribió una *Relación verdadera de la navegación de los ríos de España*, e hizo la prueba de navegar de Lisboa a Madrid (1582), y de Vaciamadrid a Aranjuez (1584); murió en 1588, mientras llevaba a cabo el proyecto de unir fluvialmente Toledo con Aranjuez. (Para más datos, cfr. Peale, págs. 47-8 de su edición). Sus proyectos fueron tan extraordinarios, y su fama tal, que aún es recordado con admiración en *La Regenta* de Clarín.

hora que dezir tengo delante de vosotros por la cosa deste mundo que más amo, y mi lengua, que ha tenido confiança de dezir en vuestra presencia, do ninguna cosa es nueva o admirable y cualquier error es grande. Querría que tuviese tal suficiencia como atrevimiento, porque igualar pudiese con los oídos que cogen sus palabras; aunque bien confío que, si me acusare, vuestra muncha prudencia, vuestra nobleza que aquí me dio entrada, me defenderá.[3]

Principalmente que si en la lengua oviere vicio, no saldrá del coraçón, que está lleno de vuestro acatamiento y de amor y buen deseo a las cosas desta tierra. Amor le tengo, y buen deseo, no solamente por la común ley de amar los hombres a su tierra, que les dio padres y amigos, y leyes y costumbres, y acogimiento en las adversidades, mas también por la muncha excelencia de Córdova y gran fama de los suyos, que todas las gentes conoscen y todas las escrituras celebran con tanta admiración, que paresce que la sabiduría y la fortaleza, por las cuales los hombres se gobiernan y se defienden, hijas engendradas son de vuestra cibdad y moradores della.

Roma, que en riqueza y señorío tuvo gran ventaja, en estotro no se compare, que si munchos buenos tuvo, los malos también fueron munchos. Y así ha acontecido en todas las gentes que de su nombre hizieron fama, que entre mil pecados señalavan un hecho bueno. Sola Córdova mereció pura alabança no mezclada con vituperio[4]. Cuyos hijos en

---

[3] La canónica profesión de modestia del exordio no impide, sin embargo, que el orador se retrate como modelo de tal: *sabiduría, experiencia, diligencia* y *lengua*, virtudes suyas que glosará sin rebozo en su *Razonamiento de Oposición*, cuando se proponga como profesor de filosofía moral. En esta pieza oratoria tenemos un claro ejemplo de la actividad de un humanista *profesional* (siempre según la definición de Kristeller, como veíamos en la *Introducción*), en este caso al servicio del poder civil. Por este camino Oliva no llegaría lejos, y así el discurso resulta excepcional; lo de después serán o el *Razonamiento* citado para ganar una cátedra, o sermones seguramente escritos como parte de su programa de estudios teológicos (de hecho la cátedra que ganó era de teología).

[4] Gracias al tópico de la *laus urbis*, retóricamente requerido para el buen discurrir del *Razonamiento*, puede entrar Oliva en competición con el modelo romano y no por el flanco de la lengua, como suele. El paso re-

las sciencias son tomados por guía, y en las virtudes por exemplo; y en todas las memorias de los hombres munchos notados por buenos y ninguno por malo. Troya, cuyo Héctor se honrará por munchos siglos, engendró también a Paris, que le llevó fuego en que ardiese, y a Eneas y a Antenor, que la pusieron en él. Las grandes cibdades de Grecia, a do uvo sabios y animosos, los mismos suyos las disiparon. Pues si a la memoria traéis a Babilonia, a Cartago y otras cibdades que fueron nobles, en todas veréis cosas que por verguença devían encubrir.

En nuestra cibdad no uvo cosa que no deseemos ponerla en los ojos y en los oídos de todas las gentes, pues grandes tiempos fue el escudo de toda España do los moros quebravan sus armas y fuerças, y fue después el cuchillo de todos ellos. Siempre leal, siempre guerrera, siempre aparejada al servicio de su rey. Cierto, si las otras cibdades de España a ella parescieran, no fuera el tirano Rodrigo señor de España, no entraran en ella moros, no echaran de nuestros templos nuestra sancta religión, no sembraran en los coraçones de los cristianos la secta maldita de Mahoma, no nos dieran que llorar en la sangre de los nuestros hasta nuestros días[5].

Si las otras cibdades de España a ésta parescieran, no fuera el reino en los años pasados inobediente a su buen prín-

---

cuerda, pero contradiciéndolo, uno de Plinio (a quien cita un poco más adelante): «Gentium in toto orbe praestantissima una omnium virtute haud dubie Romana extitit» (*Nat. Hist.*, VII, 41), que doy sólo a modo de ejemplo. Más sobre la identificación de Roma con España (especialmente a través de Tito Livio) en la obra histórica de Pérez de Oliva puede verse en mi artículo de 1990.

[5] De la alabanza de la Córdoba cristiana se deduce la visión histórica que de *reconquista* tienen los triunfadores. Nótese la contundencia de la adjetivación al hablar sea del *tirano Rodrigo* —culpable de la invasión no por amores de la Cava, sino por defecto de gobierno—, sea de la *secta maldita de Mahoma*, con la que se está *aún* en guerra. La mención de los *templos* despojados es una pincelada con la que se explica perfectamente por qué se construye la Capilla de los Canónigos dentro de la Mezquita cordobesa; es un cristianismo militante que aparece por doquier en la obra histórica de Oliva, muy especialmente en la reinterpretación, de la *Segunda Carta de Relación* de Hernán Cortés (la inacabada *Conquista de la Nueva España*), cfr. mis artículos de 1990 y 1991.

cipe, no prevalesciera el furor del pueblo, no fueran los buenos sojuzgados y favorescidos los malos, no fueran los templos robados y quemados los pueblos y forçadas las vírgines, no fuera vertida la sangre de los naturales con las armas de sus parientes, no fuera la tierra vazía de justicia y llena de temor. Esta sola cibdad acogió la paz, ésta la justicia, ésta la obediencia del rey que venían desterradas de toda España, y vertió la sangre de sus naturales porque tuviesen seguro reposo. Con la cual dio desconfiança a todos los malos pensamientos, y echó agua en los fuegos que se encendían, y puso freno a los comarcanos[6].

Todas estas cosas, porque de los príncipes no avían de ser tan bien galardonadas como merescidas[7], Dios, que del pago de todas las buenas obras se encarga, quiso pagarlo en la natura de la tierra, porque fuese don perpetuo. La cual es tan poderosa en los frutos, tan cierta en los tiempos, tan extendida en los campos, que paresció a Homero, padre de la sabiduría griega, que éstos debían ser los Campos Elíseos: campos de felicidad do los gentiles creían que las ánimas de los buenos ivan a rescebir galardón de lo que por virtud avían merescido[8]. Plinio también, en la salida de su obra, hizo honra a su tierra comparándole la nuestra en riqueza de suelo[9].

---

[6] O sea, a los comuneros. En efecto, durante el conflicto de las Comunidades, el Cabildo de Córdoba se había mantenido fiel a Carlos V; Peale da en nota (1987: 48-49) dos cartas interesantísimas al respecto, con formulaciones similares a la de Oliva. Pero además —cosa que interesaba a nuestro humanista personalmente— Córdoba, después del incendio de Medina del Campo, había ofrecido asilo a Adriano de Utrecht, el preceptor del Emperador y futuro Adriano VI (*apud* Joseph Perez, *La revolución de las Comunidades en Castilla (1520-1521)*, Madrid, Siglo XXI: 397), de manera que bien podría leerse este paso como recordatorio de la lealtad personal de Oliva, hijo de Córdoba, que quisiera dar al Imperio los frutos de una educación en parte costeada por el papa Adriano.

[7] Como recuerda Peale citando cartas al Cabildo y justicias de Córdoba (1987: 49), el Emperador incumple las promesas hechas en 1520.

[8] Cfr. Homero, *Odisea,* IV, 563-568 y Hesiodo, *Los trabajos y los días,* 166-173.

[9] Hablando de las riquezas de Italia, Plinio las compara con las de Hispania —no Córdoba—: «Ab ea exceptis Indiae fabulosis proximam equidem duxerim Hispaniam tam quacumque ambitur mari quamquam squa-

Esta riqueza es de tres partes: sierra, llanura, y río. La sierra da vino, azeite, leña, y caça, y frutas, y aguas. La llanura da lanas, carne y pan, en tanta abundancia, que falta gente y sobra tierra. Y el río, que es la mayor parte desta riqueza, puso Dios por medio de las otras dos, para que lo que os sobra llevase a otras gentes y los hiziese participantes de la fuente de los bienes do bivís, adonde viniesen como a obediencia a pedir socorro de la vida, y vosotros, señores, con mayor conversación os hiziésedes mayores, y a más grandes cosas despertásedes los ánimos. Empero, la abundancia os truxo en olvido la navegación, la cual pienso ternéis en precio y en acuerdo, si merced me hazéis de atentos oír lo que diré no para dar consejo do muncho puedo tomar, sino para llamaros a él[10].

Los ríos, señores, son caminos y salidas que la natura hizo al mar. Así que si la utilidad del mar consideráis, entenderéis la de los ríos, que es la misma con menos ocupar las tierras y dexar mayores anchuras descubiertas para la labor de los campos. El mar, pues, también como las otras cosas, hizo Dios para el servicio de los hombres; no para cum-

---

lidam ex parte, verum, ubi ginit, feracen frugum, olei, vini, equorum, metallorumque omnium generum, ad haec pari gallia. Verum desertis suis sparto vincit Hispania et lapide speculari, pigmentorum etiam deviciis, laborum excitatione, servorum exercitio, corporum humanorum duritia, vehementia cordis. *Nat. Hist.*, XXXVII, 203.

[10] Empieza aquí la exposición ordenada, propia de quien tan versado está en la filosofía natural, del argumento del *Razonamiento*: las ventajas derivadas del arte de la navegación, que permite la *conversación* —o sea, el comercio— con otras gentes; con el descubrimiento de las Indias Occidentales tal conversación, se presume, crecerá sin límites, y así conviene no perder la oportunidad que la fortuna (vestida de Providencia) ofrece: hay que hacer navegable el Guadalquivir, y hacerse ricos comerciando con el Nuevo Mundo. Desde nuestra perspectiva histórica, sabemos que fue una ocasión perdida, y por eso mismo resulta precioso este testimonio de *humanismo civil*, en el que la oratoria —aun con todos sus límites— se alía con la economía y la técnica proponiendo un cambio de actividades (y de actitudes, como veremos en seguida) siguiendo el modelo de desarrollo italiano, francés y flamenco. Don Marcelino Menéndez y Pelayo, cosa nada de extrañar, calificaba el discurso de *arbitrista* (*La ciencia española, III*, en *Obras Completas*, Madrid, CSIC, 1953: 89); y Atkinson, mucho más moderado, de *optimista* (1927: 360).

plimiento de bienes, sino por necesidad de la vida, que sin
él en todas partes fuera rústica y desproveída, porque no ay
cosa que más haga los hombres valer que poderse fácilmente pasar a aquellos lugares a do algún provecho pueden rescebir, lo cual por beneficio de los mares se alcança, que nos
da fácil camino a doquiera que pasar queremos. De aquí
viene que los bienes de los hombres se comuniquen y se re-
partan; de aquí nasce que las disciplinas se publiquen; de
aquí procede que las industrias halladas en diversas naciones para hazer más fácil la vida de los hombres se ayunten
todas en una región.

Ciertamente, señores, si el mar de todas maneras consideráis, hallaréis en él más provechos que arenas. Los cuales
bien consideraba Tolomeo, rey de Egipto, que quiso romper intervalo de veinte leguas por do se juntase el Mar Ber-
mejo con el Mediterráneo, para que destas partes por derecho camino se navegase a la India, do agora van los portu-
gueses rodeando a toda África. Y esto le impidió no el
gasto, ni la grandeza de la obra, sino temor de anegar a
Egipto, que los artífices hallaron ser más baxa que las aguas
de la mar[11].

Y otros príncipes han dado pasada por do han podido a
los navíos cuyas velas no son lino, mas son alas que Dios
permitió que los hombres tuviesen con que el mundo ro-
deasen, como en estos días vimos que hizieron los compañeros de Magallanes, portugués, sabio y valiente capitán;
que por mandado del Emperador partieron al Occidente y,
tres años pasados, tornaron por Oriente, haziendo la mayor
buelta que jamás se hizo y que a este mundo a do bivimos

---

[11] La noticia la saca de Plinio *Nat. Hist.*, VI, 165-166, donde se narra la
construcción de un túnel mandado excavar por Ptolomeo II, pero interrumpido por miedo de inundar Egipto, o bien de hacer salmastras las
aguas del Nilo. El proyecto se remontaba al faraón Sesostris y a Darío; cfr.
Heródoto, II, 158, y Estrabón, XVII, 804. La alusión a la circumnavega-
ción de África para ir a la India, o la que se sigue al viaje de Magallanes
(1519-1522), son ejemplos del vivo interés con el que seguía Oliva los grandes descubrimientos geográficos; y su conocimiento no era sólo de oídas
ya que, en el f. 154r del ms. &.II.15 de El Escorial, entre un ejercicio y otro,
dibuja a lápiz rojo un mapa de Europa y África.

se puede dar. De do nos truxeron nuevas que gran cobdicia ponen a los ojos: nuevas y señales de riqueza y admiración tan grandes, que muncha razón tenéis, señores, de adereçar el camino que tenéis de ir allá.

Muncho más lo devéis hazer en estos tiempos que en los pasados, porque antes ocupábamos el fin del mundo, y agora estamos en el medio, con mudança de fortuna cual nunca otra se vido. Hércules, queriendo andar el mundo, en Gibraltar puso fin que fue fin a todos nuestros antepasados, por miedo que tuvieron al Océano y desconfiança de vencer a Hércules en acometimiento. Agora ya pasó sus columnas el gran poder de nuestros príncipes, y manifestó tierras y gentes sin fin que de nosotros tomarán religión, leyes, y lengua: éstas serán siempre obedientes a España, que por madre ternán de todo el bien que de aquí adelante uvieren[12].

Así que el peso del mundo y la conversación de las gentes a esta tierra acuesta. Lo cual va por tal concierto como uvo en los tiempos pasados, que al principio del mundo fue el señorío en Oriente, después más abaxo en la Asia, después lo uvieron persas y caldeos; de aí vino a Egipto, de aí a Grecia y después a Italia, postrero a Francia. Agora, de grado en grado viniendo al Occidente, paresció en España, y ha avido crescimiento en pocos días tan grande, que esperamos ver su cumplimiento sin partir ya de aquí, do lo ataja el mar y será tan bien guardado que no pueda huir[13].

---

[12] Es éste quizás el paso más significativo —y el más optimista— de todo el *Razonamiento*, donde con tanta limpieza se expresa el salto que la historia ha dado en 1492. En las fechas en que está escrito (1524) es todavía un testimonio excepcional, ya que pocos alcanzaban a vislumbrar la trascendencia de los eventos; tal clarividencia la demuestra también con su obra histórica, pues es el primer autor europeo que escribe en lengua vulgar sobre la *Invención de las Indias* (traduciendo el latín de Pedro Mártir de Anglería. *Vid.* mi artículo de 1991).

[13] Tan rotunda formulación de la *translatio imperii*, sumada a la interpretación que vierte en sus escritos sobre el descubrimiento del Nuevo Mundo, nos revelan el reverso de la medalla del humanista que alcanza a comprender su trascendencia pero que, embebido en un optimismo programático, cierra el círculo de los tiempos dando una victoria definitiva e

Vosotros, pues, señores, ¡aparejáos ya a la gran fortuna de España que viene! ¡Hazed vuestro río navegable, y abriréis camino por donde vais a ser participantes della, y por donde venga a vuestras casas gran prosperidad!

De la cual no será Sevilla el puerto —como hasta aquí— si le dais subida a vuestra cibdad. Exemplo tenéis, señores, en Francia manifiesto, adonde Ruán, mediana cibdad, está diez leguas del mar en la ribera de Secuana[14], y París, la mayor de los cristianos, treinta leguas más arriba; es así que los mercaderes han hecho asiento en Ruán y feria en París, que por ser más dentro en la tierra han por mejor comarca. Semejante es la postura de Córdova, a comparación de Sevilla; y si le ayudáis con industria, que sola en aquesta tierra os falta o no se exercita, semejante será en ventaja de grandeza, porque los mercaderes que agora paran en Sevilla, si fácil hallan la subida, por evitar carruages y alcançar lugar que sea más dentro en la tierra, vernán a reposar en esta cibdad, donde darán exemplo y cobdicia de algún exercicio a los munchos ociosos que el abundancia en ella cría. No digo de los nobles, cuyos ánimos para mayores cosas nascieron, pero a aquellos que según su estado deven servidumbre a la república y quieren semejança de señorío. Estos tales, si materia alcançasen de bien emplear sus trabajos, con esperança de mayor galardón todos se inclinarían a algún exercicio y desterrarían el ocio. El cual, si desta tierra saliese, muy limpia quedaría de vicios porque con él irían invidias, murmuraciones, discordias, juegos, hurtos, persecu-

inalienable al Imperio español; de ésta manera, anula la tensión inherente a la capacidad de elegir, de hacerse, que glosaba Antonio —referido a lo personal— en su parlamento del *Diálogo*. Por otra parte, Oliva demuestra un espíritu científico nada *moderno* al dar por concluida, en su *Cosmografía nueva*, la exploración del universo mundo: «Pero después que la fortuna se mostró propicia a los españoles, merced a las frecuentes navegaciones y triunfales victorias, consideraron que toda aquella parte desconocida del orbe era muy inferior a su poder, pues en breve tiempo y con mínima pérdida de hombres, recorrieron y sometieron a la vez todas aquellas regiones desconocidas hasta entonces.» (1985:143). (Sobre este aspecto, *vid.* mi artículo de 1990: 44-50.)

[14] El Sena, navegable aún hoy hasta París, como es notorio.

ción de vírgines, corrompimiento de matrimonios y otros vicios semejantes, tiranos de los pueblos donde el ocio se aposenta[15].

Porque cierta cosa es, señores, que tales son los comunes pensamientos cuales las ocupaciones, y tales los hechos de los hombres cuales sus comunes pensamientos. Por lo cual, manifiesto paresce que las ocupaciones honestas son ataduras que a los hombres refrenan de los vicios; y la mercaduría honesta ocupación es en aquellos a cuyo orden conviene, y a vosotros, señores, y a vuestras haziendas, provechosa. Principalmente, si facultad le dais de andar por el río, porque con poca costa llevará los bienes que os sobran a los puertos, donde muy caros valen y munchos ay aparejados a comprarlos.

Así vernía a ser que vuestras rentas se doblasen, y vuestros descendientes fuesen siempre mayores. Vernía a ser que toda la tierra se descubriese y toda se labrase, y gozásedes enteramente del gran beneficio que la natura os hizo, el cual tenéis cuasi desierto, con temor que los frutos con demasía perezcan; mas si camino tuviesen por do salir, doquiera que sembrásedes os nascería oro, y doquiera que plantásedes el fruto sería riqueza.

Nápoles y Sicilia, pequeños reinos, mantuvieron grandes reyes y alcançaron abundancia de riquezas porque los mares cercanos les dieron atrevimiento de plantar y sembrar para otras naciones. Y aquestos suelos en fruto no son al de Córdova comparables, que de munchas más gentes sería socorro; principalmente en los tiempos que vernán, do requeridos avéis de ser y rogados de los que las islas de Occidente pueblan agora, que los hagáis participantes de vuestros bienes que aquella tierra no da. No da aquella tierra pan, no da vino; mas oro da muncho en que el señorío consiste, y

---

[15] El paso es glosado por Morales, mucho más suavemente, en su presentación. Se trata de un ataque directo contra el ocio en el que, de través, la nobleza no sale muy bien parada, ya que no se sabe cuales son esas *mayores cosas* para las que ha nacido su ánimo. Pero el Cabildo estaba formado en su mayoría de nobles, como anota Peale, quien ilustra bien la decadencia social de la Córdova de entonces (1987: 50).

aquellos lo avrán que con mantenimientos ganarlo pudieren. Destas islas han de venir tantos navíos cargados de riquezas, y tantos irán, que pienso que señal han de hazer en las aguas de la mar.

Vosotros, pues, señores, hazed camino por do puedan ir los vuestros a cargarlos de vuestros bienes y descargarlos de los suyos, y ternéis en Córdova alguna cosa de industria notable y en magnificencia noble, que fuera de lo natural ninguna tenéis. No tenéis Estudio do los grandes ingenios de vuestros naturales tomaran fuerças; no Cancillería, no Moneda, no impresión, no mercaduría, no grandes edificios ni otras cosas señaladas[16]. Las cuales todas ternéis, o la más parte dellas, si tenéis la navegación. Y henchiréis de gentes los senos de vuestra cibdad, que muncha negligencia y persecuciones han hecho vazíos[17]. La negligencia ha sido no navegar el río porque, por ser participantes de los bienes de la mar, munchas gentes pasaron su morada a Sevilla, y estando Córdova así desierta y desadornada, otros que salen della se olvidan de la buelta; y si el río navegáis, será como el bacín que se tañe a la colmena para convocar enxambre.

Exemplo desto os sean el Cairo, ribera del Nilo; París, en ribera de Secuana; Londres, ribera del Támese; Milán, cercano al Póo; y Roma, la cabeça del mundo, mantenida de las corrientes del Tibre. La cual ni fuera grande, ni señora, si aguas navegables no batieran en sus muros, como bien se paresció cuando, en vida del Papa Alexandro Sexto, nuestro gran capitán Gonçalo Hernández, honra de nuestros siglos, prendió a Menao, francés, que en Hostia defendía la entra-

---

[16] Como documenta bien Peale, el primer Estudio de Córdoba se fundó en 1533, año en que llegaron los jesuitas a la ciudad; la Casa de la Moneda la pedía insistentemente el Cabildo; la imprenta no entra hasta 1585 (inaugurándose casi con las *Obras* de Pérez de Oliva, según hemos visto en la *Introducción*). Sobre los *grandes edificios*, se sorprende el crítico de que no mencione las obras de la Catedral ni la Mezquita, y achaca lo primero a las tensiones del Cabildo con el Obispado; en cuanto a la Mezquita, su *olvido* me parece coherente: no era un templo cristiano (cfr. *supra* la nota 5).

[17] Hipotiza aquí Peale que Oliva aluda al movimiento anti-converso de unos años antes, o bien a la desigualdad contributiva que estrangulaba a los cordobeses (1987: 52-53).

da a los navíos. Entonces Roma se hacía cada día más sola de gentes, y la hambre que en ella entrava echava fuera sus moradores; cuánta pena y peligro ella uviese padescido, bien lo mostró en el triunfo y gracias grandísimas con que rescibió su libertador[18]. Y los antiguos romanos hizieron al Tibre estatua, la cual agora vemos en Roma cercada de barcas, que es el beneficio por que la hizieron[19]. Beneficio tan grande cual allí bien he visto, y en París muncho más, do la mayor parte de la leña, vino y pan y la otra provisión abundosísima que se gasta, es traída de más de treinta leguas, y en precio y munchedumbre paresce junto a los muros nascida, porque todas las vertientes de su río en todas partes le embían tanta abundancia, que si oro manante fuesen sus aguas no trairían más provecho.

Empero, menester es, muy magníficos señores, responder a lo que ninguno me dize y munchos deven sentir: que otro tiempo el río se navegava, y no con tanto provecho como aquí os he publicado, antes paresce que por falta dél cesó la navegación. Fácil es, señores, la respuesta, si la consideración de los tiempos es diligente.

Entonces mezquinamente tratavan la navegación con barquillos traídos a remo por fuerça de braços, sin industria y sin provecho; agora se os amonesta que lo hagáis a imitación de los ríos que en Italia, Francia y Flandes se navegan, do las barcas que usan, de suelos llanos, caben más de dozientos carros de peso, y pasan sobre menos que una braça de agua. Tíranlas no velas, ni remillos, mas cavallos que por la orilla tienen camino aparejado, los cuales no son menes-

---

[18] Gonzalo Fernández de Córdoba, el Gran Capitán, tomó el puerto de Roma, Ostia, el 9 de marzo de 1497, después de haber capturado a su capitán, Menaldo Guerra; de esta manera, la entrada por el mar a la ciudad quedó libre, y los romanos, por orden de Alejandro VI, celebraron un sonado *triunfo* en su honor (su descripción puede leerse en las *Crónicas del Gran Capitán*, NBAE, X, Madrid, 1908: 295). Recuérdese ahora el *Triunfo* que, en forma de sermón, escribe Pérez de Oliva.

[19] Debe referirse a la fuente de la *Navicella,* mandada construir por León X en lo alto de la colina Celia para recoger las aguas del acueducto Claudio; es obra de Andrea Sansovino, que reprodujo un *ex voto* marinero antiguo. Se construyó entre 1518 y 1519.

ter munchos en número, porque cualquier poca fuerça mueve gran peso en el agua.

Tan bien, señores, los tiempos pasados gastastes en defenderos de los moros, que para otros cuidados no os davan lugar; agora, ya que ganastes seguridad para vuestro pueblo, es tiempo de adornarlo. Principalmente que, como dicho tengo, la nueva navegación de las Indias, por necesidad que desta tierra terná, os es mayor causa de hazerlo que antes pudistes tener.

Podéis, pues, esperar de vuestro río todos los bienes que dichos tengo, si le quitáis los atajos de las aguas, estorvos de vuestra prosperidad: las presas —digo— de los molinos, que no solamente sin ellas, mas sin pan estaríades mejor. El cual por eso no os faltaría, porque molinos de viento podrían dar abundancia de harina; o, si los vientos no son de esta tierra tan bivos y tan constantes que muncha obra hiziesen, el remedio de Sevilla, que a tahonas muele, bastaría[20]. O el que tiene Roma, cuyos molinos sobre dos barcos navegan a las mayores corrientes del río do, afirmados con áncoras, muelen sin estorvo, subiendo con las crecientes y bajando con las menguantes, de manera que la rueda en todos tiempos tenga igual parte en el agua, y en todos igualmente se rebuelva. Esto mismo usan en Çaragoça y en Luera[21], río de Francia, y en otras partes do la industria es la vida. Cuanto más, señores, que la misma navegación haría que os sirviésedes de las moliendas que muy lexos están.

Bien entiendo en este paso, muy magníficos señores, que devéis pensar que cuesta menos el hablar que el hazer, mas

---

[20] La iniciativa tomada por el Ayuntamiento cordobés, que encarga a Pérez de Oliva de perorar a su favor, responde a intereses contrarios a los de la Iglesia, ya que el proyecto de drenar el Guadalquivir y volver a hacerlo navegable presuponía la destrucción de los molinos de su ribera, fuente de sustanciosos impuestos en forma de rentas, diezmos y tributos adicionales a las cosechas vendidas fuera de Córdoba, que iban a las arcas del Obispado. (*Vid.* Peale, 1987: 45-46.) Los molinos de viento eran una novedad flamenca, como sabe cualquier lector del Quijote, que nunca había visto uno.

[21] El Loira, río aún hoy navegable. *Atahona:* «Es un molino seco de que usan dentro de las fortalezas y en los lugares donde no tienen molinos de agua, a vezes mueven la rueda hombres, a vezes bestias» (Covarrubias).

si os plaze merced hazerme de advertir, entenderéis en este paso que el hazer es poco más. Porque no digo que al principio sacásedes los fundamentos de los edificios que en el río estorvan (que bien veo que aunque no falta en vosotros ánimo ni magnificencia, faltan riquezas bastantes, sin las cuales bien dijo Aristóteles[22], fuente de la sabiduría natural, que no se pueden hazer cosas ilustres), pero digo que en las presas se hiziesen puertas que, viniendo las barcas, se abriesen, y pasadas, se cerrasen, cuales yo en algunos pequeños ríos he visto usar, hechas a manera de rexa cuyas aberturas se cubren con tablas movibles que por parte de do viene el río se le ayuntan. Esto sería principio; el mismo daría provecho bastante para alcançar el fin, que sería quitar del todo las presas y los estorvos; de los cuales tenéis por uno ser el río vadoso, y es ninguno —si bien se considera—, porque los vados deshazerse pueden, o no navegarse cuando están muy baxos. Bastaría a la navegación la más parte del año, que por todas partes el río mantenía grandes barcas; lo demás, menores lo cumplirían.

Brevemente, señores, quiero dezir que acometiendo las dificultades se hallan los remedios. Oíd la gran diligencia de venecianos que en navegar sus ríos han puesto, y ternéis confiança aun contra las cosas que imposibles parescen. Es un río[23] que de alto se despeña, do hizieron venecianos un cubo a manera de torre cuyo asiento es tan baxo como do es la caída de las aguas, y el altura dél iguala con lo más alto del río. Por la parte alta viene del río una canal que trae abundancia de agua con que se hinche el cubo, y por ella las barcas se apartan del salto y entran en el cubo. Después lo sangran por baxo por una pequeña puerta hasta que, poco a poco desmenguando el agua, la barca viene a lo

---

[22] Cfr. la *Etica a Nicómaco*, IV, 2-3.

[23] Peale edita: «[La Brenta] es un río». Efectivamente, se refiere al Brenta, pero también puede entenderse el verbo *ser* como un impersonal *hay*. Lo que se sigue es la descripción «de las famosas esclusas de Stra, las cuales hicieron posible el transporte fácil entre Padua y Venecia por vía de canal y la Brenta. Fueron construidas en 1481 por Dionisio de Viterbo, y están descritas en detalle y con ilustraciones por Vittorio Zonca, *Novo Teatro di Machine et Edificii* (Padova, 1607)». *(Apud* Peale, 1987: 53-54).

baxo, do le abren mayor puerta, de la cual va a otra canal a la parte baxa del río, por do la barca buelve a entrar en él. La Seca, también río que pasa por Padua, llega cerca del mar cuanto cien pasos, después se aparta y buelve a entrar en la tierra[24]. Esta angostura no han rompido los venecianos por el provecho que el río haze en la tierra adonde de allí corre, mas sobre ella hizieron una puente de madera corva, cuyos extremos alcançan las aguas del mar y del río; y las barcas que vienen de una parte, con ingenios las suben asentadas sobre maderos hasta la cumbre de la puente, y de aí deslizando la echan a la otra parte.

Pues en Brujas, cibdad de Flandes, cosa es de gran magnificencia lo que por tener río hizieron[25]: abrieron cuatro leguas que ay de la cibdad a la mar una canal tan ancha, que es capaz de medianos navíos; y hizieron los lados y el suelo de piedra, y la salida que tiene al mar es cerrada con puerta. Ésta se abre en la creciente para coger agua, y en la menguante se cierra para tenella, y los navíos guardan tiempo de la entrada y la salida.

Todas estas cosas, señores, de muy mayor gasto y trabajo son que las que vosotros avéis menester, porque la natura —que en todo fue a esta tierra liberal— dio río que corre por llano bien guiado a la mar; cuya grandeza en el nombre se conosce (y en comparación se puede ver de los otros ríos

---

[24] Anota Peale (e incluso ilustra con grabados): «Oliva se equivocó al referirse así a la Secha. El río en cuestión es la Brenta, que originalmente desembocaba en la Laguna Véneta en Fusina, mas porque se temía que las corrientes dañaran tanto a la laguna como a los ríos y canales cerca de la zona costal, encauzaron aquel río más al sur y construyeron allí, cerca de la Sacha de Soto Brenta la obra descrita en breve por el Maestro Oliva. Trátase del renombrado Carro de Fusina, que era considerado como uno de los espectaculares prodigios tecnológicos de la época.» (1987: 54).

[25] Vuelvo a servirme de la anotación de Peale para explicar este paso: «Oliva se refiere al antiguo canal desde Brujas a la Esclusa, que a partir de 1482 se descuidaba por los brujenses y caía en desuso debido al retroceso del mar. Testimonio de la importancia y tamaño de las esclusas mencionadas por Oliva es el dato aducido por varios historiadores, que en 1486 las esclusas admitían hasta 150 naves cargadas a un tiempo. Cf. Georg Braun, *Vrbivm Praecipvarvm Totius Mundi, Liber Tertius* (Colonia, 1581)». (1987: 54.)

que por grandes son avidos y son muncho menores), y sus aguas son bastantes a cualquier navegación.

Munchas cosas he ya dicho, y aun por ventura más que para manifestar tan clara verdad eran menester; empero muy menos que la grandeza de fortuna que os propongo puede padescer. Munchas cosas digo que son, y bastantes en vuestra presencia, porque cualquier centella de discreción movida con vuestro consejo hará gran llama que alumbre las cosas que a mí son encubiertas. Así que mi voz será no para dar ley a vuestro juizio soberano, o doctrina alguna a vuestro alto entendimiento, sino para suplicaros que, como sois en merescimiento grandes, lo queráis ser en poderío.

El cual de la mar ha de venir, y Guadalquivir ha de ser el camino. Verná de la mar si allá va la sobra de vuestra abundancia, y traerlo han codicia de los extraños y solicitud de los vuestros. Entrará en vuestra cibdad a sanar las heridas que de las munchas persecuciones pasadas ha rescebido. Despertará las gentes que en ocio biven y apagará los vicios, y verná como de destierro. De destierro, digo, porque vuestros antecesores cerraron las puertas de su entrada: éstas son los atajos que en el río hizieron, que sin ellos sus aguas serían en la prosperidad crescimiento, y remedio en las adversidades.

Vosotros, pues, muy magníficos señores, ¡abrid las puertas al poderío, a la grandeza, a la prosperidad de vuestra tierra, que con estas mis voces llaman! ¡Abrildes, que no hay cerradura tan difícil que buena industria y diligencia no la suelten! Y tendréis, a do vuestros grandes ánimos se apascienten, materia de vuestra magnificencia y otras munchas utilidades que el tiempo que se apresura me ha quitado de la boca.

Y tú, Córdova, madre, cuya cabeça venerable delante los ojos tengo y por quien he osado dezir en lugar do ningún error pasa disimulado, si con mis palabras no he ensalçado tu merescimiento, o procurado este bien tan grande como devía, rescebirás a lo menos en servicio, que con amor de tu prosperidad he menospreciado, el peligro de mi estimación.

Nota al texto

El texto está en C ff. 130v-140r. Editado por Morales con el título: *Razonamiento que hizo el Maestro Fernán Pérez de Oliva en el Ayuntamiento de la ciudad de Córdoba sobre la navegación del Río Guadalquibir*. Corrijo las siguientes erratas: uvieron] uviron atrevimiento] atrenimiento.

III. Ejercicios

De las potencias del alma
y del buen uso dellas

Bien consideraron los antiguos cuando buscavan las leyes de la vida dos partes en el hombre: la una mezcla de elementos, variable y mortal; y la otra soberana, a Dios semejante, senzilla y perdurable[1]. Do conoscieron el hombre ser ayuntamiento hecho de lo más alto y lo más baxo que en el mundo ay pues la una parte, que es el cuerpo, tomó su ser de la tierra y de las otras cercanas mezclas que en el profundo están del universo, sin perseverancia ni firmeza alguna

---

[1] Morales presenta así el texto: «Al lector. Ya he dicho atrás del intento que el Maestro Oliva mi señor tuvo de escrevir algunos diálogos en castellano de cosas morales, a imitación de Platón y de Marco Tulio. Ahora digo cómo también tuvo propósito de hazer lo mismo en algunos discursos que no fuessen diálogos. Assí hallé entre sus papeles memorias para esto, y algunos principios poco proseguidos, y sólo avía este discurso que parece estar acabado, porque él lo tomó, como es notorio, del libro sexto de las *Éthicas* de Aristóteles en los postreros capítulos, y allí, acabado esto, comiença luego nueva materia» (f. 31r). La noticia la repite apresuradamente T. Beardsley atribuyendo la autoría del texto al editor Morales *(Hispano-Classical Translations*, 1970: 57). Marcial Solana no da crédito a la afirmación de Morales: «Todas estas ideas y doctrinas, peripatéticas en su origen, habían entrado a formar parte del acervo común de la cultura filosófica del siglo XVI (1941: I, 63). El texto no traduce los capítulos mencionados del libro VI de la *Ética a Nicómaco*, más bien reelabora a modo de apuntes para dar clase el libro II. En efecto, en los ff. 150r-v del manuscrito &.II.15 de El Escorial hay unos apuntes muy fragmentarios, en latín, sobre el mismo asunto, que bien podrían ser los que le sirvieran para dar clase en París (como él mismo dice en su *Razonamiento de Oposición*), reelaborados después, en castellano, en este *Discurso*.

que por sí tenga; y la otra parte, que es el alma, pura y clara, de ninguna cosa hecha que antes fuese, representa bien en su naturaleza ser pertenesciente a la vida soberana, que sobre las estrellas biven las cosas más altas.

Destas dos partes el ánima fue para mandar, y el cuerpo para su servicio; do ella tiene morada y casi atadura, que la prende en estas cosas desiguales a su excelencia, y le defiende la partida todo el tiempo que es a la vida determinado. De manera que es el cuerpo del hombre como la nave, y el alma como el piloto, que van navegando por las tempestades deste mundo; do si el piloto es ignorante, o por descuido desampara a los vientos que la vida turban cruelmente, siendo primero fatigado después perescerá. Mas si el arte sabe de regirse, y su cuidado es tal qual sus peligros le amonestan, pasará sin temor y, a la fin, hallará puerto de descanso[2]. Por lo cual bien es que sepa cuan presto pudiere los trechos por do deve navegar, porque los peligros no vengan antes del consejo, donde sin provecho aprendiese después de errado. Así que para que sea la vida buena menester es pulir el alma, y adornarla, en cuyo poderío consiste el estado del hombre.

De dos maneras principalmente tiene poderío el ánima del hombre para entender y para querer: estas dezimos entendimiento y voluntad. El entendimiento es lumbre del alma, que todas aquellas cosas le esclarece a do se convierte. Al cual, en este encerramiento que en el cuerpo tiene, los cinco sentidos le son como ventanas por do vee lo que fuera está; no todo ni por todas maneras, pues los sentidos sólo andan por la faz de las cosas que cercanas tienen, sin entrar a lo secreto o comprehender lo que apartado está, sino aquello solamente que el cuerpo de alguna manera mueve, lo cual fue a los brutos animales igualmente concedido.

Empero, las cosas que el entendimiento por los sentidos rudamente comprehende por sus muestras, con su industria maravillosa las desembuelve y descubre sus secretos, do

---

[2] La metáfora se recoge más adelante: «la libertad del alma tiene en su mano el governalle de nuestra navegación» para expresar el dominio de la voluntad. Cfr. el *Diálogo*, notas 58 y 59.

ninguna cosa avrá tan encubierta, fuera de las divinas, que a su porfía se pueda defender. Así el entendimiento rodeando el universo, como quien haze gran fuego de alguna centella, él haze muy gran lumbre del pequeño conoscimiento que por los sentidos uvo, en la cual todas las cosas muy claras resplandescen. Allí se veen los elementos y el ayuntamiento dellos y su partición; allí el cielo y sus números y sus movimientos; allí los tiempos pasados muy claros y los venideros en alguna manera. Y por estas cosas subiéndose se ensalça el entendimiento a conocer el soberano regidor del mundo Dios perdurable, do está el fin y el deleite cumplido de entender.

Empero porque juntas estas cosas no puede comprehenderlas el entendimiento sino por un orden, cesando las unas y las otras començando, tiene consigo un arca de su tesoro, que dizen memoria, do encierra lo que ha obrado para poder traspasar su cuidado a nuevas obras. En la cual memoria así se puede ver que tal es el entendimiento como en la colmena que tales son las avejas, porque las que son buenas y en buenas flores apascentadas, tienen miel suave en abundancia; mas las perezosas en volar, o sin industria para buscar los buenos pastos, éstas tienen pobres sus moradas y dévil mantenimiento. Pues así también el entendimiento negligente apasciéntase mezquinamente en viles consideraciones que después se hallan en su memoria. Mas el que es alto y cuidoso, éste tal pasa por la vanidad de vuelo, y reposa do halla grandeza de perfectión, y coloca en la memoria lo que coge con que haze rica el alma, y de aí adelante a vezes se recrea visitando la obra que ha hecho, y a vezes torna al trabajo. Como suelen los pintores que alguna tabla pintan, si bien la començaron, por deleite de ver lo hecho cobrar gana para lo que queda.

La voluntad con la lumbre del entendimiento anda por todas las cosas que él descubre, dándose a alguna dellas y a otras negándose, según que le plazen o descontentan. Ésta manda al entendimiento, en las cosas dubdosas, que se ayunte el consejo de sus munchas razones donde se delibere lo que más sea a su contentamiento; y manda también a las otras partes del hombre, en quien tal poderío ay, que con tiempo lo executen. Así que es la voluntad governadora de todas las potencias oficiales que en mano del hombre están, cuyas obras así son todas cual fue primero en la voluntad la disposición dellas. De manera que las cosas que el entendimiento trata por obra principal, y la aplicación de los sentidos las más vezes, y los movimientos de los miembros del cuerpo, y la habla, y substentar la naturaleza dándole lo que nos demanda —o negarle lo mismo—, y otras cosas semejantes, todas se atienen al mandamiento de la voluntad. Que sin él están en sosiego, y por él en obra todo el tiempo que les es determinado y sufre su manera. Mas las obras de naturaleza, en la materia que alcança, estas no se rigen por el govierno de la voluntad, sino por leyes generales del universo, sin mudamiento puestas, cuales son crescer el hombre, envegecer, enfermar, morir, caer por pesadumbre. Aunque algunas ay donde la naturaleza demanda ayuda con apetito manifiesto a la voluntad, como es que para mantener la vida le dé vianda; y para el sueño que componga los miembros del cuerpo y dé sosiego a los sentidos; y para otros deleites y provechos que dé su consentimiento y licencia a las partes del hombre que en su poderío tiene.

Todas las cosas que algún poderío natural alcançan grande apetito tienen de ponerlo en exercicio; es la causa porque fueron a las cosas dadas sus potencias: para que con ellas busquen su perfección, y estarían en ocio todas si no tuviesen dentro en sí alguna incitación que las moviese. Esta incitación o apetito es a las vezes sin conoscimiento alguno, como el apetito que tienen todas las cosas de ser y los elementos de colocarse en sus lugares u obrar según su naturaleza; y tal manera de apetito se dize natural inclinación. Otro ay que nasce del conoscimiento de aquello a que nos incita, y éste dezimos gana. Y porque el conoscimiento en dos maneras es: uno en el sentido, y otro en el entendimiento, la gana también en dos maneras nasce. La que viene del entendimiento enseñaremos después; agora sólo hablamos de la que está en la sensualidad, poniéndole espuelas para el deleite y freno para el dolor. De do viene que la gana sensual tenga dos partes: la una dizen gana de seguir; y la otra de evitar, pues sigue el deleite doquier que se le muestra, y cuanto puede huye del dolor.

Esta gana sensual, que nasce naturalmente del conoscimiento de las cosas deleitables o que traen dolor, es la maestra de los brutos animales, que les enseñan las sendas de la vida. Por cuya incitación hazen obras tales, que paresce que dentro en ellos mora alguna razón, la cual no es sino movimiento natural que a tal exercicio tienen, nascido sin industria alguna de lo que al sentido se le representa.

El hombre también por parte del cuerpo tiene la sensualidad y sus ganas así enteras como en los brutos están; las cuales munchas vezes son estorvo en las obras que el entendimiento haze, de do nasce gran discordia, razón de la batalla que nuestros poetas castellanos suavemente cantaron, do la sensualidad procura llevar el hombre por las sendas de la carne a la vida de los brutos, y la razón lo encamina por las sendas de la perfección del alma a la limpieza y alegría perdurable de los spíritus bienaventurados. Mas las contiendas que se ofrescen en la determinación de la voluntad pone en paz el libre alvedrío, que es facultad que tiene la voluntad de escoger y seguir cualquier camino, cuando munchos se le ofrescen, sin que yendo por él otra cosa por fuerça la retraiga. Así que irse ha a los deleites, aunque la razón reclame; y seguirá la razón, si más le plugiere, por medio de los grandes estorvos que haze la sensualidad. Por donde bien paresce que la libertad del alma tiene en su mano el governalle de nuestra navegación con el cual, donde quiera que se halle, nos puede encaminar a cualquiera parte de toda la redondez. De manera que el libre alvedrío es aquel por cuyo poder es el género humano señor de sí mismo, y cada un hombre, tal cual él quisiere, hiziérese.

La voluntad, doquiera que la aplica su libre alvedrío, cobra amor y odio, que dezimos aborrescimiento. El amor es gana de ayuntamiento, y el odio de apartamiento. El amor, en presencia de quien sigue, engendra gozo; y el odio pena. Mas en absencia, si pensamos que algún tiempo gozaremos, el amor y el pensamiento engendran esperança; y desesperança si no lo pensamos. Y si lo que aborrescemos creemos que averná, de allí nos nasce temor; y si creemos

211

evitarlo, nasce confiança. Al amor, esperança y confiança, sobreviene el alegría; y al odio, temor y desesperança, la tristeza. Las cuales ganas el alma solicitan si no las concertamos, hasta que la ponen en hervor demasiado, o en desmayo, de do es necesario que le venga o ceguedad o flaqueza en que se pierda.

Aunque según naturaleza tenga el hombre todas las potencias con sus instrumentos que para la vida y su perfección son menester, empero la facilidad dellas no la alcança por natura, sino por industria propia. Pues vemos que con nosotros nascieron entendimiento, memoria y voluntad, y movimiento en los miembros, todo esto tan sosegado y encubierto que casi paresce aver ningún tal poderío; mas después que convalescemos y, entrando más en la vida, las necesidades della nos ponen en exercicio, entonces se descubren manifiestos: primero torpes y pesados, después fáciles y ligeros en obrar. Como vemos que haze quien tañe en cuerdas, que cuando primero pone los dedos en ellas las hiere sin distincción, con tardanças desiguales a su medida, y cesa fatigado o perdido antes del fin; mas después que por exercicio es fácil la mano, y no anticipa los tiempos ni los dilata, mas con muncha ligereza hiere la cuerda cuando es menester su boz, entonces paresce el armonía suave que antes muy áspera començava[3].

Semejante exemplo tenemos en las otras artes, do manifiesto vemos que la rudeza de nuestras potencias devemos limar con el uso, de do nasce la costumbre[4]. Así que costumbre es facilidad que nasce del uso, sin la cual ninguna de nuestras potencias deve estar, escogiendo entre las que le

---

[3] Cfr. las palabras de Antonio en el *Diálogo*: «porque es como la vihuela templada que haze dulce armonía y, cuando se destiempla, ofende los oídos. Si el hombre se tiempla con las leyes de virtud, no ay cosa más amable; mas si se destiempla con los vicios es aborrescible» (y su nota 61). La alusión a las artes es recurrente en los textos de Oliva.

[4] *C* aclara el término pues glosa: «Llama costumbre por vocablo más claro a lo que los filósofos llaman hábito.» Oliva puede usar el término con su significado técnico, como hace aquí, o en su acepción general, tal y como sucede en el *Razonamiento de Oposición*. Ambos textos, por otro lado, son complementarios, pues en éste Oliva presenta la teoría, mientras en el otro propone la actuación de la misma por medio de la enseñanza.

convienen las mejores: puede acostumbrarse el entendimiento, y la voluntad, y la memoria, y los apetitos sensuales, y los miembros del cuerpo. El entendimiento muestra su costumbre en el juizio, la voluntad en el amor, la memoria en el acuerdo, la gana sensual en el deleite, y los miembros del cuerpo en el moverse para diversos exercicios. Mas la voluntad tiene tales costumbres cuales para sí escoge, y las otras partes cuales son los exercicios en que ella las pone. En todas estas potencias la costumbre nasce del obrar, y cresce perseverando en semejantes obras, tanto más presto cuanto ellas son más vezes procuradas y con más diligencia.

Pero no en todos los hombres ay igual manera, porque en todas las potencias ay principios naturales de su facilidad que solemos dezir habilidad, y éstos no son igualmente repartidos por todo el género humano; mas antes en algunos el habilidad paresce fuego que arde en cosa seca, que con poco viento haze gran llama, y si halla en qué permanescer nunca falta. Al contrario, en otros paresce fuego encendido en cosa verde, que con grande ayuda de viento y buen orden en su materia prevalesce, y peresce fácilmente si es desamparado. Y siguiendo esta semejança, aquí también acontesce como en el incendio de cosas húmedas, que, algunas vezes, consumido el humor, el fuego resplandesce muy claro y poderoso.

De manera que la costumbre cresce do ay habilidad, como planta en campo fértil, y donde falta, como en el estéril. Por lo cual bien meresce vituperio el hombre hábil que su rico don desampara y menosprecia; y el inhábil alabança si por su trabajo gana lo que naturaleza le defiende. Y al contrario, si el hábil su don esclaresce, y procura que a sí y a otras gentes haga lumbre, diremos que fue bien empleado pues lo uvo quien lo conosce y lo estima. Y el inhábil que no procura polirse no fue digno de ser mejor, pues con más necesidad tiene menos diligencia, criando su rudeza con descuido.

Así que la general obligación que a nuestra perfección tenemos, nos amonesta que cumpla en nosotros el cuidado lo que faltó naturaleza, ocupando en buenas obras todas nuestras partes. Las cuales, si fueren trabajosas de començar, después que hazen costumbre y enseñorean la potencia son suaves, do se paga más que el trabajo rescebido: como suele acontescer a los que en guerra ganan lugares fuertes, que dan por bien empleado el trabajo del combate por el plazer de la victoria.

Nota al texto

Texto en *E* ff. 156r-160r y *C* ff. 31r-37r. El título lo pone Morales.

Al ser *E* autógrafo, se toma como texto base. La presencia de ambos testimonios resulta preciosa para calibrar la intervención del editor Morales en los textos de Pérez de Oliva. En efecto, a las correcciones de autor (¹*E*) que ofrece el manuscrito se superponen otras de mano de Morales (*M*), que van a parar a la edición de 1586 (*C*); en ésta, el impresor Ramos Bejarano da algunos retoques más —ajenos a la mano de Morales— de modo que, al final, *C* presenta un elevado número de variantes que, curiosamente, no siempre recogen con fidelidad las correcciones del propio autor, como puede verse en los siguientes casos: 208/1 y la otra parte, que es el alma, pura y clara, de ninguna cosa hecha] y la otra parte, de ninguna cosa hecha que antes fuese pura y clara ¹*E*. La otra que es el alma, parte pura y clara de ninguna cosa hecha. *C* 209/7 allí el cielo y sus números y sus movimientos] allí el cielo y sus movimientos ¹*E* allí el cielo y sus números y movimientos *C* 213/5 y los miembros del cuerpo en el moverse para diversos exercicios. Mas la voluntad =*C*] y los miembros del cuerpo en el movimiento. Pero la voluntad ¹*E* 213/15 por todo el género humano =*C*] en el género humano ¹*E* 213/20 si es desamparado] si es desamparado de quien lo favoresce ¹*E* =*C*.

Aparato de variantes

Título] Discurso de las potencias *M*=*C* 207/3 cuando buscavan las leyes de la vida] para entero conocimiento de la naturaleza humana, y para las leyes de la vida *M* para entero conocimiento de la naturaleza humana, y para acertar mejor en las leyes de la vida *C* 207/6 do conoscieron el hombre ser] Assí conoscieron ser el hombre *C* 207/10 ni firmeza] o firmeza *C* 208/4 las cosas más altas] los espíritus celestiales *M*=*C* 208/5 el ánima] el alma *C* 208/7

214

la prende... excelencia] la tiene presa y encerrada en estas cosas terrenas desiguales $M=C$ 208/10 que van] y van C 208/12 desampara a los vientos] desampara el navío a los vientos M desampara el navío y lo dexa a los vientos C 208/13 fatigado] muy fatigado C 208/15 a la fin] al fin C 208/19 después de errado] después de aver errado $M=C$ 208/19 Así... adornarla] Assí para que sea la vida buena, segura y concertada, menester es pulir y adornar el alma $M=C$ 208/23 y para querer] y querer C 208/23 dezimos] llamamos C 208/29 la faz] la representación exterior $M=C$ 208/30 o comprehender lo que apartado está] ni comprehender lo interior, que está apartado $M=C$ 208/31 el cuerpo] al cuerpo C 208/32 lo cual...concedido] lo cual fue igualmente a los brutos concedido $M=C$ 208/34 industria] biveza C 209/9 subiéndose] subiendiose C 209/10 regidor] señor y governador C 209/12 de entender] del entender C 209/17 En la cual memoria... entendimiento] Assí en la memoria se puede ver cuál es el entendimiento C 209/24 apasciéntase mezquinamente] apasciéntase algunas vezes mezquinamente C 209/27 de perfectión] y perfición C 209/30 torna] buelve C 209/32 cobrar] cobran C 209/36 que se ayunte] que ayunte C 210/1 Así que] Assí C 210/6 de los sentidos las más vezes] de los sentidos, y los movimientos C 210/10 Que sin el] y sin él C 210/14 cuales son] Tales son C 210/15 enfermar... pesadumbre] enfermar, caer por pesadumbre y morir C 210/21 a las partes... tiene]a aquellas partes del hombre, que en su poderío tiene para mandarlas 210/29 u obrar] y obrar C 210/30 y tal manera de apetito se dize] Esta manera de apetito se llama C 210/32 dezimos gana] llamamos gana C 210/33 en dos maneras es] es en dos maneras C 210/37 poniéndole espuelas] poniéndole siempre espuelas C 211/5 enseñan] enseña C 211/7 la qual... a tal] y no es sino un movimiento natural que para tal C 211/13 razón... carne] raíz de la más que civil batalla, que nuestro poeta cordovés suavemente dexó cantada. En ella la sensualidad procura llevar al hombre por las anchuras de la carne $M=C$ 211/18 Mas las contiendas... facultad] Las contiendas que en esta discordia se offrecen, pónelas en paz el libre alvedrío, y es facultad C 211/23 la retraiga] le impida o la retraiga C 211/23 irse ha] se yrá C 211/25 Por donde bien paresce que la libertad] Por donde se vee claro cómo la libertad C 211/29 de toda la redondez. De manera que] de virtud, o del vicio. Assí C 211/31y cada... hiziérese] y cada hombre tal, qual él quisiere hazerse C 211/32 doquiera] donde quiera C 211/33 dezimos] llamamos C 211/35 de quien sigue] de lo que sigue C 211/37y desesperança si no lo pensamos] y desesperación si no lo pensamos gozar $M=C$ 211/39 que averná] que sucederá $M=C$

212/2 el alegría] alegría *C* 212/2 y al odio... solicitan] y al odio temor, y a la desesperación tristeza. Estas ganas solicitan el alma *C*
212/4 hasta que las ponen] hasta ponerla *C* 212/4,5 o en desma-
yo] o desmayo *C* 212/10 por natura] naturalmente *C* 212/13 aver
ningún tal poderío] no aver tal poderío *C* 212/18 los dedos] las
manos *C* 212/21 y no] ya no *C* 212/22 mas con muncha] sino que
con mucha *C* 212/25 do manifiesto...limar] do manifiestamente
vemos, como devemos limar la rudeza de nuestras potencia *C*
213/5 los miembros] todos los miembros *C* 213/10 en semejantes
obras] en obras semejantes *C* 213/14 dezir] llamar *C* 213/20 preva-
lesce] no prevalesce *M=C* 213/29 le defiende] le negó *C* 213/30
procura que a sí y a otras gentes] que assí y a otras gentes 213/31
bien empleado] bien empleado el don *C* 213/34 criando] susten-
tando y acrecentando *C* 213/38 faltó] falta *C* 213/39 Las cuales, si
fueren trabajosas] Y si las buenas obras fueren trabajosas *C* 214/1
enseñorean] señorean *C* 214/2 do se paga más] y con esto se paga
más *C*.

Triunfo de Cristo en Jerusalén.
(Sermón para el domingo de ramos)

No me paresció, reverendos señores, estando en esta noble cibdad —cuyas orejas, acostumbradas a las palabras de buenos dezidores, son ya hechas a fieles toques para examinar los plazeres de la habla—, digo, no me paresció razonable cosa no provar mi lengua en ellas, no con esperança de igualar a aquellos cuya costumbre tenéis, sino con el deseo de imitarlos en este su lugar.

El día tan solemne me convidó a que viniese, encendiendo mi voluntad con deseo de deziros lo que dél siento; y la riqueza del Evangelio que oy la Iglesia canta, prometiéndome abundancia, me quitó el miedo que a vuestro acatamiento yo devía. De tal manera, que basta la munchedumbre de doctrina por do avemos de pasar para llegar al fin: temo más la salida que la entrada. Por tanto, bien es, pues avemos de navegar por un piélago a todas partes muy tendido, que tomemos un aguja que nos guíe.

Ésta será el orden del triunfo romano, a cuya semejança oy Cristo ha triunfado. Oíd atentos, señores, yo os suplico, hasta que aya dicho, que sabed que aí me truxo más la confiança de vuestra humanidad que de mi lengua; la cual, pues ha quitado este día el oficio a otra mejor, yo haré que con diligencia y brevedad os merezca perdón.

Pues queriendo celebrar esta fiesta a manera de triunfo, do el alegría se representa que ha de mostrar, bien será informar los que no saben, y renovar la memoria que estovie-

217

re envegecida diziendo brevemente el orden de los triunfos romanos, porque todos los que oyen tengan señales del camino que andamos, por do puedan seguirnos[1].

Solían —muy reverendos y nobles señores— los antiguos romanos, para rescebir sus capitanes, si tornavan con victoria de las batallas crueles que la invidia les hazía, derrocar alguna parte del muro de la cibdad, bastante a que la entrada fuese fácil a toda la gente. Y para la tal fiesta era creíble que se ayuntaría la pompa en esta orden.

Precedía delante —venían en madera formadas— imágines de las cibdades vencidas, y los prisioneros dellas atados las seguía; y tras ellos su capitán captivo en lugar señalado do fuese de todos visto, para honra del vencedor. Después destos ivan los romanos, que de la victoria gozavan, con ramos de palmas y olivas por las que significavan victoria y paz por semejança que con estos árboles tienen, pues la palma así sobrepuja los otros árboles como el vencedor sus enemigos, y de la oliva viene licuor suave y blando cual es la paz. Más traseros venían otros, con las armas que aquel honor avían ganado; y tras ellos las trompetas.

Después venía el carro del capitán victorioso, tan rico y tan adornado como de tal pompa ya pasada se esperava: por ninguna parte lo tocava la vista que no fuese de oro, y de cualquier manera considerado era admirable. El señor de aquesta honra iva vestido de grana sembrada de estrellas de oro, y adornado de linda corona; pero porque era Dios quien de tanta fiesta era merescedor, mandavan los governadores del pueblo romano que un vil ombre, en el carro asentado, a ciertos trechos hiriese en el pescueço al que así triunfava, por templar la gloria humana que entonces parescía que pasava de sus rayas.

---

[1] Compárese la descripción que se sigue con la sustancialmente igual —aunque más prolija— hecha por Pedro Mexía en su *Silva*, III, 29: «Qué cosa era y cómo se davan y hazían los triumphos en Roma; y por qué cosas se otorgavan y quántos triumphos huvo en ella. Y qué cosa era ovación y quién triumphó. Tráense algunas hystorias y exemplos al propósito» (1990: II 197-212); en ella se tratan los orígenes —griegos— del triunfo, «sus leyes, aparato y forma».

Desta manera, con cantares de alabança, llevavan su capitán al teatro o a otro lugar público do, todos ayuntados, con muncho acatamiento le davan gracias por la libertad que les avía ganado contra los enemigos, y la seguridad y reposo do los avía puesto.

A esta forma Cristo nuestro redemptor oy quiere triunfar en tan noble pompa. Y tan digna de ver, que todos los ciegos que ha hallado en el camino ha querido alumbrar para que gozen della. Yendo Cristo este día a subir en su carro, dos ciegos le demandavan vista —según dize san Lucas— y él, viendo que para tal fiesta era bien demandada, se la concedió; y ellos avida, la estrenaron bien[2]. En este triunfo, en el cual Cristo exaltado quiere entrar no solamente en la cibdad de Jerusalén, sino también en los coraçones de los moradores della, de do salen aquellas vozes que ya suenan: *¡Hosanna in excelsis! ¡Hosanna fili David! ¡Sálvanos, Señor, en el cielo! ¡Sálvanos, hijo de David!*[3]

¿Veis? Ya los muros se derruecan que tenían muy cerrados los pechos de los judíos; veislos ya dónde caen con aquellas vozes las almenas a do están sus fundamentos. Ya la aposentadora[4] se manifiesta en los coraçones de los hombres llamando el hijo de David; ya ella haze la entrada de mando.

¡Salud, pues, venid todos, yo os ruego, abiertos los coraçones a rescebir esta fiesta! ¡Y abiertos trairéis los coraçones si ninguna cosa tenéis en ellos por vergüenza deváis encubrir! Por eso, las cosas feas sacaldas dél, y limpiad lo que estuviere suzio, no se atapen las narizes los que han agora de pasar. ¡Mostradlas, las buenas obras claras y manifiestas, porque alaben vuestro padre que en el cielo está!

---

[2] *Lucas,* 18 35-43, y 19, 38, (cfr., además, *Marcos* 11, 46-52 y *Juan* 9). El paso —completado en el parágrafo siguiente— sigue sin embargo el texto de *Mateo,* 20, 29-34 y 21, 5, ya que es el único que cuenta de dos ciegos, no de uno; en ambas versiones los sanados *estrenan bien* su vista puesto que siguen a Jesús.

[3] *Mateo* 21, 9; *Marcos* 11, 9-10; *Lucas* 19, 38; *Juan* 12, 12; y *Salmo* 118, 26.

[4] *aposentadora*: Dice Covarrubias: «Ay aposentadores del exército, que en el Real reparten los sitios.» *Aposentar* es «Dar aposento al que va de passo o en la Corte al criado o ministro del rey o embaxador», y viene «del nombre *posa,* que vale descanso o cessación».

Dirá alguno: «¡En este estruendo los pies se me mueven por ir allá, gran codicia tengo de hallarme donde tantos van; mas los pecados que mi corasçón avían endurescidos ya con muncha costumbre son duros de quebrantar, por ninguna parte puedo hazer mella en ellos para dar entrada a este triunfo. Yo no sé qué hazer para romper este muro!».

¡O tú, que así te quexas de la duriza de tus pecados! ¡Dales, dales con martillos de contrición! ¡Y dales con buenas fuerças sobre la yunque de humildad, que lo sufre todo! ¡Que yo te prometo que aun el polvo no quede por señal, y David te dixo que, así haziendo, el Señor no se menospreciava![5] ¡Dales pues ya[6], puesto que la pompa se acerca!

¿Veis do vienen delante las imágines de siete cibdades que nuestro capitán ha vencido? Bien será que las miremos, porque considerando sus grandes hechos celebremos sus afanes. Éstas son los siete pecados que dezís principales, matadores de las almas. Dirá alguno: «¿son antiguas, son pobladas, son fuertes; eran a nosotros peligrosas? ¿Por ventura avía camino de vuelta, o estavan lexos de nosotros?»

Antiguas por cierto son, porque nuestro padre Adán, echado de su tierra natural, las pobló; y Antigua se llama la serpiente por cuyo consejo así lo hizo[7]. Pues pobladas son

---

[5] Cfr. *Salmo* 10, 17: «El deseo de los humildes oíste, oh Jehová. Tú dispones su corazón y haces atenta tu oreja»; 18, 43: «Y molílos como el polvo delante del viento»; y 51, 9-14: «Purifícame con hisopo, y seré limpio; lávame, y seré emblanquecido más que la nieve. Hazme oír gozo y alegría, y harán alegría los huesos que moliste. Esconde tu rostro de mis pecados, y rae todas mis maldades. Créame, oh Dios, un corazón limpio, y renueva un espíritu recto en medio de mí.»

[6] Cfr. *Salmo* 28, 4: «Dáles conforme a su obra, y conforme a la malicia de sus hechos; conforme a la obra de sus manos les da, págales su paga.»

[7] Al margen de la referencia bíblica, y pensando en la obra histórica de Pérez de Oliva, el paso podría estar sutilmente recordando a sus oyentes sea el descubrimiento de América (por medio de la interrogación retórica), sea el problema de la naturaleza de los indios, que tan viva polémica encendió en Salamanca. En efecto, *Antigua* es el nombre de una de las islas del Caribe que, según relataba P. M. de Anglería en sus *Décadas del Nuevo Mundo* I, 1 y III, 9 (Madrid, Polifemo, 1989: 12 y 235) estaba poblada por caníbales y era cercana a la hipotética isla de oro: ambas cosas, canibalismo y avidez de oro, son condenadas sin paliativos por Oliva. (Hablo de ello con mayor detenimiento en mi trabajo de 1991.)

a maravilla de naturales y pasageros. Y mirad que, tantos cuan[8] aviendo en ellas general y perpetua mortandad, no ay aposentos para todos los moradores: que así se multiplican, y paresce que su muerte es nascimiento. Y su fuerça es maravillosa, porque se escudan con la sensualidad, do muncho se embotan las armas con que las ofendemos, de tal manera, que en medio de la batalla nos damos por vencidos, pues el peligro que nos traen grandes compañas de gentes, en medio de los fuegos del infierno los lloran: allí se paresce manifiesto el daño, do ningún remedio lo encubre.

Preguntamos si ay camino de ir allá. Verdaderamente, mejor sería no saberlo si no es para evitarlo. Sanc Gregorio dixo que tres caminos ay para ir a estas cibdades capaces de muncha gente: ignorancia, flaqueza y negligencia. El camino de ignorancia es obscuro, y por eso los que yerran en él menos pecan. El de la flaqueza es cuesta abaxo, y deleznable, y así ruedan por él los que tienen floxos los niervos de la virtud. Por el otro van los que de la gloria se descuidan y se olvidan de la pena; este camino es de culpa todo, y por él van los más perdidos.

Agora mostremos cuán lexos de nosotros están estas cibdades. Dize Sancto Augustín que tres pasos no más, que son incitación, deleite y consentimiento[9]. El primer paso nos mueve el diablo, y el segundo la carne, y el tercero el espíritu. La incitación es primera, que el diablo mueve en nuestro pensamiento; donde, si se tarda, desciende de allí deleite a nuestras venas que nos haze andar el segundo paso. El tercero anda luego la voluntad mal acostumbrada, y así llega do, tres pasos adelante —según dize Sanct Isidro[10]—, está la muerte. Éstos son obra, y costumbre, y necesidad; la obra es conforme a nuestro consentimiento, y la costumbre conforme a la obra, y la necesidad nasce de la costumbre. Y aquí hallamos la muerte del alma, así que el remedio es tornarse del primer paso.

---

[8] *tantos cuan* con valor adversativo: «a pesar de haber en ellas general y perpetua mortandad».
[9] Cfr. *Civitas Dei*, XI, 6
[10] Cfr. San Isidoro, *Etimologiae*, XI, 2, 32.

¡O, pues, soberano capitán, que vienes tras tanta gloria, ven ya, veremos tu cara de alegría en nuestros coraçones! ¡Ya se acerca! Mas ¿véis do vienen los cativos presos en cadenas, los demonios malos nuestros enemigos que esta guerra nos hazían? Ese señalado principal que detrás viene, ese que en prisiones aún no dexa la sobervia, ése es Lucifer, que hecho fuerte en esas cibdades que van delante fue rebelde.

Dinos pues, maldito —así hablo, que ya pasas—: tú, que nasciste en gloria; tú, que en hermosura a todos sobrepujaste, ¿por qué fuiste ingrato a quien te dio tanta materia de gloriarte? Todas tus cosas amaste, ¿y a quien las dio? ¿Esperavas, por ventura, que quien pudo hazerte no podría resistirte su amor, que tú menospreciaste?— Nosotros —siguiendo—, de ti triunfamos, y ocuparemos tu silla. Do tú, de sobervia lleno, no cupiste, de allí te veremos andar en las tinieblas del infierno: do tu entendimiento claro, dado para gozar de gloria, apascentarás en tu tormento; donde tanto más serás miserable cuanto fuiste más perfecto.

Pasemos de aí los ojos a estotra gente que viene en forma más deleitable. ¿Veis? Los delanteros traen ramos de palma y olivas. Las palmas nos muestra San Johan, que solo entre los evangelistas señaló los ramos[11]; y las olivas que ofresce la Iglesia es creíble que también llevavan por el monte Olivete, donde tantas avía que dieron nombre al lugar[12].

Esta parte de la fiesta te cantaron ya los ángeles diziendo *Gloria a Dios en el cielo, y en la tierra paz a los hombres de buena voluntad*[13]. Gloria se la da por la victoria allí donde se goza, que es en el cielo; y paz se nos embía a la tierra, do la avemos menester. Este mismo paso cantó dando en su harpa a

[11] En efecto sólo en *Juan* 12, 13 se dice: «tomaron ramas de palmas y saliéronlo a recebir y clamaban: Hosanna». En *Mateo* (21, 8) y en *Marcos* (11, 8) son simples ramas de árboles, que Lucas (19 35-38) no menciona. Cfr. de nuevo con Mexía, *Silva* I, 33: «De cómo la palma ha sido siempre señal de victoria» (1989: I 458-464).

[12] Nótese el cuidado que pone Pérez de Oliva en subrayar la verosimilitud de la conjetura: las palmas salen de Juan, como se ha visto; los olivos, por el contrario, de los otros tres evangelistas, que mencionan el monte de los Olivos como teatro de la acción, cosa que Juan no hace.

[13] *Lucas* 2, 14 y *Ezequiel* 3, 12.

este son: *la su paz y la justicia se han besado*[14]. Quiere dezir dado se ha señales de amor la justicia, en quien está siempre la victoria y la paz que por ella se alcança.

Mas dizen los ángeles *paz a los hombres de buena voluntad*, pues a los malos Dios no la embía, que ayuntados son peores. Y en este canto otra vez David a los ángeles ayuda desta manera: *Oiré lo que me habla el señor, porque dirá cosas de paz para su pueblo y para los sanctos y aquellos que a él se convierten*[15].

¡Veislas ya, pues, por dónde vienen la victoria y la paz, cuyas insignias en vuestras manos oy truxistes! ¡La victoria acompañada con victoria semejante de vuestros pecados! ¡Dezidle cantos de alegría! Mas la paz dexalda en reposo, que, como dice San Gregorio, si hijos de Dios son los que dan sosiego, hijos serán de Lucifer los que la perturban. Que ésta es la paz que dixo Dios que nos dava, la cual declarando Leo Papa dize que es unión de nosotros con la voluntad divina, do está en sosiego la sensualidad y la voluntad obediente a la razón. En esta paz, quien entrare, terná a Dios por padre y sus sanctos por hermanos; do criará en su coraçón pensamientos sanctos que le aparejen otra paz, siempre durable, en lugar muy apartado de tormentos y aflicciones do estarán los malos.

¡Ya se acercan las armas vencedoras! ¿Veislos dónde vienen los apóstoles, cargados dellas? Que son de dos maneras, y ambas de fuego: la una del amor de Dios, y la otra del próximo. Estas armas dio el capitán a sus seguaces muy encomendadas; éstas son aquellas que dixo David que dava Dios a los suyos para tomar vengança de los malos, y amenazar los pueblos, y aprisionar sus reyes en grillos y sus nobles en esposas de hierro[16]. Con aquel arma más luenga,

---

[14] *Salmo* 85, 11: «La Misericordia y la Verdad se encontraron, la Justicia y la Paz se besaron». El salmo no es de David, lo que explicaría la falta de sujeto explícito.

[15] *Salmo* 85, 9. Cfr. la traducción de Casiodoro de Reina: «Escucharé lo que hablará el Dios Jehová, porque hablará paz a su pueblo y a sus píos, para que no se conviertan a la locura.»

[16] Se trata de la espada o cuchillo de dos filos del *Salmo* 149, 6-8: «Ensalzamientos de Dios estarán en sus gargantas, y cuchillos de dos filos en sus manos./ Para hacer vengança de las Gentes, castigos en los pueblo;/ para aprisionar sus reyes en grillos, y sus nobles en cadenas de hierro.»

que dizen amor de Dios, nuestro capitán derrocó a Lucifer, mas no por eso lo hirió —bien veis que no es [*recompensa*]—[17]; con la otra más breve fue vencido el pueblo.

Estas armas quien usare seguro va de día y seguro también por las tinieblas deste mundo. Así que seguro de aquellas tentaciones que dixo David *facta volante* en el día, que quiere dezir ligera y manifiesta tentación, y *negocio que anda en las tinieblas*, por el cual entendió la grave tentación encubierta[18]; la otra es ímpetu del demonio meridiano que significa la fuerte tentación que descubierta nos viene. De todas estas te defenderás si acostumbrado eres a las armas de Cristo, que nunca fueron en batalla vencidas si de la mano por descuido no cayese.

¡Mas oíd, señores, oíd que suena la trompeta! ¡Oíd que es Zacarías que delante el carro dize: *no temas Jerusalén, que tu rey viene manso a visitarte!*[19] Los añafiles dizen: *¡bienaventurado es el que viene en nombre del señor!*

¡O suave armonía! ¡Que nunca dexase de oírse! Por la cual entendemos que no a condenarnos, sino a salvarnos viene nuestro rey; no acompañado de furor para castigarnos, sino de mansedumbre para perdonarnos. Éste dizen que es *el que viene en nombre del señor* a governar acá en la tierra los coraçones de sus siervos. Éste es el que nos trae las leyes de Dios, que lo embía, y premio para los que las guardaren y castigo a los que no quisieren. ¡Veámoslo, que ya cerca viene, y cosa deve ser notable su entrada! ¡Sobre ruedas de oro deve andar su carro, tirado de cavallos adornados con seda!

---

[17] Palabra de difícil lectura. El paso, oscuro, parece aludir al espinoso problema del ángel caído, malvado por ser rebelde a su creador, pero sin por ello perder sus atributos angélicos. San Agustín discute apasionadamente sobre ello en, por ejemplo, *Civ. Dei*, XI 11-15, 33; sobre los demonios, *Ibid*, X, 15-22. Cfr. también fray Luis de León, *Nombres*, 'Braço de Dios' (1977: 343-347).

[18] Se refiere al *Salmo* 18, 28-31: «Por tanto tú al pueblo humilde salvarás, y los ojos altivos humillarás./ Por tanto tú alumbrarás mi candela: Jehová mi Dios alumbrará mis tinieblas./ Porque contigo deshice ejércitos, y en mi Dios asalté muros». En cuanto a la *tentación* (versículo 30), el texto de Oliva se acomoda a la *Vulgata*: «quoniam in te eripiar a temptatione».

[19] Cfr. *Zacarías* 6 y 14.

Mas veislo aquí donde viene, sobre una asnilla puesto cubierta de las ropas de sus discípulos. Cierto, yo no le conosciera sino en el resplador de su corona. Dinos, Señor, tú que las ruedas de los cielos mueves y andas sobre las plumas de los vientos, tú que otras vezes veniste en carros de nuve y fuego, tú que tienes tu trono sobre el sol y la luna: ¿por qué vienes en un asna, tan baxo, igual a los otros hombres? ¿Quieres, Señor, que te asentemos en nuestras cabeças, do mostrando parte de tu dignidad huelles nuestros ojos? ¡Álçate, pues, Señor, sobre nuestros hombros, porque viendo que eso hazes por nuestros pecados nos quebrantes los coraçones! ¡O, vosotros que así lamentáis! ¿No conoscéis el noble carro del Señor? Esta asnilla es la humildad en que conviene que vaya quien triunfa de la sobervia, aunque el arreo está en el alma.

Mas porque no os parezca que finjo alabanças de nuestro capitán, mirad que tres cosas tiene la humildad principales: mansedumbre, obediencia y sufrimiento, que todas tres por esta asnilla se nos representan. Mansa es, como bien veis; y obediente a quien la guía; y su sufrimiento es grande, pues el peso sufre del hazedor del mundo. Semejantemente, el humilde ha de ser manso en su voluntad y no apasionado; porque el alma con pasión es como el agua turbada, do ninguna cosa se vee, y la mansedumbre la pone en calma, do se descubren las menores arenas. Así que el apasionado ciego es, y el que ha sosiego vee muncho; y obediencia es menester en la humildad para los buenos mandamientos; y sufrimiento para las adversidades y las ofensas que de otros rescebimos.

¡Conosced, pues, el carro noble en que va sentado aquel que nos dize: *aprended de mí, que soy manso y humilde en mi coraçón!*[20]. El cual en exemplo nos lo muestra tan manifiesto como veis. ¡Miraldo bien, que éste es el carro por do sube a lo alto! Que quien de la cumbre comiença, menester es que abaxe si va andando. Y no demandéis más al vencedor que se desprecie de las armas con que venció, que en ellas muy bien paresce.

---

[20] O sea, Jesucristo, cfr. *Mateo* 11, 29.

Esas vestiduras que los discípulos sobre el agua echaron, señales son de la honestidad que la humildad virtuosa tiene por compañera; con la cual es menester cubrir, como con esta ropa, las cosas que descubiertas nos traen vergüenza o daño a nuestros próximos. Así cubriremos todas nuestras inclinaciones malas, porque no parezcan en la plaça de los pecados, do sean provocadas a corrompimiento. De manera que dos partes ay en la honestidad: vergüença en las cosas que induzen a pecar, y recogimiento de todos nuestros apetitos a lo secreto de la razón.

Agora consideremos la ropa de nuestro capitán cómo es hermosa. Digo la que el alma viste, llena de estrellas o de virtudes que por ellas se representan, cuya lumbre por la boca le sale para aclarar los coraçones obscuros de los hombres, que es la gracia que en sus labios derramada está ¡La corona mirad qué linda! ¡Dize David que es de piedra preciosa! Aquesta es la gloria, que en la cabeça, que es la divinidad, le resplandesce. Desta piedra preciosa dixo Cristo que el sabio negociante, cuando la halló, vendió todo lo que tenía para comprarla[21]. ¡O gentil corona, quién tan rico fuese de merescimiento que pudiese hazerse una a tu semejança! ¡Linda eres, por cierto, y bien colocada; bien paresces donde estás!

Veis pues ya nuestro capitán de la manera en que viene triunfando. Bien será que David, con su harpa que bien tañe, le diga un cantar. ¡Ven pues ya, suave cantor! ¡Ven y dile aquella canción dulce de fiesta que entonaste así!

> *¡Alabad el señor en los cielos. Alabaldo allá en lo alto vosotros, los ángeles mensageros, y los otros, por quien sus virtudes se demuestran. Lumbre, estrellas, sol y luna, alabaldo con vuestro resplandor. Alabad su nombre, aguas que estáis sobre el cielo, y el cielo más soberano, porque por su palabra son hechas todas las cosas, y su mandamiento nunca perescerá acá en la tierra. Alabaldo, abismos y dragones, fuego y granizo, nieve y elada y vientos que movéis las tempestades. También vosotros, los montes y los collados, los árboles que dais fruto con los cedros. Bestias y ga-*

---

[21] *Mateo* 14, 45.

nados, serpientes y aves que tenéis alas, no calléis sus alabanças. Reyes y todos los pueblos, príncipes y regidores, mancebos y vírgines, viejos y menores, alaben todos el nombre del Señor que sólo es ensalçado, cielo y tierra lo confiesan![22].

Porque desta manera que veis ha ensalçado su hijo nuestro redentor. Desta manera se va el carro, y nos dexa parados en el día de oy.

Dizen munchos —que bien oigo, aunque no hablan—: «Tan linda fiesta, ¿por qué la hezistes pasar tan presto? Dezidnos dónde va, porque nosotros queremos seguirla.» ¡Plega a Dios que sea así! Sabed que va a cumplir las leyes del triunfo: primero, do la invidia de los judíos le dé pescoçadas, porque si pudiere haga que al pueblo no parezca Dios[23]; después, con alegría, soltará los grillos de las cárceres hondas y obscuras do nuestros antiguos padres han estado. De aí irá a aquel gran teatro del cielo do, en presencia de los ángeles y los otros espíritus bienaventurados, se sentará a la diestra de su padre.

¡O tú, Señor soberano, a quien nuestros coraçones abrimos para que en ellos triunfando entrases! ¡Tú, que siete cibdades venciste, y los pobladores della, y Lucifer su capitán! ¡Tú, ante quien ivan la victoria y paz, y las armas de ca-

---

[22] Es traducción del *Salmo* 148. Cfr. la de Casiodoro de Reina: «HaleluIAH / Alabad a Dios desde los cielos, alabadlo en las alturas./ Alabadlo todos sus Ángeles, alabadlo todos sus ejércitos./ Alabadlo sol y luna, alabadlo todas las estrellas de luz./ Alabadlo los cielos de los cielos, y las aguas que están sobre los cielos./ Alaben el nombre de Jehová, porque el mandó y fueron criadas./ Y las hizo ser para siempre por el siglo, púsoles ley que no será quebrantada./ Alabad a Jehová, de la tierra, los dragones y todos los abismos./ El fuego y el granizo, la nieve y el vapor, el viento de tempestad que hace su palabra./ Los montes y todos los collados, el árbol de fruto y todos los cedros./ La bestia y todo animal, lo que va arrastrando y el ave de alas./ Los reyes de la tierra y todos los pueblos, los príncipes y todos los jueces de la tierra./ Los mancebos y también las doncellas, los viejos con los mozos./ Alaben el nombre de Jehová, porque su Nombre de él solo es ensalzado: su gloria es sobre tierra y cielos./ Él ensalzó el cuerno de su pueblo: alábenlo todos sus misericordiosos, los hijos de Israel, el pueblo a él cercano. HaleluIAH.»

[23] Se refiere al episodio de Jesús ante el Sanedrín (*Mateo* 26, 57-68; *Marcos* 14, 53-65; *Lucas* 22, 54, 63-71; y *Juan* 18, 15-16, 18.).

ridad que llevaron tus apóstoles, y Zacarías tañendo la trompeta! ¡Tú que en carro de humildad, cubierto de honestidad, triunfaste de sobervia vestido de ropa estrellada y coronado de gloria! ¡Tú, delante quien David dezía alabaças! ¡Escucha las nuestras! ¡Oye, Señor, los que tu carro siguiendo truxiste acá contigo! ¡Óyenos, que te dezimos que tú sólo eres sancto, tú sólo poderoso, tu sólo eres lumbre, tú sólo fuente de la gloria inmortal do nosotros nos hartamos! ¡Digno es quien no te sigue de las penas del infierno, pues quien te siguió este premio alcança! ¡Éstos son los cantos que se dizen en el teatro de la gloria, *ad quam etc!*[24].

¿Do mayor fiesta se celebrará que avéis visto aquí? Y si me preguntáis cómo iréis a ella digo que siguiendo el carro, con ramos de palmas en las manos y de olivos, y cantando: *¡Hosanna fili David! ¡Hosanna in excelsis!* Quiero dezir que con victoria y con paz y con oración.

La victoria ha de ser de tres cosas: de los deleites de la carne, de los bienes temporales, y de la opinión del vulgo; de las cuales os avéis de sacar como de prisión al campo de libertad. Primeramente, los deleites de la carne se han de vencer, porque Dios, salvador de los hombres, no conosce por suyos los que bestias parescen, cuales son los que en la suziedad de la carne andan embueltos, que pues es la mayor señal del hombre la razón, aquél no paresce serlo donde falta.

Digo también que menester es vencer los bienes temporales con menosprecio, porque los pobres de espíritu son los que entran en el reino de los cielos, do esta pompa va. ¡Menosprecialdos, pues, los que tras el carro queréis ir, porque el amor destos vanos bienes nos es cadena que nos tie-

---

[24] *Ad quam nos perducas*: así en el margen. No he podido identificar si es el principio de una oración o de un cántico. En éste punto (f. 146r) se interrumpe la escritura del texto y se intercala el siguiente borrador: «M. R. y M. mag S.: quien demanda con munchas palabras muestra desconfiança con que ofende a quien aparejado está a hazer mercedes, y pues la virgen soberana a cualquier justo ruego se inclina, demandándole gracia que para dezir y oír avemos menester, bien será con pocas palabras mostrarle confiança, y serán aquellas que el ángel le dixo así: ave, María etc.» Después van unos dibujos geométricos.

ne atados muy lexos de do este carro va! O, si más queréis de otra manera, ¡amaldos, para comprar con ellos merescimiento en la feria deste mundo, que tal amor bien se os concede!

La postrera parte de la victoria —y más difícil— es do se vence la opinión del vulgo, la cual vence quien no la sigue más de cuanto consiente la razón. Digo que es muy difícil esta parte, porque es de gran fuerça la opinión común. Ella haze solícitos los avarientos, ella los hipócritas fingir, ella los sobervios querer señorío, ella a los temerarios amar los peligros, ella a todo desear vengança; brevemente, ella es fuelle que sopla en las hornazas de los vicios. Así que quien pudiere salirse fuera deste yugo, la más parte de los pecados escusa; y quien siguiere lo que el vulgo aprueva con deseo de salvarse del vituperio de ignorantes, va condenado por el juizio de Dios a las penas del infierno.

Verdaderamente, cuando yo tengo mi alma fuera deste tráfago en que biviendo andamos puesta en reposo, entonces veo que la naturaleza con pocas cosas se contenta; mas las demandas de las gentes son las que nunca se hartan. Unos quieren que tengamos, otros que sepamos, otros que podamos, otros andemos, otros que soseguemos, otros que digamos, otros que callemos. Para contentar unos nos viene codicia de saber latín, para otros romance, otros quieren griego, otros filosofía, otros teología, otros astrología, y todos nos llaman a su apellido al cual nosotros nos movemos. De otra parte, unos nos amonestan que guardemos; otros que demos. Otros mulas y pages y ornamentos, otros cortesanería; otros gravedad. Y nosotros con todos procuramos conformarnos, como los que representan comedia, que de aquella manera hazen su gesto que requiere las palabras que por suerte ha de dezir.

¡O voluntades de hombre errados! ¡O atónitos entendimientos distraídos a munchas y contrarias partes! ¿Mejor no sería quitaros desas necesidades en que la naturaleza no os puso, do solícitos penáis, y reduziros a la mansedumbre y abundancia que consigo trae el menosprecio desta gloria vulgar do no seríades llamados a tantas partes, do cualquier poca facultad cumpliría todos vuestros deseos? ¡O, quien me diera en este paso la lengua de Tulio y la sabiduría de Salomón, para dezir esto según el ímpetu me traxo! Pero sea ésta agora la simiente de lo que algún día nascido veréis.

Y tornando a lo primero digo, muy reverendos señores, que nadie seguirá el carro de Cristo que en grillos estuviere; por tanto, es menester que busquemos primero nuestra libertad, y después andemos. Agora, muy nobles señores, para seguir menester avemos paz. Aquella, digo, que Cristo nos dio en que nos ayuntemos para crescimiento del bien cual plega a Dios que todos los cristianos alcançemos, porque dentro de la tierra de los infieles algún día la tengamos. Con ella, creedme que las chicas virtudes crescen; y con la discordia perescen las grandes. La paz nos da sosiego, nos da socorro, nos da seguridad; la discordia, sobre falso crescimiento, da miseria y peligro siempre.

Oración también es menester para seguir el carro en que digamos: ¡*Hosanna fili David!* ¡*Hosanna in excelsis!* ¡*Sálvanos, hijo de David!* ¡*Sálvanos en lo alto!* ¿Veis? ¡Agora se me descubre gran piélago! Oraciones que este día no podremos pasar. Dadme licencia, señores, yo os suplico, que me torne, porque soy nuevo nadador y no oso apartar muncho de la orilla. Dirá alguno: «rato ha que tu desgracia te la ha dado». Pues es así, sufriendo con paçiencia lo que con razón me dizen, me torno hazia el puerto, que es la gloria do a Cristo dejamos sentado. Pero antes que repose nuestra boca, oyamos las alabanças que en el cielo dizen las ánimas bienaventuradas al capitán que triunfava[25].

Y si preguntare alguno do avemos de tener esta paz, digo que en el pueblo y en el pecho. En el pueblo la ternemos guardando aquella ley que todas las leyes apruevan, que nos manda que así hagamos a aquellos con quien tenemos con-

---

[25] Segunda interrupción de la escritura (f. 147v); los párrafos que siguen son claramente un añadido, pues repetirá al final la despedida. La fórmula retórica aquí empleada no creo pretendiera ser autoirónica, pero el resultado lo es: Pérez de Oliva no sabe cómo acabar su sermón, y lo deja para un día más inspirado; pero tampoco el tercer día encuentra la salida que tan difícil le parecía nada más empezar («temo más la salida que la entrada»), y esto se nota porque, a medida que procede el texto, se le va disparando más y más la letra.

versación como querríamos que ellos hiziesen con nosotros. Ésta sólo basta para ayuntar las voluntades de los hombres y hazerlas entre sí concordar, y ésta es tan clara y manifiesta que todos pueden entenderla.

Empero dirán los sobervios: «Querríamos nosotros que todos nos diesen ventaja, pues si a los otros la damos de buena voluntad, querríamos que la tomasen, y pues los otros darla y tomarla es imposible, también es a nosotros imposible cumplir esta ley.» Semejantemente los avarientos dirán: «Nuestra voluntad es aver de todos ganancia, y darla y tomarla por igual es imposible, luego imposible es la ley que nos manda así hazer con los otros como querríamos que nos hiziesen, y a lo imposible nadie se obliga.»

¡O calumnias de los malos! ¿No entendéis que esta ley destierra todas las malas costumbres? En esas vuestras escusas veréis que esta ley no os consiente pecado ninguno, porque así todas las virtudes entre sí convienen, como dize Aristóteles que entre sí consuenan las verdades. No pienses que puedes gozar juntamente de vicios y virtudes, pues nadie puede ser buen amigo de dos contrarios. Sabe que esta ley vieda las injurias, vieda los robos y la falta de prometimiento y las otras semejantes destruciones de la caridad del próximo, y manda todo lo contrario; así que es áspera a los malos y blanda a los buenos.

La paz que en el pecho devemos tener a de ser derecha. La batalla que entre los apetitos de la carne ay y la ley que Dios nos dio, ésta tenía por muy grave San Pablo, y esta guerra se ha de aplacar. No penséis que concordando las partes, porque es imposible que la sensualidad y la razón se ayunten en un propósito sino suavizando la parte más mala, que es el apetito de la carne, con contraria costumbre; o, si fuera así, y vivo y despierto como Sanct Jerónimo en la soledad del desierto se quexava que era, bastava tenerlo en prisión con voluntad contraria, y así terná libertad y fuerça la razón, la cual es verdadera paz del alma que en las olivas oy se nos representa.

Dezíamos que oración era también menester para seguir el carro cual se nos representa por aquellas palabras: *¡Hosanna in excelsis! ¡Hosanna fili David! ¡Sálvanos hijo de David!*

¡Sálvanos en lo alto! Por la primera parte, do se llama el hijo de David, se nos muestra que la oración, para que tenga fuerça, ha de ser acompañada de fe; y por la segunda se nos muestra que, para que sea bien empleada, ha de ser por la salud del alma.

Estas cosas ampliarse podían más que el tiempo padesce, el cual ya me amonesta la salida, pero antes de tomarla, oyamos las alabanças que en el teatro del cielo al capitán que triunfava así se dize[26].

Nota al texto

Sigo el texto de *E* ff.141r-148v. Sin título. Corrijo las siguientes lecciones: 219/25 si ninguna] sin ninguna 222/14 y y] y 223/7 oiré oiré] oiré *(repetición por inicio de nueva pág. ambas)* 224/17 el *que* viene] el viene 230/19 piélago] pielado

Escrito en tres tiempos, con ligeras diferencias entre el tipo de la escritura, más cuidada en la primera parte, que acaba en el f. 146r intercalando el borrador de una plegaria y unos dibujos geométricos *(vid.* la nota 24); el texto se reanuda en el f. 146v para volver a interrumpirse en el f. 148r *(vid.* la nota 25). Con correcciones autógrafas y alguna de Morales —especialmente en el f. 143r—, quien pudo empezar a preparar el texto para la imprenta, aunque luego no lo editó. Señalo a continuación las lecciones descartadas (tachadas) o añadidas por el autor (¹*E*), así como las intervenciones de Morales *(M).*

Aparato de variantes

217/20 Oíd atentos] mesuráos ¹*E* 217/25 Pues queriendo celebrar] Oíd mui nobles señores ¹*E* 221/14 negligencia] libre voluntad ¹*E* 221/27 deleite a nuestras venas] deleite al apetito *M* 222/1 tanta gloria… en prisiones *señala el paso con una raya y añade al margen*] tú que de tan cercano peligro nos libraste ¹*E* 222/10 de gloriarte] de ser sobervio ¹*E* 225/9 dignidad…humildad *señala el paso con una raya y añade al margen*] no nos des a entender que las bestias son más dignas que nosotros ¹*E* 226/26 *un cantar*] un cantar de ala-

---

[26] El texto se concluye así, sin indicación del texto que ha de seguir.

bança [1]*E (añadido al margen)* 227/18 de su padre. ¡O, tú] de su padre allí todos le dirán alabanças infinitas en gloria perdurable *ad quam nos perducas* / allí los que en este mundo le dezían Hosanna fili david Hosanna in exelcis [sic] sálvanos hijo de david sálvanos en lo alto le dirán estas palabras alabanças O tu [1]*E (tachado)* 228/5 siguiendo truxiste] siguiendo con victoria paz y oracion [1] *E (añadido al margen)* 228/7 eres lumbre] eres sabio [1]*E* 230/15 siempre. Oración] siempre así que si bien consideráis los daños de dexar la paz amaréis siempre retenerla/ oración [1]*E (tachado)* 231/14 de los malos] de los malos hombres [1]*E (tachado)* 231/21 robos y la falta] robos y el quebranta [1]*E (tachado).*

De la sabiduría de Dios dada

En el primer stado del mundo[1], cuando los primeros padres del género humano eran limpios de pecado y a Dios agradables, entonces la justicia que dizen original, refrenando los apetitos sensuales, dava reposo al alma para que pudiese entender y querer según la razón mostrava. Mas, después que el pecado ensuzió los coraçones de los hombres, el alma quedó como en tinieblas, perdida aquella vista clara que antes le mostrava el camino de su salud. El cual, perdido por su negligencia, ya no lo puede hallar sino por sabiduría de Dios dada, cual es la que *oy* queremos tratar.

Empero ésta no se puede alcançar sin lumbre, paz y alegría: la lumbre para entenderla, la paz para consentirla y el alegría para obrar según ella. La lumbre ha de ser en el entendimiento, que es como hacha del ánima que consigo lleva para pasar por las tinieblas deste mundo. La cual hacha, para *que* bien alumbre, encenderse tiene en el fuego del amor de Dios, porque allí encendida todos los caminos nos descubre de ir a Él, y nos muestra los peligros que devemos evitar.

La paz, que es menester para que la verdadera sabiduría en nosotros obre, ha de ser en los movimientos de la carne.

---

[1] Breve oración sobre la gracia, compuesta enlazando la filosofía de Aristóteles *(fuente de la filosofía natural)* con la doctrina cristiana. Cfr. con el discurso sobre el pecado de Adán hecho por fray Luis en 'Príncipe de Paz' *(De los nombres de Cristo*, 1977: 419-429), el cual, sobre tocar ciertos puntos en común con el texto de Oliva, se concluye con una cita del mismo salmo *(vid.* la nota 3).

Los cuales muncho poder tienen para ayuntar consigo a la voluntad, porque como el entendimiento naturalmente se inclina a ayuntarse con los sentidos y, cuando ellos obran, conoscer junto con ellos, así la voluntad inclinación tiene para ayuntarse con los apetitos de la sensualidad. La inclinación es camino por do la voluntad se aparta de lo justo y de lo honesto, así que para que limpia sea, y pura, menester es quitarle de sus lados tan malos consegeros, y sacarla de tan vil servidumbre. Lo cual hazer no se puede sino por contraria costumbre, que es la que verdaderamente mata los fuegos de la carne, y se apodera de tal manera en el hombre, que se haze como otra nueva naturaleza, según que plugo a Aristóteles, fuente de la sabiduría natural.

Lo tercero que es menester en el uso de la divina sabiduría, es alegría con que cumplamos los mandamientos que en ella están. Y alegría es menester porque la tristeza, que algunos tienen que haze virtud, no es sino la voz de los vicios, que lo llaman a que desampare la buena obra y torne atrás[2]. Al contrario, el alegría en la virtud es firmeza que en ella se tiene, y manera de fe y lealtad que entre el hombre y ella se promete.

Pues siendo, como dicho avemos, tres cosas menester para que la sabiduría de Dios dada obre en nosotros, que son lumbre, paz y alegría, bien será que las busquemos en su fuente, la cual nos descubrió David con aquellas palabras:

«*Quis ostendit nobis bona*»? *Signatum est signos lumen vultus tui Domine. Dedisti leticiam in corde meo atque subfungit, in pace in idipsum dormiam et requiescam.*[3]

---

[2] Cfr. los hipócritas tristes de *Mateo* 6.

[3] Es cita incompleta y libre de la *Oración vespertina, Salmo* 4, 7-9 «Muchos dicen: ¿Quién nos mostrará el bien? Alza sobre nosotros, oh Jehová, la luz de tu rostro./ Tú diste alegría en mi corazón, al tiempo que el grano de ellos y el mosto de ellos se multiplicó./ En paz me acostaré, y ansimismo dormiré, porque tú Jehová solo me harás estar confiado». Cfr. además fray Luis de León, *De los Nombres de Cristo*: «Y assí David juntó, a lo que parece, aquestas dos cosas —paz y confiança— quando dixo en el psalmo: *En paz y en uno dormiré y reposaré.* Adonde como veys, con la paz puso el sueño, que es obra, no de ánimo solícito, sino de pecho seguro y confiado.» (1977: 429).

Donde respondiendo a la pregunta que munchos hazen, por qué señales se puede conoscer la gracia que de Dios alcançamos, dize que por tres: por la lumbre para entender, y el alegría del coraçón, y la paz de los sentidos. La cual si alcançamos, con ella podemos estar en descuido, que es casi como sueño o descanso. Así que, según el profeta, lumbre, paz y alegría, que agora menester avemos para lo que tratamos, nascen de la gracia.

La cual no sé a quién mejor podamos demandar que a la reina soberana, madre de Dios y madre también de nosotros los pecadores, en quien ay sabiduría para entender nuestros gemidos, y misericordia para sentirlos, y poderío para remediarlos. Pues a ella inclinados, digamos *Ave, María*.

Nota al texto

Texto en *E* f. 152r-153r. Escrito de una vez, con letra rápida (más picuda de lo habitual). Sin título. Corrijo 234/11 la que *oy* queremos tratar] la que ay queremos tratar [1]*E* 234/17 para *que* bien alumbre] para bien alumbre [1]*E*.

Apuntes para un sermón

Si mi suficiencia para dezir en púlpito —muy reverendos y muy magníficos señores— fuera tanta como es el deseo que tengo de cumplir este vuestro mandado, fueran vuestras mercedes mejor servidos, y sería yo más contento de poderlo hazer; pero como quiera que vengo a dezir agora, sin tener exercicio antes, en lugar donde ojos de tantos grandes hombres veo en mi cara puestos, bien sé que menester será manifestar las faltas de mi poco uso, principalmente aviéndose de hazer comparación de mi habla al dezir soberano de tantos sabios como este lugar ennoblescen. Por lo cual yo bien sabía que a vuestro acatamiento no deve venir sino quien tuvo grande estudio en letras y grande uso en tratarlas, maduro en edad, en vida corregido y crescido en autoridad.

Así que yo, en quien destos aparejos ninguno ay, sabía bien que mejor era callar —como hasta agora he hecho— por no ser yo mesmo el pregonero de mis faltas. Pero después que vuestras mercedes me mandaron que aquí viniese, ningún camino me quedó para huir de mi vergüença, porque yo más quiero caer en falta de dezir, que de obedescer a quien tanto devo. Principalmente que, si en error cayere, allí mesmo conosceréis el deseo grande que de serviros tengo, pues por cumplir vuestro mandado me pongo en peligro de lo que de mí dirán. Por lo cual a vuestras mercedes suplico que, con aquella misma nobleza que me mandaron dezir me traten diziendo, porque con su favor yo me esfuerçe a mejorar la habla, la cual, si yo supiere que bien suena en sus oídos, con ella munchas vezes les serviré.

La materia de nuestro sermón *es la fiesta de Sanctiago que* oy la iglesia celebra. La cual es copiosa para tratar y deleitable para oír; do es más menester buscar la salida que la entrada, según el entendimiento combida a la lengua con munchas cosas que hable. Esta fiesta —y las otras todas de los sanctos— la Iglesia ordenó para que, considerando sus vidas, les hagamos un templo en nuestros coraçones donde estén como testigos de nuestros pensamientos que allí se fabrican, en cuyo acatamiento [...].

Estos bienes, y otros que espanios [sic] tenemos debaxo el amparo de Sanctiago, de tal manera que bien paresce que allá en el cielo tiene el lugar que para él su madre demandó, porque según el Evangelio cuenta oy...

Nota al texto

Texto en *E* ff. 153r-154r; entre ambos ha sido arrancado otro —todo escrito—, pero antes de la formación del cartapacio, por lo que la numeración es correlativa. Sin título. El texto queda interrumpido.

Una serie de tachaduras de mano del autor (¹*E*) hacen pensar en la intención de servirse del exordio en otra ocasión: 233/24 pues por cumplir] por hazerlo me pongo en peligro de las lenguas maldizientes que como ¹*E (tachado)* 233/24 me pongo] me esfuerço a más ¹*E (tachado)* 234/1 les serviré] les serviré. Tenemos pues muy Rdos señores que dezir oy de dezir en la fiesta de sanct *(tachado)* 234/2 La materia de nuestro sermón *es la fiesta de Sanctiago que* oy la iglesia celebra] La materia de nuestro sermón oy la iglesia celebra ¹*E (tachado)*.

Dialogus inter Siliceum,
Arithmeticam et Famam

Presentación de Ambrosio de Morales

El grande amor que el Maestro mi señor tenía de la lengua castellana, le hizo mostrar su excelencia por la gran similitud que tiene con la latina, tan estimada y celebrada por muy excelente entre todos los lenguajes del mundo. Por esto, estando en París, siendo moço, hizo este diálogo en lengua castellana, y latina juntamente; assí quien supiere latín, y no Castellano, lo entiende todo, y de la misma manera lo entenderá el que supiere castellano, y no latín, sin que pueda aver mayor testimonio de la similitud y conformidad destos dos lenguajes. Compúsolo en loor del aritmética, para ponerlo —como se puso— en la obra desta insigne arte que entonces imprimió el Maestro Silíceo, que después fue Maestro del Rey nuestro señor, y Arçobispo de Toledo, y Cardenal, y entonces era maestro en las artes del maestro Oliva. Imprimióse en París el año de M.D.XVIII, y otras vezes después. Y yo le conservé aquí el título como en aquello impreso lo tenía, aunque se pudiera mucho mejorar.[1]

* * *

---

[1]. *C*, ff. [6v]-[7r]. Al final del texto dice : «El Maestro Oliva, mi señor, fue el primero que assí tentó esta prueva de la lengua Castellana» f.[8v]. Sobre la importancia dada por Morales al uso de la lengua castellana, véase la *Introducción*. En cuanto a Martínez Silíceo, dice de él Bataillon: «Teólogo

de formación parisiense, quizá había sido llamado por Cisneros a Alcalá en 1508. Pero él se estableció en Salamanca, al mismo tiempo que entraba en la orden de San Agustín; obtuvo en 1510 la cátedra de lógica de Nominales. En 1527 ocupaba, al parecer, otra cátedra de teología nominalista, la de «Gregorio de Arimino». Ocupará en seguida, desde 1530 hasta su muerte (¿1541?), la de filosofía moral». Preceptor del futuro Felipe II (cargo para el que había sido elegido el malogrado Pérez de Oliva), llegaría a ser arzobispo de Toledo, imponiendo «el nuevo estatuto de 'limpieza de sangre' que reservaba las prebendas exclusivamente para los 'cristianos viejos'». (1966: 242 y 523.) *Vid.* ahora la nota 10 al *Razonamiento de oposición*.

INTERLOCUTORES
Siliceus, Arithmetica, Fama.

SILICEUS.—O quan profundas imaginaciones apprehendo considerando quanto precio tu, nobilissima Arithmetica, vales! que personas infimas magnificamente coronas. Tu subtiles contemplaciones revelas, obscuros errores clarificando. Tu, ingeniosas conclusiones mostrando, pomposamente triumphas. Quando tan altas recreaciones cognosco, culpo te, misera ignorancia, tenebrosa insipientia, que falsas vias procuras. O tu, floridissima Arithmetica, que inmortales fines pensando, perpetuos honores procuras! Tu de ultima memoria me salva, tu de mala fama me conserva!

ARITHMETICA.—Si contra tan impetuosas acclamaciones proterva resisto, justamente me culpas. Voluntaria te amo, notando quantas gracias, quales perfectiones, quam concordes doctrinas sustentas.

SILICEUS.—Tu sola, una dignissima Arithmetica, de evidente doctrina me adornas, altissimas conclusiones manifestando. Si tu ante odiosas intenciones, ante venenosos animos, ante invidiosas murmuraciones de discordias me salvas, excellentissimos favores sustentas.

ARITHMETICA.—De sola prudencia tu cura, discretas personas imitando.

SILICEUS.—De sola escandalosa discordia me fatigo quando apprehendo divisiones, inclinaciones diversas, opiniones contrarias, prosperas fortunas contra miserias, constantes animos contra malas fortunas, duras persecuciones con-

241

tra animos constantes, contra duras persecuciones defensiones fortissimas, contra fortissimas defensiones tentaciones cautelosas, contra cautelosas tentaciones honestos animos, contra animos honestos invidias, persecutiones, discordias, illusiones, cautelas, fallacias, malicias, murmuraciones. Que respondes, Arithmetica, contra tantas diabolicas compositiones?

ARITHMETICA.—Si temporales possesiones amas, perpetuas passiones procuras; si ambitiones humanas, caducas glorias; si scientificas intellectiones, memorias immortales, eternas recordaciones, gloriosos fines esperas. Si de mundano beneficio te reprivas, de infortunio te escusas. Privandote de dominio, de captiva obediencia te salvas, privandote de patrimonio, cessas de ansioso servicio.

SILICEUS.—Si tu, Arithmetica, de honesta fama me dotas, tu sola altissimamente me amas.

ARITHMETICA.—Amo te, amo Siliceanas inclinaciones. Claramente cognosco, preastantissima Fama, quantos philosophos exaltas, quantos diffuntos vivificas. Tu grandes animos incitas, victorias altissimas causando; invidias tu refrenas, falsas accusaciones castigas; causando altos honores, ingeniosos animos recompensas. Tu, que curiosa exaltandome de tanta gloria me augmentas, si me amas, de solo Siliceo procura. Tu de eloquencia copiosa, de honesta elegancia te arma. Tu, silicenas doctrinas predicando, profundas imaginaciones revelas. Si tu, amantissima Fama, de Siliceo procuras, dulcissimamente te amo.

FAMA.—Tantas perfectiones de Siliceo cognosco quantas tu declaras, dissertissima Arithmetica. Tu honores siliceanos spera. Procedo siliceanas imaginaciones cantando.

Nota al texto

Texto en *C* ff. [7r]-[8v] con el título: *Dialogus inter Siliceum, Arithmeticam et Famam Hispana lingua eademque Castellana, a Fernando Oliva. eiusdem Silicei discipulo compositus, qui parum aut nihli [sic] a sermone Latino dissentit. eo nempe facillime concluditur, sermonem Castellanum caeteros anteire Graeco et Latino extra aleam datis.* Antes lo había sido en el:

ARS ARITHMETICA IOANNIS / Martini Silicei in Theoricen & Praxim / scissa: omni hominum cõditioni perq. / vtilis et necessaria / [en un cuadrado escudo con las iniciales de Silíceo; arriba un gallo con el lema: «A MENTA ABSTINAE», y abajo una mano con un compás y lema: «TENEO MENSURA»]/ Venales habentur apud bibliopolam Hedmundû / in vico sancti Iacobi in intersignio lune crescẽtis / [s.a]. [¿1526?]. En 8ª. [2], 120 h. Sig. A-P⁸. El texto del *Dialogus* ocupa la h [2r-v]. He visto un ejemplar en la B.N. de Madrid, el R/24288, con las hs. 40-92 arrancadas, y falto del final desde la 117. El texto no figura en la edición anterior (Parisiis, anno Christi 1519. Ex officina Henrici Stephani), ej. R/29129 de la B.N.M. No he visto la edición de 1514 (in honestissima Belaucorum palestra composita anno domini 1514. Et a Thome Kees Wesaliensi impresa expensis publissime vir Ioannis Fabri hedmundi parihisius XXVIII die Septembris).

Poesías

Presentación
de Ambrosio de Morales

Muchas vezes hemos dicho del grande amor que el Maestro Oliva, mi señor, tenía a su lengua natural, y el deseo que tuvo de ilustrarla escriviendo en ella cosas tan altas y de tanta grandeza en lo mejor de la sabiduría, que la hiziesen mucho estimar viendo como se mostrava excelente siendo bien empleada. Este amor le hizo, siendo muy moço, hazer estas poesías; porque aviendo doze años (como yo algunas vezes le oí dezir) que andava fuera de España, estudiando en París y en Roma, gustó de exercitar en algo su lenguaje, y para este exercicio trasladó entonces la *Comedia de Anfitrión*, y escrivió esta poesía. A algunos les parecía que ni estas cosas ni las demás no las devía poner aquí, como cosa indigna de la gravedad del autor; mas yo no quise dexarlas por ser tales que, aun a todos los que admiran su ingenio y lo celebran por soberano y muy grave, hallan aquí mucho de grandeza y gravedad, maravillándose cómo en otras cosas tan menudas puso tanto levantamiento y, siendo como de burla, les dio tanta severidad. Y también en general, a todos los que desdeñan nuestra poesía castellana, diré lo que Marco Tulio en un prólogo de sus libros gravísimos de filosofía. Yo no me acabo de maravillar —dize— enteramente, de donde nace este tan sobervio fastidio de las cosas de nuestra tierra, que el no tener noticia ni gusto alguno de nuestra poesía, o es pereza floxísima, o enfado muy melindroso.[1]

* * *

[1] *C*, ff. 151r-v. La *Comedia de Anfitrión*, llamada *Muestra de la lengua castellana o el nascimiento de Hércules*, figura en los ff. 38r-74v de la edición cordobesa. (Para otras ediciones *vid.* la bibliografía en la *Introducción.*)

Enigmas[2]

El mosquito, la abeja, la mosca y el caracol

Fieras horribles me mueven el canto   1
de fuerças extrañas en ira hervientes,
con boz que los ánimos hincha de espanto
de los que fueren atentos oyentes.
Nunca espantaron tanto las gentes
sierpes horribles, ni grifos volantes,
ni fieros leones, ni tigres valientes,
ni maças en manos de bravos gigantes.[3]

Un animal, cruel, furioso[4],   2
pare la tierra, de Febo preñada,

---

[2] Los enigmas están escritos en coplas de Arte Mayor, y siguen en buena parte las descripciones hechas por Plinio en la *Naturalis historia*. Es por tanto poesía grave, como quiere Morales, no obstante su severa y colegial jocundidad, que deriva del texto del propio Plinio.

[3] Cfr. la *Naturalis historia* (XI, I), donde se habla de los insectos en general: «In magnis siquidem corporibus aut certe maioribus facilis officina sequaci materia fuit: in his tam parvis atque tam nullis quae ratio, quanta vis, quam inextricabilis perfectio! (...) Sed turrigeros elephantorum miramur umeros taurorumque colla et truces in sublime iactus, tigrium rapinas, leonum iubas, cum rerum natura nusquam magis quam in minimis tota sit.»

[4] Es el mosquito, que se alimenta de sangre humana y muere aplastado por las manos de sus víctimas. Cfr. Plinio XI, I: «Ubi tot sensus collocavit in culice? Et sunt alia dictu minora: sed ubi visum in eo praetendit?

que harta su sed de apetito ravioso
con sangre de cuerpos humanos sacada.
Cuando esta bestia se muestra airada,
no puede el hombre hazer defensión:
ni escudo de azero, ni golpe de espada,
con que se puede vencer el león.

Cuando acomete se haze sentir,   3
y acometida se buelve invisible;
parece después, do no era creíble
que pueda tan presto un águila ir.
Buscando va luego por donde herir,
si espera quien quiso mover su furor,
con tanta braveza, que es el huir
para librarse remedio mayor.

Aqueste animal se suele matar   4
con huesos de carne que él ha roído,
cuando en vengança del mal rescebido
de partes diversas se van a ayuntar.
Resuenan los aires y, roto el ijar,
vierte la sangre que tiene bevida;
y así con la muerte, que es cruda sin par,
paga los males que hizo en la vida.

Otro animal, más fiero y cruel,   5
nasce a las vezes de padre castrado
que haze morada dentro en la piel
de otro biviente que han desollado[5].

Ubi gustatum adplicavit? Ubi odoratum inseruit? Ubi vero truculentam illam et portione maximam vocem ingeneravit? Qua subtilitate pinnas adnexuit, praelongavit pedum crura, disposuit ieiunam caveam uti alvum, avidam sanguinis et potissimum humani sitim accendit!»

[5] La abeja con su aguijón; ésta puede reproducirse en el vientre de un buey muerto que se cubra de estiercol: «in totum vero amissas reparari ventribus bubulis recentibus cum fimo obrutis, Vergilius iuvencorum corpore exanimato» (*Nat. hist.*, XI, 23). En nota al margen de *C* se combinan las fuentes de Plinio (un buey) y Virgilio (un potro), pues anota: «Del vientre de un buey enterrado salen abeias. Virgil. en el l. II de la geor»; el paso corresponde al libro IV de las *Geórgicas*, vv. 284 ss, donde se narra la leyenda de Aristeo.

De láminas fuertes anda cercado
en una parte, que extiende y atrae,
y en lo demás de conchas armado,
y él se es vaina de un arma que trae.

Al tiempo que tiene cuidado natura   6
de restituir el mundo perdido,
que muestran los campos su gran hermosura,
su muncha riqueza que estava en olvido,
aqueste animal, sagaz, proveído,
muestra su fuerças, su industria y su brío
cogiendo tesoro que guarda escondido
en cuevas do el fuego ha gran poderío.[6]

Aqueste tesoro, si ay quien lo vea   7
que quiera tomarlo, y no sepa las mañas,
airada la bestia los aires rodea
en son temeroso mostrando sus sañas.
Y luego lo hiere, con fuerças tamañas,
que en el gran golpe que ha sacudido
rompe la fiera sus mismas entrañas,
y así mueren ambos si muere el herido.

Furor que me viene pensando en fieras,   8
dándome copia me incita que cante
los hechos crueles, las suzias maneras,
la horrible figura de una harpía volante.
En cada parte ha diverso semblante,
en la cabeça cigarra parece,
vientre de araña, nariz de elefante,
piernas de trévedes y alas de pece[7].

---

[6] Las abejas están activas sólo con el calor: cfr. *Nat. hist.*, XI, 5; las *cuevas de fuego* son los panales; su picadura, que puede llegar a ser mortal, provoca la muerte de la propia abeja.

[7] Es la mosca, siempre detrás de las viandas, y temerosa tan sólo del abanico *(las plumas de pavo compuestas en rueda)*; muere atrapada por la araña *(la vieja muy leda)*, que teje una fina tela magistralmente descrita por Plinio *Nat. hist.* XI, 28).

Con grande osadía y fuerças no iguales,　　9
sigue contino esta harpía violenta
las ricas viandas, las mesas reales,
y en los combites primera se asienta.
Y mientras más come, más se acrescienta
su hambre que nunca comiendo se abaxa,
y por ser capaz, según es hambrienta,
en medio las mesas el vientre relaxa.

Gran coraçón que en esto se emplee　　10
con fuerças mayores no se lo vieda,
ni teme las armas, mas huye si vee
las plumas del pavo compuestas en rueda.
Y en fin una vieja, que vida muy leda
pasa hilando, la mata después,
y ella es la rueca de un copo de seda
que hila tirando con ambos los pies.

Un medio toro y medio serpiente　　11
veo a mi canto venir enconado:
su pecho por tierra, y su cuerpo valiente
sobre la espalda en bueltas plegado.
Es su morada de muro tornado
en modos diversos, así que lo pinto
tal que parezca, después de mirado,
que es Minotauro que está en labirinto[8].

Cuando, cubierto de flores el suelo,　　12
muestran los campos grande alegría,
y el sol resplandesce muy claro en el cielo,
las aves cantando celebran el día,
rodea los campos, y en toda la vía
señales de plata en las yervas imprime,
haziendo denuedos de gran valentía,
echando espumajos los cuernos esgrime.

---

[8] Se trata, como es fácil de adivinar, del caracol.

Aqueste animal tal miedo me ha hecho,   13
que sólo en pensarlo me tiene turbado,
y el coraçón hiriéndome el pecho,
la boz que regía confusa ha dexado.
Ya fin es venido a mi triste cuidado,
mi canto no quiero que más os asombre
ni ponga temor mostrando en estado
de tantos peligros la vida del hombre.

La hormiga[9]

Cantemos los hechos y horrible figura
de una fiera, por sabia estimada,
que sale a robar de su sepultura
do biva primero yazía enterrada[10].
Imagen de muerte paresce mirada,
trae los huesos de carne desnudos,
tiene seis manos de fuerça estremada,
y más en la boca dos garfios agudos.

* * *

LAMENTACIÓN POR EL SACO DE ROMA[11]

¡O Fortuna, que rodeas
con perpetuo movimiento
el mundo de ti descontento!

---

[9] Dice Morales: «No hizo el Maestro Oliva al principio más que esto de arriba. Después tuvo gana de añadir otro enigma de la hormiga, y así está de su letra en un cartapacio suyo esta primera copla.» (f. 154v). Añade dos coplas del doctor Agustín de Oliva que completan el enigma, más otro sobre el gusano de seda, de cinco coplas. A la hormiga dedica Mexía el capítulo 5 del IV libro de su *Silva*.

[10] La noticia puede ser una fantasía sobre Plinio, *Nat. hist.* XI, 36, quien decía que eran los únicos seres vivientes, junto con los humanos, en dar sepultura a los muertos: «Sepeliunt inter se viventium solae praeter hominem.»

[11] Dice Morales: «Cuando el año de mil y quinientos y veinte y siete saquearon a Roma, aviendo el Maestro Oliva poco antes venido de allá, y conocido al Papa Clemente, hizo en su nombre esta lamentación. Y aun-

Dime agora
si me dexarás un hora   5
en la vida de sosiego,
pues tras ti andando ciego
me he perdido.

Mira dónde me has traído
del estado soberano   10
do me alçaste con tu mano
poderosa.
La vida me es enojosa,
aborrezco yo mi suerte,
no tengo sino en la muerte   15
confiança.

Ya no espero ver bonança
entre tales tempestades
donde andan mis ciudades
en tormenta: 20
no ay ninguna que no sienta
los furores de la guerra
igualando con la tierra
lo más alto.

Todo anda en sobresalto,   25
y no puedo socorrerlo,

---

que el género de copla y verso es baxo y muy vulgar, todavía le dio mucho
de aquel levantamiento y gravedad que uvo siempre en todo lo que dezía
y escrevía (ff. 155r-v). Los versos de arte menor, con su pie quebrado y su
desarrollo del tema del *Ubi sunt* parecen más que apropiados para la ocasión. El texto, una lamentación puesta en boca del Papa Clemente, pertenece, creo, a la estirpe de los que deploran el malhadado Saco de 1527,
aunque lo justifiquen políticamente (aquí la coartada es la voladiza Fortuna, uno de los temas recurrentes en las obras históricas de Pérez de Oliva).
Sobre el Saco de Roma consúltese André Chastel, *Il Sacco di Roma 1527*,
Turín, Einaudi, 1983; y para sus resonancias en la literatura europea véase
ahora la tercera parte del estudio de Ana Vián, *El Diálogo de Lactancio y un
arcidiano de Alfonso de Valdés: obra de circunstancias y diálogo literario. Roma en
el banquillo de Dios*, Toulouse, Presses Universitaires du Mirail, 1994.

sino con gran dolor verlo
desta torre
de do veo cómo corre
el río Tibre teñido   30
con sangre que ha salido
de romanos.

¿Do están agora las manos
que domaron todo el mundo
que nos libren del profundo   35
de los males?
Scipión, César y otros tales,
todo su bien es pasado,
y tu fin es ya llegado,
noble Roma.   40

Mira el tiempo cómo doma
a tu antiguo poderío:
todo el calor buelve en frío
de los hombres,
y sus hechos y sus nombres   45
todos caen en olvido;
todo queda destruido,
lo humano.

¡O rey alto soberano,
Dios de verdadera fama,   50
oye, escucha que te llama
tu pastor!
¿Cómo no vees, señor,
los lobos en los apriscos,
y el ganado por los riscos   55
asombrado?

¿Do tu amor y tu cuidado?
¿Dónde tienes las orejas,
que no oyes tus ovejas
dar balidos?   60

¡Oye, escucha los gemidos
que salen de entre los fuegos!
¡Oye, escucha tristes ruegos
que te embían

las madres, que no querrían   65
algún tiempo aver parido!
Los niños en alarido
se te quexan,
porque sus padres los dexan
para no los veer morir: 70
todos querrían huir
de quien aman.

¿Ya no oyes los que llaman
a tu antigua piedad?
¿Qué es de aquella voluntad   75
que tenías
los antepasados días
cuando, Señor, nos compraste
con sangre que derramaste
de tu pecho?   80

¿Cómo, dinos, eres hecho
ya de nueva condición,
que a quien diste salvación
lo destruyes?
Si de nuestros males huyes,   85
y por ellos merescimos
el daño que rescebimos,
este día
acordársete devría.[12]

* * *

---

[12] Dice Morales: «Esto se quedó assí imperfeto sin passar adelante»
(f. 157r).

CANCIÓN[13]

El suspiro

Si se topan allá dentro
el dolor con el sentido,
suspiro es aquel sonido
que resuena del encuentro.
Si el alma siente aflición,   5
el aire retrae luego
por amansar el gran fuego
que arde en el coraçón;
y cuando juntos han sido,
seso y dolor en el centro,   10
respira el aire cogido
y trae fuera el sonido
que resuena del encuentro.

Nota al texto

Texto en *C* ff. 151v-157v.

---

[13] Morales anota escuetamente: «También es del Maestro Oliva esta canción» (f. 157r). He aquí lo que podría ser el único *divertimento* lírico de nuestro autor sucumbiendo a las penas del amor, si no fuera porque los suspiros de los que habla bien pueden ser los de la agonía; cfr. el final del parlamento de Aurelio en el *Diálogo* y luego, por contraste, los besos que, en la poesía de Aldana, se darán Damón y Filis (soneto «Qual es la causa mi Damón, que estando»).